LE ROMAN DU JAZZ

Les Travaux d'Orphée, 150 ans de vie musicale amateur en France, Aubier, 1988.

Philippe GUMPLOWICZ

LE ROMAN DU JAZZ

Première époque : 1893-1930

Fayard

ISBN : 978-2-213-02398-4

A Ève Gumplowicz, ma fille, ma toute belle
A Jean Nithart
Aux musiciens

*Il écoute le silence d'un puits à minuit sous
une étoile rouge
Il écoute du jazz comme s'il était noir affligé
de mélancolie juive et de divinité blanche*

Allen Ginsberg, Kaddish

Quelques notes de trompette
à La Nouvelle-Orléans

Le contre-*ut*, enfin.

Jack Laine resserre la pression de ses lèvres. Les vibrations qu'il arrache au métal, lèvres pincées comme sur une proie, lui disent qu'il deviendra un grand, un très grand joueur de cornet.

Posée sur une petite table recouverte de tissu bleu, une statuette de la Vierge le regarde, fascinée.

« Vitelle ! Vitelle ! Arrête, par pitié... Pourquoi t'acharnes-tu à me faire souffrir, par la Madone... »

Un temps, infime, la respiration du taureau. Madame Laine mère, la Tontina, hurle :

– Suffit !

Aucun contre-*ut*, eût-il été lancé des quartiers sud de la ville, par l'un de ces barbiers nègres qui saluaient le lever du soleil en soufflant dans leurs cornets avec la rage d'un bœuf, n'aurait pu résister à un tel cri.

Double concerto de hurlements.

– Il n'y a plus de Vitelle, glapit-il. Vitelle est resté à Palerme. » Maintenant, il hoquette : « Tout le monde ici, m'appelle Jack... »

La Tontina se rapproche. Au passage, elle bute sur Vittorio, le mari, petite chose effrayée aux yeux très doux.

– Toi, le père de cet orphelin, tais-toi.

L'épicerie nourrit tout juste la famille, il faut envoyer de l'argent à Palerme, jamais ils ne disent merci, ceux-là, et ce mari n'est pas un mari, c'est un volatile. Pas possible de compter sur lui pour garder la boutique, ou même faire les courses. La dernière fois qu'il m'a rapporté des artichauts, il a fallu que je supplie les Nègres de les manger. Cette année, il n'a même pas été capable de passer l'annonce rituelle dans le *New Orleans Picayune* : « Monsieur et madame Laine invitent la famille à s'incliner devant l'autel de saint Joseph. »

Elle a dit tout cela à ce fils qui suit les traces de son père ; il veut devenir inutile, lui aussi. Il passe des heures dans sa chambre, le cornet à la bouche, comme si c'était une tétine.

La Tontina porte le chemisier blanc brodé par la grand-mère, celui qu'elle garde en réserve, pour les fêtes et les mariages.

Ce matin, en prévision de la Saint-Joseph, elle s'est parfumée. Elle a fait des grimaces de petite fille devant sa glace. Ses yeux pétillaient, et elle est redevenue la jeune fille qui s'en allait courir, anxieuse, vers un noir fiancé, dans un faubourg de Palerme.

La Tontina remarque que son fils, toujours pas de travail, quelques poils pieusement cultivés sur la lèvre supérieure, un bon gros ventre, des yeux qui regardent passer les filles avec le sérieux d'un commissaire-priseur, son fils l'a regardée *de otra maniera*. Fierté de femme, douceur de mère.

Ne hurle pas, fils. Pour un peu, elle l'appellerait presque Jack, son *Vitelle*, mon fils, comment il m'a regardée...

Elle parle moins fort. C'est du travail, la Saint-Joseph. D'ici une heure, la famille va défiler à la maison. Puis, on accueillera les pauvres. Nouveaux immigrants aux yeux écarquillés, vieillards perdus, enfants en surnombre, malchanceux définitifs.

— Faut pas tirer sur la ficelle, poursuit-elle. Ta mère, elle s'use, pendant que ton père roupille et que toi, tu souffles dans ton tuyau.

Jack Laine sent la colère revenir. Il est trop

jeune pour supporter l'idée que les mots perdent leur sens :

– Trois pistons, une embouchure, un pavillon, et dessus, marqué « Établissements Gautrot, Mantes-la-Jolie, France. » Les gens normaux, ils appellent ça un cornet à pistons.

NOUVELLE-ORLÉANS

Cœur d'Italie

Tony Battistina enjambe un dernier monticule de détritus, il va pour entrer dans la maison de la Tontina, et il percute, plein cadre, un pouilleux qui arrive en sens inverse, une barquette de fruits dans les mains, qu'il dispute à d'autres, plus pouilleux encore. N'était la Saint-Joseph, Tony l'aurait frappé à s'en démettre le poignet. L'homoncule se traîne à ses pieds, la bave coule sur sa barquette et il supplie : « Monsieur Battistina, la Sainte Vierge vous protège. »

Il en arrive de partout.

Les pauvres se dirigent vers le *french quarter*. Ils marchent, la tête dans les nuages, fouillant le ciel, à la recherche, au milieu des centaines de drapeaux italiens qui flottent au vent, des petites statuettes de plâtre du saint. « Là, saint Joseph, *uno.* » Saint Joseph, hostie de pierre, cœur d'Italie, sourit gravement à travers la dentelle de frise des balcons. Sa présence indique les foyers où ils vont pouvoir manger.

Willere street, où habite la famille Laine, est une rue sale et triste, située au cœur du *french quarter*. Parti de sa villa de Clairborne avenue, Tony Battistina a tourné le dos au Mississippi, longé Canal street, dépassé Rampart street, et laissé derrière lui Basin street, large artère coupée en deux par une voie ferrée.

Basin street a connu son heure de gloire dans les

années 1840, quand les riches familles françaises de la ville y firent construire leurs habitations. Puis, comme il est d'usage à La Nouvelle-Orléans, les bordels y ont peu à peu remplacé les anciennes demeures bourgeoises.

Basin street... Une couche de fard apposée, au bloc de maisons près, sur un abîme de misère. Basin street marque la limite, civilisée et luxueuse, du quartier français, le vieil ilôt historique de La Nouvelle-Orléans, appelé depuis peu, du fait de la prédominance linguistique des anglophones, le *french quarter*.

Sitôt dépassé Basin street, la rue devient boue, eaux stagnantes, insectes pestilentiels.

Rue Bienville (l'usage est que certaines voies s'appellent *street*, alors que d'autres gardent leur ancienne dénomination de *rue*), des femmes ramassent des fruits pourris sur les planches de bois disjointes qui tiennent lieu de trottoirs. Lorsque Tony Battistina les croise, elles relèvent leur jupe sur leurs cuisses. Et annoncent le prix de la location d'une voix triste, dans un drôle de sabir, mélange d'anglais, de français, d'italien, d'espagnol : « Deux deullars, *mi querido*, deux deullars... » Rue du Marais, le dernier croisement avant la rue Iberville, un rat couvert de mouches luisantes achève de se décomposer.

French quarter. Un concentré de saleté. De bruit, de peur, de faim. Que les enfants soignent depuis toujours par des vapeurs de gin et de vin bon marché. Encore enfant, après quelques bagarres avec les Nègres de Perdido ou les Irlandais du St. Mary's Market Gang, Tony Battistina avait appris que l'on pouvait contenir la peur dans des limites raisonnables. Là où elle n'était plus un frein, mais un aiguillon.

Malgré l'eau de nèfle dont il a pris la précaution d'asperger ses vêtements, avant de se rendre à l'invitation de sa cousine, cette saleté d'odeur de rat crevé s'infiltre partout.

Il était encore enfant, et le ciel, au-dessus de sa tête, se résumait à ces fines lamelles de bleu tailladées par des rangées de linge séché, que Tony Battistina se savait déjà prêt à tout pour ne pas avoir à respirer l'odeur du *french quarter*.

Pestant contre le déchet humain qui a eu l'audace de faire couler sa barquette sur son costume, Tony Battistina parfume son mouchoir, se le colle sur le nez, et il entre chez la Tontina.

C'est la Saint-Joseph, aujourd'hui, 19 mars 1893.

Saint-Joseph, phare des existences siciliennes, plantée comme un cèdre, au milieu du carême. Saint-Joseph, patron des Siciliens. Mon parent, mon compagnon, mon frère. Il avait le dos brisé, lui aussi ; les mains percluses d'ampoules ; le pouce écrasé, peut-être arraché, par un coup de marteau, un jour de fatigue ou de distraction. Et sa femme, la Sainte Épouse...

Les petits hommes en chemise blanche, les cheveux luisants de brillantine, regardent la Sainte Vierge, sourient à son image, se laissent envelopper et bercer par la nature divine de la Dame. A la voir, trônant au milieu des victuailles, si calme, si douce, avec ce teint lisse, et ses yeux éternellement pâles, les petits hommes en chemisette blanche n'ont aucune peine à croire qu'elle ait pu donner naissance à un Dieu.

Tony Battistina s'arrangeait habituellement pour venir honorer le saint sitôt les pauvres partis. Mais, aujourd'hui qu'il est arrivé plus tôt que d'ordinaire, la misère d'autrui lui permet d'aligner des réflexions apaisées sur l'ordre profond du monde. Il a pris sa place dans la file des invités avec, dans la main, deux haricots et un quignon de pain. Il attend sagement son tour, pour s'agenouiller devant l'autel recouvert de feuilles de palmier piquées de lilas et de glycine.

Ce gangster au poil plus noir que l'âme regarde l'autel, amoureusement décoré par la Tontina, éclairé par des dizaines de petites fioles d'huile... Il s'amuse à compter les saints, il met des noms sur des visages, saint Joseph, sainte Rosalie, et les autres, là-bas, peints en rouge, des modestes, pareils à de gros poivrons.

A l'autre bout de la pièce, il y a un gros garçon de vingt ans, qui s'applique à accompagner laborieusement de sa trompette une petite chanson que les Siciliens de La Nouvelle-Orléans chantent à pleins poumons : « Devenir américain, manger et boire comme un chrétien. »

– Vitelle, mon grand, sois gentil, lui intime Tony Battistina. Tu me donnes le cafard avec cette musique. Joue-nous *Bella Ciao.*

Dieu, que ce garçon joue mal.

Tony Battistina explique maintenant aux petits hommes en chemise blanche comment il a pu faire sortir de prison les membres de la famille, tombés entre les mains de la justice américaine. Son histoire est difficile à comprendre. Il est question d'intimidation de témoin, de visites aux jurés, d'une audience de tribunal... Tony Battistina raconte comment l'avocat principal des accusés, convaincu de port d'arme et de pression sur le jury, fut prié par le juge de quitter la salle des audiences. Tony Battistina exhibe une liasse de billets verts : « Je ne connais pas un chien qui puisse résister à l'odeur de la viande », énonce-t-il, avec la voix fatiguée d'un évêque, rappelant un dogme de son église.

Les petits hommes en chemise blanche écoutent, émerveillés, extasiés, le récit de Tony. Pendant l'année, ils déchargent des cageots de fruits exotiques sur les docks du port de La Nouvelle-Orléans. Payés quarante cents de l'heure. Soixante, quand le travail se fait de nuit. Béni soit Dieu qui leur donne de quoi gagner le pain quotidien. Pour le même travail, les Nègres sont payés deux fois moins.

Jack Laine est le premier, malgré son cornet, à entendre quelque chose d'anormal. Il s'arrête de jouer. Dans un premier temps, les invités de la Tontina sont soulagés d'être débarrassés de ce cornet exténué et piteux. Un miracle, tout d'un coup, ce silence. Ils cessent eux aussi de parler. Gloire à toi, saint Joseph, qui arrives à faire taire Jack Vitelle Laine.

C'est alors qu'ils entendent, eux aussi :

– Au nom de nos pères, nous jurons que l'Amérique restera américaine.

Le grouillement d'insultes et de haine se rapproche. Le

cortège des Américains doit être quelque part du côté de Rampart street. Bientôt, ils vont envahir le *french quarter*. Ils sont tout près, maintenant.

Devant l'autel, une femme, les bras couverts de fleurs, se met à hurler.

— Les Américains... Ils attaquent le *french quarter*. Ils vont tout casser... Nous recouvrir de goudron... Nous tuer... Comme des Nègres.

— Vite!» La voix de Tony Battistina. «L'armoire! mettez l'armoire contre la porte!» crie-t-il, en sortant son petit revolver à canon scié. Jack Laine n'en finit pas de pester. Il s'abîme les doigts, avec cette putain d'armoire.

Du côté nègre du *french quarter*, un type, indifférent à l'orage, s'est mis à souffler d'une drôle de manière dans sa trompette.

La veille de la Saint-Joseph, Jack Laine, vingt ans en ce 18 mars 1893, était au premier rang du Taormina's band, quand la fanfare sicilienne de Willere street laissa derrière elle le quartier français, pour remonter vers Canal street jusqu'à Clairborne avenue, en plein quartier américain. De ce nuage de musique, qui se déplaçait dans une vapeur d'alcool, de rires, de bousculades, de cris, il lui restera, plus tard, le souvenir de son père, le pauvre, qui hurlait : «N'y allez pas, n'y allez pas.»

Le tambour-major du Taormina's band s'était mis une serpillière sur la tête. L'air d'un juge de cour d'assises, il déclama, en lançant sa canne en l'air : «Moi, *foreman*, porte-parole des jurés, je vous dis qu'après avoir délibéré, et en leur âme et conscience, les soixante et onze jurés, convaincus de la légèreté des charges qui pèsent contre les neuf accusés, ont voté l'acquittement des prévenus...»

Soixante et onze jurés, et ils ne peuvent rien contre nous.

Bella Ciao...

Jack Laine soufflait sa rage, le pavillon de son cornet dressé comme une injure, devant les volets fermés des maisons de la partie américaine de Clairborne avenue. Nimbé de l'un de ces moments royaux que connaissent quelquefois les musiciens, eussent-ils la malchance d'être nés sans disposition particulière pour la musique, Jack Laine se berçait, une fois encore, de l'idée qu'il était un génie du cornet, et que les autres trompettistes de La Nouvelle-Orléans, qu'ils fussent nègres ou musiciens d'orchestre à l'Opéra créole, étaient des nabots à côté de lui. Tu es le meilleur, Jack. Sans doute, certains cornettistes ou trompettistes possèdent-ils une technique plus affirmée que la tienne. Mais quelle importance, la technique? Ils jouent de leur piston *gentiment*. Alors que toi, tu souffles, et tu en joues comme un homme.

Jack Laine soufflait... Il était heureux. Les feuilles fibrées des bananiers lui caressaient le visage. Autour de lui, tout était léger. Miraculeusement léger.

Bella Ciao, Bella Ciao...

Les citoyens de race blanche et de souche américaine de La Nouvelle-Orléans rongeaient leur frein. Ils attendaient le lendemain. Rendez-vous avait été donné, le vendredi 19 mars, dix heures du matin, à Chartres street, devant la statue de Charles Clay. La justice se montrant incapable de faire respecter la Loi, la White league, le Know Nothing Party, les Vigilants, et autres organisations suprématistes blanches allaient s'en charger.

Ils vengeraient l'assassinat de David Hennessy, flic honnête, admiré de tous (mais, il faut le dire, profondément incompris, du fait d'une honnêteté pathologique, irlandaise, totalement déplacée dans une ville aussi corrompue que La Nouvelle-Orléans). Quatre ans auparavant, son frère et son père, policiers eux aussi, avaient subi le même sort.

David Hennessy avait été abattu dans un bar. Avant de rendre son dernier souffle, il avait eu le temps de dire que ses agresseurs étaient de type italien... Le lendemain, la police avait arrêté trente et un Siciliens. Neuf d'entre eux, dont Charles Matranga, frère du chef du clan Matranga, et cousin de Tony Battistina, étaient passés en jugement en mars 1893. Et ils venaient d'être acquittés.

Quelques menues années avant le tournant du siècle, La Nouvelle-Orléans compte des dizaines, des centaines d'orchestres. Des *marching bands* (qui font la musique pour les défilés), des *brass bands* (spécialistes des pas redoublés, ou des *two steps*, marches), des *dancing bands* (*one step*, quadrilles, mazurkas, polkas). Sans compter les petits ensembles qui accompagnent les hymnes et les cantiques, à l'office du dimanche, à l'église, et les orchestres qui assurent la musique de scène des spectacles, dans les rues, les théâtres... Des orchestres de toutes nationalités, de toutes religions, de toutes couleurs. *Jig bands* irlandais, *liedertafeln* allemands, *bandas* espagnols, *klezmor'n* juifs, *brass bands* créoles, *fake bands* nègres, *squadras* italiens...

Mais aucun de ces orchestres ne saurait accepter dans ses rangs le son du cornet à pistons de monsieur Jack Vitelle Laine.

Qu'a-t-il en moins que les autres? Il l'aime, cet instrument. Il l'aime d'amour. Il le lui a soufflé, hurlé, juré... Sans résultats. En cette année 1895, Jack Laine se refuse encore à admettre la vérité : il ne deviendra pas un grand joueur de cornet. Il croit encore à son étoile, en dépit des notes qui sortent de son instrument, en dépit du mal qu'il éprouve à jouer une phrase simple, qui tienne debout, en dépit des visages qui s'allongent et des yeux qui se perdent dans le vague, dès qu'il se met à jouer. Il s'accroche à son instrument. Le supplie. Le menace. Il veut sentir les regards des femmes se poser sur lui, des regards qu'elles réservent aux grands musiciens, aux joueurs de *base-ball*, ou aux grands maquereaux de Basin street.

En 1895, Jack Vitelle Laine joue néanmoins derrière des vendeurs d'alcool et de médicaments miracles, pendant qu'ils débitent leur boniment. Tout l'argent va au vendeur, la part du musicien lui est versée en nature, c'est-à-dire en alcool. Mais c'est avec ces charlatans qu'il apprend à parler au public. Il ne craindra bientôt personne pour abreuver de paroles creuses un auditoire. Dans les bars et les bordels où il se produira avec son orchestre, il sera capable de contenir, rien qu'en leur parlant, doucement, sans effets inutiles, la colère des culterreux du Mississippi.

Ce don oratoire va conduire Jack Laine à la seule place

qui pourrait lui convenir dans le monde de la musique : chef d'orchestre. C'est une fonction où il s'agit avant tout de faire semblant. Semblant de battre la mesure, de donner les départs, d'être maître d'un mécanisme qui, pour le fond, agit à sa guise. Pour cela, Jack Laine est le roi.

De plus, il est doté d'un sixième sens qui lui permet de sentir les besoins du public. Il sait à quel moment lui offrir les morceaux qu'il a envie d'entendre, il trouve naturellement les mots qui vont le faire rire. Il se dit que le meilleur moyen de faire entendre son cornet au public serait de monter son propre orchestre.

En 1896, Jack Laine se décide à organiser sérieusement son *business*. Il commence par accumuler des combines pour devenir chef d'orchestre funéraire. Il accompagne en musique, à pied ou sur une charrette, près de deux morts par jour, jusqu'à un tumulus de cimetière (le sol de La Nouvelle-Orléans est trop humide pour qu'on y ensevelisse des cercueils; à trois pieds en dessous du niveau du sol, il y a de l'eau).

Ses premiers musiciens, il les aura réunis là, entre les carrés de magnolias, entre les plans de cyprès et les herbes folles du Saint Louis cimetary ou du Girod cimetary. Le fils de l'épicier de Willere street ne peut plus se passer de l'atmosphère, de l'ambiance, des rires des musiciens.

Le fils de la Tontina ne s'arrête pas là. Il veut jouer pour les riches, pour les notables français de la Créole Society, les commerçants italiens de la Victor Emmanuel II Society, les brasseurs allemands de la Guillaume II Society, les Américains pleins aux as du faubourg Sainte-Marie. Jouer dans les maisons aux grandes colonnes, avec des Nègres qui vont et viennent et servent à boire aux musiciens. Jouer dans la fraîcheur des balconnades, bercé par les allées et venues du monte-charge, de la cuisine au salon, rempli de *gumbo* de fruits de mer ou de poulets frits à la sauce créole.

Jouer pour les riches. Il ne veut plus entendre son cousin Battistina, petit homme de cinq pieds quatre pouces, au visage envahi par le poil, bretelles rabattues sur le pantalon, à la mode des gangsters de l'époque, lui hurler à l'oreille, quand il joue dans un de ses clubs : « Hé l'orchestre, heu... T' crois à la messe... Joue-nous de la musique qui heu... »

Il ne veut plus entendre des Italiennes puant l'ail et le savon bon marché lui raconter, dans une fête de famille, que santa Rosalie, morte vierge et martyre en 1160, près de Palerme, les a visitées pendant la nuit pour leur annoncer qu'elles se marieraient pendant l'année.

Jouer pour les riches. Il y pense quand il joue *Oh did he ramble!* derrière un macchabée en route vers son jugement dernier. (Et il y pense d'autant que ces promenades en fanfare vers le cimetière ne lui rapportent pas le moindre dollar. Le « *fun money* », l'argent gagné dans un enterrement, se boit dans l'heure qui suit.)

Cela semble incroyable, mais Jack Vitelle Laine a mis des années à comprendre que son cornet à pistons ne l'aimait pas et qu'il ne l'aimerait sans doute jamais. Il aura été le dernier à l'apprendre. Et pourtant... N'importe quel habitant du *french quarter* en âge de suivre une fanfare savait que le gros Vitelle avait tort de s'acharner, et que, pour prix de ses efforts, il ne récolterait jamais que ces quelques éboulis de notes, ravagés, maladifs et pitoyables.

Ce n'est qu'en 1896... Ce jour de l'été 1896, où il entend le son d'une trompette, venue de Perdido... Un Nègre, sûr, c'est bien un Nègre, pour jouer comme ça. Même pas un cornet à pistons... Une trompette, instrument démodé, et tellement vulgaire.

Le lendemain matin, le type remet ça. Un *faker*, Jack Laine le répète à qui veut l'entendre, un bricolo, un musicien analphabète, incapable de jouer un quadrille jusqu'à la coda.

Mais qu'est-ce que c'est que ces notes? J'en donnerais ma main à couper... Il sait même pas lire la musique, ce type! Il joue trop fort... Il va se péter les lèvres, c'est sûr. C'est de la folie, de jouer ainsi. Merde, un contre-*ut*. Il va pas le tenir longtemps, j' suis sûr. Mais qu'est-ce que c'est que cette manière de souffler dans une trompette! Un sauvage... Et ces types, qui font ce boucan avec lui, sur quoi tapent-ils? Des mâchoires de bœuf, ma parole. A moins qu'ils ne se grattent les couilles sur du gravier.

Putain de trompette...

Le petit Nègre qui vient faire le ménage dans l'épicerie familiale le regarde en coin, dès que l'autre souffle. « Hé, Buddy Bolden, il joue, hein! » Chaque matin plus fort, plus heureux. Insupportable, le sourire du négrillon, dès qu'il entend cet incapable de...

– Comment t'as dit qu'il s'appelle, déjà?

– Buddy Bolden, sir.

Bud-dy Bol-den

En 1894, le Soards New Orleans City Directory, l'état civil de la ville, recense les citoyens de La Nouvelle-Orléans. Une centaine d'entre eux – cent deux exactement – inscrivent, à la rubrique profession : musiciens [1] *.

Cent deux musiciens de variétés, syndiqués selon la couleur de leur peau, qui jouent dans les orchestres de boîtes de nuit, de défilés, de *lawn parties (garden parties)*, de fêtes privées.

Une trentaine d'entre eux se consacre exclusivement à la musique. Parmi eux, des noms connus, qui resteront dans l'histoire du jazz : Jack Laine (domicilié 632 Port), Freddie Keppard (1813 St Ann), Dave Perkins (1814 Sixth), Edward « Kid » Ory (2135 Jackson), Joe « King » Oliver (2712 Dryades), John Robichaux (3109 South Liberty)...

Les autres ne se consacrent pas uniquement à la musique ; on les appellerait aujourd'hui des semi-professionnels. George Baquet et Lorenzo Tio fabriquent des cigares ; Johnny Dodds répare des chaudières ; John Saint-Cyr est plâtrier (on retrouvera plus tard Dodds et Saint-Cyr, respectivement à la clarinette et au banjo, aux côtés de Louis Armstrong, dans les enregistrements des

* Les notes se trouvent en fin de volume.

Hot Five) ; Alphonse Picou, interprète du très célèbre *High Society*, est étameur.

Les pianistes de bordel et les musiciens classiques n'apparaissent pas dans cette liste. Ils ne font pas partie de la caste.

Pas plus qu'un trompettiste appelé Buddy Bolden, qui néglige de répondre au questionnaire envoyé par l'état civil.

« Un soir, avec quelques amis, nous sommes allés à un bal au " Odd Fellows hall ", où jouait Buddy Bolden. Au fond de la salle se trouvaient six musiciens sur une petite estrade. Ils avaient leur chapeau sur la tête, et faisaient la pause plutôt endormis.

« Soudain, Buddy se lève, frappe le plancher avec sa trompette pour donner le tempo, et tout le monde se redresse, bien réveillé. Buddy marque un temps d'arrêt pour bien placer son embouchure et attaque *Make me a pallet on the floor*. La salle frissonne et crie : " Vas-y Bolden ! Vas-y ! "

« Je n'avais jamais entendu un truc pareil. J'avais jusque-là entendu de la musique bien sage, mais ça, c'était quelque chose qui me transportait. Ils m'ont fait monter sur l'estrade, ce soir-là, et j'ai joué avec eux. Par la suite, j'ai presque laissé tomber la musique que je jouais avant [2]. »

Charles « Buddy » Bolden. Fils de Louis et Alice Bolden. Né le 6 septembre 1877 à New Orleans, 507 South Franklin. Mort à l'hôpital psychiatrique de Jackson, Louisiane, le 4 novembre 1931. Apprentissage de la musique dans les offices de l'African Methodist Church ; petit musicien dans les *marching bands* de First street, de Franklin street et de South rampart ; membre d'un quatuor vocal informel, dans l'arrière-boutique d'un nommé Louis Jones ; chef d'un petit orchestre de danse et de parade. Buddy Bolden manifestait – ce qui n'est guère original – un goût marqué pour les sapes, l'alcool et les femmes (auxquelles il confiait son chapeau ou son mouchoir, mais jamais son cornet).

Avec, en plus, un formidable talent de causeur, un sens inné de la frime, une syphilis qui s'aggrava avec le temps ; sa fin fut solitaire, dans un hôpital psychiatrique de Jackson, État de Louisiane.

Un destin somme toute normal, pour un Noir de Perdido.

C'est grâce à lui que toute cette histoire est arrivée. Avec sa manière abracadabrante de souffler dans sa trompette, il a introduit dans la musique jouée par ces cent deux musiciens recensés le germe de ce qu'ils appelleront entre eux la *ragtime music*.

Ce Noir de Perdido ne parle qu'américain. Ce n'est pas un de ces Créoles de couleur francophones, racés et cultivés, comme Sidney Bechet ou Jelly Roll Morton. Qui est-il ? Certains disent que son caractère était moins caricatural qu'il n'y paraît, que Buddy Bolden est un garçon intelligent et complexe. Il passerait ses dimanches à écrire des articles diffamatoires dans une feuille à scandale qu'il a créée. Balivernes, disent les autres. Il n'est que barbier. Un barbier stupide, bavard et dilettante qui se prélasse devant son échoppe en buvant de la mule blanche et en jouant de la trompette.

Difficile de savoir la vérité, dans une ville comme La Nouvelle-Orléans, où la parole est tellement libre, tellement folâtre... Buddy Bolden a-t-il été ce barbier irrésolu qu'évoque la première enquête (1939) sur les pionniers du jazz publiée aux États-Unis ? Commerçant original et loufoque, Buddy Bolden sort de sa trompette des sons vibrants d'une énergie insoupçonnée. La puissance de cette trompette est effrayante. Il m'a fait peur, rapporte un client, qui ne peut regarder trop longtemps les vaisseaux de sang qui font un œil vraiment mauvais à Buddy Bolden.

Toute cette histoire de musique de jazz commença dans la violence. La musique que se mit à jouer Buddy Bolden fut, tout d'un coup, sans rapport avec tout ce qui se jouait à l'époque (en premier lieu les quadrilles), et sans aucun respect des règles musicales en vigueur.

C'était un soir d'été comme les autres, à peine la chaleur était-elle plus pesante que les autres soirs, et ce barbier hâbleur et tête-en-l'air, qui ne vivait que pour plaire à ses femmes et qui professait que l'amour n'avait rien à gagner à se faire à jeun, souffla dans sa trompette comme un bœuf, tout en gardant aux lèvres le sourire d'un enfant.

L'existence musicale de Buddy Bolden fut météorique. L'alcool vint tôt à bout de lui. Mais il inventa des phrases de trompette, dans lesquelles un musicologue attentif eût pu reconnaître, à peine refondues, des ouvertures d'opéra, des bribes de musique de chambre entendue à l'office par des domestiques, des mélodies extraites de spectacles de *minstrels*, des ballades irlandaises, des comptines d'Afrique, apprises auprès des grand-mères, des quadrilles, des chansons à quatre voix, gueulées dans des arrière-boutiques de barbiers, des hymnes chantés dans les offices de la Sanctified Church.

Toutes ces musiques, Buddy les a entendues, saisies au vol, déjouées. Buddy Bolden, *first man of jazz*. Mais Buddy Bolden est à mille lieues d'imaginer qu'il puisse être premier de cordée. Pas plus que plus tard, dans les années vingt, il ne soupçonnera, dans son hôpital psychiatrique, qu'il est le père fondateur d'une musique que les adolescents du monde entier aiment et dansent sous le nom de jazz.

Buddy Bolden ne sait pas non plus que les quatre syllabes de son nom, Bud-dy Bol-den, seront dites, ânonnées, répétées par des générations de *jazz fans* du monde entier comme une monnaie qui claque au vent. Entrée dans le jazz : Buddy Bolden. Mot de passe ? Buddy Bolden. Lui, il a joué simplement quelques notes, du fond d'une échoppe qui abrite son matériel de barbier.

Buddy Bolden est un joueur. Un joueur et une brute. Parce qu'il lui arrive de cogner avec sa trompette, de se servir de sa partie la plus tranchante, le pavillon, pour l'envoyer au visage de gens qui l'emmerdent, et cogner aussi, comme un dément, pour donner de la chair et du sang à la musique.

La musique est immatérielle. La musique est absurde. La musique est ennuyeuse. Molle, froide, raide, arithmétique, languissante, soporifique, dévertébrée, et tout ça à la fois. Je parle de la musique d'avant le jazz. Moi, Buddy Bolden, je n'ai rien à foutre de tout ce qui a été écrit jusqu'alors, je parle de vos chorals, vos chants donnés, vos sonates, vos airs variés, vos ballades, vos cantilènes, vos madrigaux, et toute votre musique à bâiller, et tous vos commentaires à vomir.

Personne n'a prévu cela, qu'un Nègre appelé Buddy Bolden, fils d'un terrassier et d'une femme de ménage, allait mettre sa truffe, et pire encore, dans la musique. Qu'il allait enculer ce sublime jeu de société inventé par des savants, et propriété éternelle des sensibles. Bolden arrive, et il pousse ce qu'il trouve sur son passage. Personne ne pouvait prévoir cela.

A l'exception de Dieu.

Dieu ne pouvait pas accepter indéfiniment que la musique divine, Sa musique, s'arrêtât à du chant grégorien hululé par des hommes chauves en robe longue. Dieu savait qu'il y aurait le *spirichill*, premier nom du *negro spiritual*, qu'il y aurait la musique produite par la respiration du forestier dans les forêts de la Virginie, qu'il y aurait la musique de la lame du couteau sur la corde de guitare du chanteur de blues.

Le jazz est voulu par Dieu. Il avait prévu qu'un Nègre arriverait et donnerait à la musique le goût des épaules nègres, l'odeur des bouches nègres, la brûlure des sexes nègres...

Buddy Bolden invente. Il frappe. Sa trompette est une enclume. Et lui, il est un ange dans le jardin de son père... Ce gros balourd, cet artificier déplace, dérange, bouscule, renverse tout ce qu'il trouve sur son passage : les temps forts, les accents, les notes. Sa manière de jouer les airs à la mode, ou les ouvertures d'opérette va faire changer de cours le fleuve profond de la musique du XXᵉ siècle.

La musique de Bud est une invention de pauvre. Aussi subtile que ces petits taquets métalliques que les Noirs emboîtent sur une applique de gaz d'éclairage, pour servir de radiateur et de fourneau. Aussi précieuse que le pain frit arrosé de sirop et de mélasse donné aux enfants noirs le matin, pour calmer leur faim pour toute la journée.

Les Noirs changent tout. Ils ne savent pas se servir des objets, des outils, des instruments de musique, comme les Blancs. Achètent-ils un piano, un harmonium? Ils y vont de leurs accentuations irrégulières, attaques percussives, accords brisés, chromatismes...

Saint-Louis Post Dispach (un quotidien de Saint-Louis, Missouri), 8 mai 1881 : « Avez-vous déjà eu l'occasion d'entendre des Noirs jouer du piano? Ils jouent d'oreille et utilisent le piano exactement comme un banjo... C'est du bon jeu de banjo, mais ce n'est plus du piano. »

Qu'est-ce donc, si ce n'est pas un piano? Ces mains nègres qui frappent le clavier du piano sont la part visible d'une formidable rumeur. Grouillante, éparse, obstinée, souterraine, inflexible. Disséminée dans des lieux distants de milliers de kilomètres. Mélangée. Composite. Une usine à fabriquer de la musique.

Bal

« La société élégante et française de la ville est attendue à sa réunion annuelle qui se tiendra, comme tous les ans, dans les salons de la Société des Amis. Un grand bal suivra, qui sera animé cette année par le Reliance Orchestra de Jack Laine » (*New Orleans Picayune*, 8 mai 1899, carnet mondain).

Mai 1899.

Une grande salle de réunion, pas très éloignée du *french quarter*. Une lourde porte en bois. Les lettres usées se détachent sur une petite plaque de bronze. Un vestige, incrusté dans le bois, pourri de mille pluies. Société des Amis...

Sur les programmes des invitations, conservées dans les archives de la ville, on peut lire ceci : soirée dansante animée par le Jack Laine Reliance Band. Les noms des musiciens suivent : outre le chef, que l'on retrouve au soubassophone (une basse à vent déjà surannée à l'époque), il y a Lawrence Vega (cornet), Joe Mexican (clarinette), Dave Perkins (trombone), Jean Vigne (tambour), Chickie Hernandez (2ᵉ cornet), Buck Weaver (contrebasse), Steve Weinberg (violon), Willie Guitar (piano).

A ces musiciens s'ajoutent, fièrement mentionnés dans le programme, deux violonistes et deux contrebassistes que Jack Laine est allé chercher à l'Opéra créole le saint des saints de la vie musicale de La Nouvelle-Orléans.

« Bande de porcs ! » Steve Weinberg, le violoniste, hurle dans son for intérieur. Vieille habitude, prise à Plotzk, Pologne, où il est né vingt ans auparavant. Steve Weinberg, que sa carte de visite présente abusivement comme un violoniste cow-boy, a derrière lui autant d'années de musique que de colères rentrées et d'émotions contenues. Sur la petite scène de la Société des Amis, il a fort à faire. Depuis que l'orchestre de Jack Laine s'est installé, tout le monde semble s'être donné le mot pour marcher sur le boîtier de son violon.

« Si tu ne ranges pas ton étui, personne ne le fera à ta place », constate, d'un ton docte, une silhouette courbée sur une contrebasse, dont Weinberg ne voit, de dos, que des cheveux sales et bouclés. De face, c'est plus intéressant. Une figure rubiconde, des yeux globuleux. Le tout porte le nom de Buck Weaver.

Outre une disposition – indéniable – pour la contrebasse et la musique, le principal talent de Buck réside dans la manière dont il se sert de sa bêtise qui le range parmi les cons aimables, peu agressifs et reposants. Quand il profère une ânerie, sa figure s'éclaire, on s'attendrait presque à ce qu'il pousse des jappements, mais non, à le voir on se dit simplement que c'en est pathétique et attendrissant, d'être con à ce point. Malgré cela il lui arrive de laisser passer d'inexplicables et authentiques trouées d'intelligence.

Après Buck, c'est au tour de monsieur le président Villeré, l'homme le plus important de la soirée, de poser un gros pied botté sur l'écrin du violon de Steve.

Mille soucis fondent, au même moment, sur monsieur Villeré, ci-devant président de la *Creole society*, et organisateur de cette soirée. Monsieur Villeré porte bien sa cinquantaine, il a les tempes grises, les sourcils en accents circonflexes et les traits creusés. Ajoutez à cela des manières élégantes et un authentique talent d'orateur. Qu'il va dépenser en pure perte, car il doit prononcer son discours dans cinq minutes, et que rien n'est prêt. Les invités s'apostrophent, échangent les étiquettes posées sur les tables, critiquent l'ordonnancement de la soirée. Mais sans la moindre précipitation. Chez les habitants de La Nouvelle-Orléans de souche française, les gestes enrobés, la sérénité pincée sont des manières de vivre sur lesquelles on ne transige pas.

Cela fait près de deux heures que monsieur le président Villeré fait fi de ses principes, et qu'il court. C'en est comique, de le voir s'agiter de tous côtés avec son allure de flamand rose, ses mains qu'il tord en tous sens, et son sourire de confesseur, soudain crispé par l'inquiétude. Il voudrait que tout ce petit monde, en frac et en crinoline, arrive à sa destination, c'est-à-dire à la chaise marquée d'un petit papier à son nom.

– C'est le plus beau jour de ma vie, pense Jack Laine...

Il joue chez les riches. Il attend ce moment-là depuis six ans. Il n'y croyait plus, il se croyait définitivement voué aux Siciliennes et aux gangsters, quand un soir d'avril 1899, alors qu'il jouait chez Bill Swan's, un bouge appartenant au clan Battistina, un jeune garçon vint le trouver et se mit à lui parler avec véhémence.

Jean Vigne est poli, timide, ses yeux ont une teinte indéfinissable, la couleur du Mississippi, le soir après la pluie. Il joue du tambour, et il veut devenir musicien de danse. Plus tard, il se vouera à la mule blanche, une variété d'absinthe que boivent ceux qui, à La Nouvelle-Orléans, n'ont pas les moyens de se détruire au whisky. Jean Vigne éprouve de la vénération pour les musiciens. Afin de leur ressembler, il affecte une vulgarité gourmée, que ses parents mettent sur le compte de cette maladie, inexplicable et fréquente, qui s'attaque aux Créoles de race blanche quand ils approchent de leurs dix-huit ans. Son père est l'un des notables de la Creole Society.

Avant même que le petit Vigne lui confirme l'engagement de l'orchestre, Laine se précipite au 496, North Clairborne avenue, vers la petite maison en bois qui sert de local au Syndicat des musiciens de race blanche de La Nouvelle-Orléans.

Il y fait chaud. Une chaleur moite, étouffante. La chaleur n'empêche pas Jack Laine de hurler.

– J' viens de dégoter un bal... Le Bal... Celui de la Creole Society... Il me faut un tromboniste, pour cette soirée... Un bon.

Il s'adresse à Dave Perkins, secrétaire du syndicat. Dave Perkins, lui-même tromboniste, l'écoute à moitié, en jouant des figures rythmiques compliquées sur la vieille table de réunion. Monsieur le secrétaire du syndicat a deux raisons d'être énervé. Ce macaque lui arrache les oreilles, avec son américain détestable. Et il a réussi à se faufiler dans le bal le plus couru de la haute société néo-orléanaise. Dave Perkins a compris l'essentiel : le Rital a besoin d'un tromboniste; et, surtout, d'une carte du syndicat des musiciens.

– Comment il s'appelle, ton orchestre? demande Perkins.

– Jack Laine's Reliance Band. Je joue les danses à la mode, les danses animalières, *bunny hog, buzzard lope, crab steps, fish walk, camel walk, horse trot, kangaroo dip, pigeon wing, chicken scratch, cat tail, grizzly bear, turkey trot*... Et puis aussi les musiques italiennes, caribéennes, françaises, irlandaises, juives, nègres... Musiques de défilé, musiques de danses, musiques de théâtre, musiques de vaudeville, musique de *minstrels*, chansons d'amour, chansons à boire, berceuses...

– Et moi je joue du trombone, lui répond Dave Perkins.

« Mes très chers amis... »

Le président Villeré a commencé son discours. Devant lui, des dames et des messieurs affables. Qu'il s'efforce, ce n'est pas une mince affaire, de réduire au silence. Car ils s'adonnent à leur activité favorite : parler français. Une activité compliquée, bénie, spirituelle, quelquefois hasardeuse (après deux siècles passés en Amérique, il leur manque un certain nombre de mots), et qui les absorbe entièrement.

Steve Weinberg s'affaire sur son boîtier de violon. Il a

d'abord remarqué, sur les visages des Français de La Nouvelle-Orléans, une expression indéfinissable, mélange de bienveillance et de lassitude. Puis ce sourire, scellé sur toutes ces lèvres, comme définitif. Enfin, ces mouvements de mains, lents à n'en pas finir. Découverte, pour Weinberg, d'un univers nouveau et étrange : la politesse. Impressionnant, ce qu'il laisse entrevoir : l'existence d'un code qui assure à chacun la chance d'être entendu, sinon écouté ; et cette idée, curieuse, que s'entretenir avec autrui de choses secondaires est une manière courtoise de lui témoigner du respect.

Monsieur le président Villeré est lancé dans les premiers contreforts du grand lamento créole.
« Mes très chers amis... Je suis heureux de vous accueillir, dans cette soirée de la Creole Society. Cette société, vous l'avez créée, en des temps où il était de bon ton de se moquer de nous, de nous ridiculiser, de railler notre manière de vivre. »
Dieu qu'elle est belle... Les musiciens sont à mille lieues d'écouter le discours appliqué de monsieur Villeré. Ils ont les yeux fixés sur elle.
Ce n'est pas une femme. C'est une brûlure. Assise au premier rang, entourée d'une ribambelle de jeunes filles et de vieilles dames en crinoline, Élisabeth Vigne sourit à son batteur de frère.
Les yeux d'Élisabeth sont piquants, rieurs, mobiles, taquins, des yeux de grande sœur, qui grondent et qui admirent. Elle a des gestes rapides, exacts et sûrs. Mignonne jeune fille, c'est ton premier bal. Tu as ramené tes cheveux noirs, si noirs, en chignon, à la mode créole, et ta peau est blanche, transparente à force d'être blanche, sous le rouge des pétales de rose. Elle est vraiment très brune (à en avoir un léger duvet sur le front). Respiration légèrement haletante. Sous un corsage serré, une battue grave, soyeuse.
Et Buck Weaver de se dire le premier : c'est moi qu'elle regarde. Qui d'autre cela pourrait-il être ? Ne nous moquons pas de Buck. Tous sont comme lui. Ils se

rehaussent. Se rengorgent. Se tiennent droits.
S'appliquent à se voir sous un jour meilleur. Souriante
enfant. Trop belle tu es, pour que ça n'en devienne pas
douloureux et épuisant, de continuer à te regarder.

Il faut comprendre que dans ces conditions, Jack Laine
commence à s'inquiéter. Un sale pressentiment qu'il a, de
voir ses musiciens, les sales brutes, suspendus au corsage
de cette pimbêche. Jusqu'à Joe Mexican, le guitariste,
92 kilos et vilain comme un morse, qui se croit obligé de
la « travailler aux yeux ». Jack Laine, deux fois dans la
soirée, est allé tordre le cou de Joe Mexican. « Giuseppe,
tu vois pas qu'elle a rien à voir avec une fermière de
Bayougula ? »

Elle se rend pas compte... Ce sourire qui n'arrête pas de
fixer l'orchestre... Faut qu'elle arrête... Mais c'est une
pute, ma parole.

« Nous voulons conduire vers la civilisation toutes les
populations que Dieu a rassemblées ici. Servir l'intérêt
général, comme nous l'avons toujours fait. Ne baissons
pas les bras. Il faut que nous restions nous-mêmes. Nous
devons à nos pères de défendre notre héritage, nos cou-
tumes, notre manière de vivre. »

M. Villeré préside, en cette année 1899, le treizième
congrès de la Creole Society, organisation créée en 1886
par les Néo-Orléanais de souche française – les Créoles de
race blanche – pour défendre leurs intérêts « moraux et
matériels ». Il s'en arrache les derniers cheveux qui lui
restent. La haute société néo-orléanaise a été touchée un
jour par la grâce. Une grâce sans repentance. Elle est
convaincue d'incarner, immergée dans la sauvagerie américaine, un univers préservé de qualités spirituelles qui
n'appartiennent qu'à elle.

Cette communauté de souche française est si aimable,
si confiante... Mais elle est condamnée, foutue.

Élisabeth Vigne hausse les épaules. Une bouffonnerie,
ce discours. Un programme? Une analyse? Un bilan des
actions entreprises? Non. Une leçon d'histoire. La même
que l'année précédente.

Le discours du président Villeré est divisé en deux parties d'égale importance : le rappel des hauts faits, l'hommage aux grands hommes. Sujets traités : Louisiane, Nouvelle-Orléans, Quartier français.

La genèse (primordial, le récit des origines. Dans la mentalité créole, la valeur de tout événement, de tout être, de tout groupe humain, apparaît, se mesure, voire se résume en son commencement).

Au commencement, donc... Au milieu de l'année 1679, Robert Cavelier de La Salle, jeune Normand à l'œil beau et fier *(rires étouffés parmi les femmes)* laisse derrière lui le Canada et s'engage sur les eaux torrentielles du Niagara. Son vaisseau *Le Griffon* traverse le lac Erié, enfile le canal qui unit ce dernier au lac Huron et vogue vers Michilimakinac... Il descend vers le sud, il veut établir entre la Nouvelle-France et le golfe du Mexique une suite de relais qui se substitueront, plus au sud, à la ligne des missions créées vers l'ouest par les Jésuites. Cavelier de La Salle, ancien jésuite, n'a pas idée des difficultés qui l'attendent... Mutineries, attaques des Iroquois, des Illinois. Le 1er janvier 1630, il rédige son testament. Trois ans plus tard, sa flottille, avec ses cinquante-deux personnes, françaises et indigènes, débouche dans le Mississippi et commence à en descendre le cours.

La Salle vient de découvrir la vallée du Mississippi. 2 500 000 miles carrés, rien moins que la superficie de l'Europe sans la Russie, la Norvège et la Suède. Le 9 avril 1682, il fait tailler et planter une croix et une colonne aux armes de Sa Majesté Louis, le quatorzième, au nom de qui il prend possession de tout le pays que traverse le fleuve qu'il nomme Colbert. Les Américains lui préféreront celui, imprononçable et barbare, de Mississippi *(applaudissements)*. Je vous rappelle que le recours que nous avons déposé afin que ce nom grotesque et indien de Mississippi soit débaptisé en fleuve Colbert n'a toujours pas été examiné *(hou! hou!)*.

Le président Villeré parle maintenant d'Iberville.

Le beau, grand, fort, et héroïque capitaine de frégate Le Moyne Iberville n'a que trente-sept ans quand il reçoit de

Louis XIV l'ordre d'interdire aux Anglais l'entrée du Mississippi. Ce qu'il fait. Iberville parachève l'œuvre de La Salle. Et il donne à ces quelques maisons en rondins recroquevillées à la pointe de la Louisiane le nom de Nouvelle-Orléans. Orléans, en référence à Philippe, frère du roi.

D'Iberville a un frère, Bienville. Génial bâtisseur, homme de guerre, fin politique, Bienville va batailler, défendre La Nouvelle-Orléans contre les Indiens, les Anglais, la malaria ; il transforme un ramassis de déserteurs, de contrebandiers, de coquins, en sujets loyaux du roi de France. Bienville n'est pas qu'homme de guerre. Il est également juriste. Du genre imaginatif, encyclopédique, élégant et clair. Oh, l'impressionnante clarté de Bienville *(rires des musiciens, à l'énoncé répétitif de ce nom de Bienville. La rue Bienville, située en plein cœur du* french quarter, *est la grande rue à putes de La Nouvelle-Orléans).*

Monsieur de Bienville a rédigé quelques-uns des soixante articles du Code noir, la base juridique qui réglementera l'esclavage en Louisiane et aux Antilles. Il ne pouvait souffrir que l'esclavage restât un domaine pagailleux, et qu'il se trouvât livré à une jurisprudence de terrain.

Et le président Villeré va, comme de bien entendu, enchaîner sur Law, visionnaire du papier monnaie, père de tous les équilibristes de la finance, banqueroutier madré et expert. Law l'entrepreneur, qui monte la Compagnie de l'Occident, pour exploiter les territoires français des Amériques. Law, le malin, qui fait venir de Nouvelle-France une délégation de bons sauvages, tatoués et ornés de plumes, qu'il présente à la Cour, comme les sujets de la reine de la nation des Missouris. L'effet est payant. On s'arrache, depuis Paris, des étendues notariales de la Louisiane, la rumeur dit qu'on y ramasse de l'or à pleines brassées.

Le président Villeré en arrive au Quartier français... bâti par nos ancêtres. Sur les marais dévorés par l'humidité, grouillants de reptiles – oui, des vipères et aussi des alligators – Adrien de Pauger, architecte, réalise au cordeau, en 1721, son grand rêve géométrique. Bourbon, Conti, Chartres, Orléans, Royale, Toulouse, Sainte-Anne, Saint-Philippe, Saint-Louis, nos premières rues...

Arrive ensuite le temps du marquis de Vaudreuil. Lequel n'a, il faut en convenir, aucune compétence d'urbaniste *(sourires de complaisance dans l'assemblée, en souvenir de Vaudreuil, marquis débauché et oisif)*. Mais il rénove. Ordonne. Décrotte. Polit. Raffine. Lustre. Pas les pierres, mais les mœurs. A coup de velours, de dentelle, et de galon, Vaudreuil fait de La Nouvelle-Orléans le Versailles du Nouveau Monde.

Et ainsi de suite... La Nouvelle-Orléans, monde édénique. Les rotondes au plafond élevé, le Boston club, le Pélican, St.-Charles Hotel, ses *gumbo* et ses *jambalaya*, Ramos et Sezerac, le café le plus célèbre de tous les États-Unis... A en croire M. le président Villeré, toutes les vertus de l'esprit s'y trouveraient rassemblées.

Pourquoi alors ces visages des gens qui l'entourent – Élisabeth Vigne se pose cette question depuis qu'elle est en âge de penser – sont-ils tournés en arrière, rongés par des regrets, marqués par des ambitions recluses et inassouvies ?

M. Villeré raconte maintenant comment les corrupteurs s'y sont pris pour transformer cet éden en enfer. Chacun ici connaît, comme si c'était arrivé la veille, la dernière journée de fonction du préfet Pierre Laussat (des femmes, dans la salle, ont sorti leur mouchoir au seul énoncé de son nom). Quand le représentant de la France voit, en 1803, descendre les couleurs françaises du grand mât, face à l'hôtel de ville, il place une dernière gracieuseté sur le charme des femmes américaines, et il s'en va. « Il m'en coûte d'avoir connu cette contrée et de m'en séparer », confie-t-il à Thomas Jefferson.

La Nouvelle-Orléans n'est plus française. Bonaparte vient de vendre un tiers du continent américain à Thomas Jefferson, président des États-Unis. Pour quinze millions de dollars. Pauvre vieux. Crétin. Pigeon. Tu viens de faire la plus mauvaise affaire de l'histoire de l'humanité. Et pendant ce temps-là, pour le moindre centimètre carré de sol européen, tu mettais les peuples à feu et à sang.

Le premier gouverneur américain, Clairborne, ne parle pas un mot de français. Voici ce qu'il pense de ses administrés de souche française : « Indolents, attirés par le plaisir, et ignorants. Rien en eux ne les prédispose à se comporter comme des citoyens responsables » *(sifflets)*.

Vingt-huit ans de règne de Clairborne sur la Louisiane. Fin d'une époque... Les femmes françaises chassées des quadrilles de la bonne société, les maisons avec portiques gréco-latins, construites entre 1830 à 1850 par l'architecte Latrobe, sont rachetées par les Américains. 'Méricains, disent les Créoles de race blanche et de langue française. Ces Américains viennent du Nord, ils sont arrogants. Discourtois. Sans manières. Ils aiment l'argent. Pas la vie. On les appelle des Kaintocks, comme s'ils venaient tous du Kentucky.

Les Français de La Nouvelle-Orléans sont vaincus, au sommet, par le dynamisme anglo-saxon. Et, dans leur vie de tous les jours, ils sont harcelés, menacés, excédés, par la présence grouillante et multiforme des vagues incessantes d'immigrants. Le paysage, les odeurs, le langage de la rue, changent. Rue Conti, rue de Chartres, rue Orléans (que l'on vient récemment, encore une défaite, de débaptiser en Bourbon street), on parle maintenant italien, espagnol, irlandais, polonais, négro-américain.

Noirs chassés des campagnes par la guerre de Sécession, Latino-Américains de la Caraïbe, Italiens, Irlandais... Toute une population s'entasse dans les ruelles boueuses de ce *french quarter*. Une population résiduelle, pouilleuse, affamée, délinquante.

Le discours de Charles A. Villeré se termine par le toast, rituel : « A la femme blanche, à la belle femme de notre Sud, aussi pure et chaste que cette eau, aussi froide que cette glace brillante. Nous donnerons en gage nos cœurs et notre vie pour protéger sa vertu et sa chasteté. »

Bal. Programme spécial, concocté par Jack Laine. Des musiques un peu corsées, entre les airs de violon et les quadrilles... Des airs que Laine a entendus, joués par des Nègres de Perdido. Et cette nouveauté, appelée *ragtime*, directement arrivée de Saint-Louis, Missouri.

Jack Laine sent que cette musique va plaire. Bien plus que la musique douce et violoneuse de John Robichaux, son concurrent direct, et celle de tous les orchestres de La Nouvelle-Orléans que l'on retrouve d'ordinaire dans les bals les plus cotés de la ville.

Jack Laine joue maintenant de la basse à vent, et il lui arrive de se saisir de la grosse caisse. Tshfff... Plaff... Tshff... Plaff... Toujours légèrement en retard. Avec son soubassophone, il émet des notes improbables sur lesquelles les autres musiciens essaient désespérément de poser leurs fesses.

Dans les orchestres de La Nouvelle-Orléans, personne ne veut jouer de ces instruments décoratifs. Ils échoient aux timides et aux caractériels. Malheur au musicien qui s'est vu, un jour, fourguer une basse à vent dans les mains. Cet instrument, il n'en a jamais rêvé – comment peut-on rêver d'un soubassophone ou d'un tuba? – mais maintenant, il lui colle à la peau. Dans les pique-niques, dans les défilés, c'est le bassiste qui va faire la quête, une fois que l'orchestre a fini de jouer, pendant que le joueur de cornet et le clarinettiste s'ébrouent et se pavanent devant les yeux brillants des femmes.

Jack Laine fait mine de diriger, puis il passe de la basse à vent à la grosse caisse, cela fait deux musiciens en moins à payer et, plus encore, deux musiciens en moins à supporter; dehors le bassiste, grand mou indolent et cynique, et au diable le tapeur de caisse : toujours agressif, celui-là, comme s'il rendait les autres responsables de son obscurité.

Bal, donc. Ouvert par Jean Vigne, avec trois coups de grosse caisse. Le premier morceau est un vieux quadrille français, *Praline*.

Les femmes s'avancent les premières. Main droite sur un pli de la robe, l'autre main posée sur un bout d'épaule, ce ne sont que des formes indistinctes, surmontées de bouclettes, de vrilles, de tresses. L'attitude est soumise, attentive. Une fleur d'amour aux branches du palmier, conseille le manuel de danse.

Le palmier? C'est l'homme. Le pied gauche en avant, la tête inclinée, le bras arrondi. Il attend. La fleur d'amour quitte sa serre. Elle se déplace à petits pas comptés, le long de la pièce. La musique vient de lui dicter un changement d'allure. Le peut-elle? Elle doit... La voici qui court. Malgré son corset, malgré les strates feuilletées de vêtements qu'elle a empilées autour de son corps, malgré les épingles, les agrafes, les peignes, les fers, les papillotes...

Femme du Sud. Peau blanche, diaphane. Infinie retenue, pureté, traits patriciens... Fierté d'un père, promesse d'un fiancé. Comment ne pas entendre ces éclats de rire, ces froissements de robe? Ces jeunes femmes, catholiques de religion, françaises de culture, ont une précision de mouvements, une élégance qu'aucune Américaine ne possédera jamais. D'ici quelque temps, elles veilleront à leur train de maison, et joueront aux dominos, le soir, avec un sombre époux.

Mais ce soir, on ne veut voir du mariage que la seule danse nuptiale. La femme passe et repasse avec calme, comme fatiguée, abattue, mais un soubresaut frénétique vient révéler la volupté de ses mouvements...

Les musiciens les font danser. *Danse Élisabeth, danse.* « La fleur et la femme sont deux trésors; la fleur a son parfum, la femme a son âme », énonce un guide de direction de conscience créole. Depuis que tu danses, ton front s'est couvert de petites gouttes de sueur. Danse, danse... En toi, sur toi, immensément perceptible aux yeux des musiciens, il y a cette montée de sève. Douce, insinuante, irrépressible. Mon Dieu, cela se voit-il? Oui, cela se voit. Il y a cette lueur, dans tes yeux, tes joues sont roses, maintenant. Plaire, il n'y a que plaire, tu en oublies le mariage, les volées de nougat et les gardes suisses, sur le parvis de la cathédrale Saint-Louis, le ciel de lit tout bleu, la maison aux meubles en bois de rose, les fauteuils tapissés de soie, les vases de Chine, les statuettes d'ivoire. Danse. Les vieilles tantes chipoteuses, sales et méfiantes, qui te servent de chaperons, là-bas, sont vissées à leur banc, et il ne leur reste qu'à feindre de ne rien voir de cette sueur, de ce plaisir, de ce corps en mouvement, de tous ces regards de pauvres qui se portent sur lui.

Dave Perkins imite le cri des poules, des cochons, et des chevaux. Il ajoute des petits grognements, il invente des choses de son cru. Des petites syncopes, qui viennent tout droit du ragtime. Des manières de jouer qu'il a volées à Buddy Bolden. Les gens s'arrêtent de danser.

Grand, jambes fines, triste, un peu triste. Il vient de fermer les yeux, pour jouer le *rondo* de *Praline*, derrière Weinberg. Il est grand, oui, mais avec ses yeux fermés, on dirait un enfant. Élisabeth vient de remercier son premier palmier danseur, elle refuse une danse promise depuis longtemps à un autre palmier qui s'en va, claquant les talons. Elle rit maintenant, elle redevient une petite fille, dès qu'elle regarde cet orchestre d'Italiens et de Juifs. Ils ont l'air tellement empruntés, sûr que ça doit être des immigrants. Et ils n'arrêtent pas de lui faire des signes, ces grotesques. Ils ne manquent pas de toupet. Ses yeux passent peut-être un peu moins vite sur le tromboniste, plus discret, plus grave. Lui aussi la fait rire...

Jack Laine est fasciné. Il voudrait intervenir, mais il ne le peut pas. Acculé, submergé par l'ennemi intérieur. L'angoisse l'empêche de réagir. Silence et immobilité, devant ce qui ne va pas manquer d'arriver. Engloutissement. Les yeux d'Élisabeth sont délirants d'amour, mais dedans, Jack Laine ne voit que du malheur. La catastrophe arrive, et il n'y a rien à faire pour l'empêcher.

A peine cette fille lui a-t-elle fait un signe que Dave Perkins s'en va la rejoindre, sur la terrasse, au milieu des magnolias et des feuilles de bananier. Ils n'ont même pas le temps d'échanger des banalités sur le fourmillement des étoiles et la chaleur particulièrement insupportable qu'inflige le printemps, cette année-là. Trois danseurs épais, cousins de la fille, militaires de carrière, membres du White League Party, se ruent sur eux, et commencent à cogner avec méthode sur Dave Perkins.

Il va de soi que, dans la minute qui suit, les musiciens

sont jetés dehors. « J'ai rien à faire avec eux, hurle Weaver. Je suis un professionnel. Un professionnel. » Weinberg ne dit rien. Il a déjà vécu cela. Une fois de plus, viré. Pas plus grave que cela? C'est ce qu'il essaie de penser, mais il lui semble revenir à sa patrie de toujours, le malheur. Dans la tourmente, Jack Laine s'accroche à son soubassophone. Et effaré, au milieu des vociférations et des crachats de la foule qui les conduit à la sortie, il apprend qu'il a enfreint une loi de l'État de Louisiane qui interdit de jouer avec des Noirs. Jack Laine pleure de rage, parce qu'il est assassiné par quelque chose d'incompréhensible. Il finit par entendre, comme dans un cauchemar, que Dave Perkins, secrétaire du syndicat des musiciens de race blanche, est un Noir.

Dave Perkins a un huitième de sang *noir*. Donc, il est *noir*. Peu importe qu'il n'ait aucunement l'apparence d'un Noir. Peu importe également que jusqu'ici personne, ni chez les Noirs, ni chez les Blancs, ne s'en soit soucié. Quand Dave Perkins s'est approché d'Élisabeth Vigne, la noirceur de sa peau est devenue brutalement aveuglante, et s'est imposée à tous.

— Mais quelle ordure tu es, lui dit Jack Laine, sans le regarder.

— Tu aurais pu nous dire que tu étais noir, dit simplement Buck Weaver, quand ils se retrouvent dehors, luisants de crachats et de colère, tous ensemble sous la lune.

Sud

De grandes maisons blanches aux rideaux de coton clair. Des règles de conduite, des habitudes, des principes fixés par la tradition, défendus par l'honneur.

Le Sud. Le Sud rural de Thomas Jefferson : « La rigueur morale de la masse des cultivateurs est un phénomène établi, pour toutes les époques et pour tous les peuples. » Le Sud héroïque de Sir John Randolph : « Je suis aristocrate : j'aime la liberté et hais l'égalité. » Le Sud des bonnes manières, fier de la sagesse de ses hommes, et de l'équilibre de ses institutions.

Peu d'hommes, dans l'histoire de l'humanité, connurent cela, et plus personne ne pourra désormais éprouver un sentiment semblable : se savoir les premiers habitants d'une terre inépuisable, une terre nouvelle, une terre riche, une terre qui rend au centuple ce que l'homme lui donne. La vallée du Mississippi, d'une superficie aussi vaste que celle de l'Europe occidentale, pourrait nourrir à elle seule 300 millions de personnes...

L'esclavage ? Laissons cela. Un caprice du destin, une chose passagère où chacun trouve son compte. Même les Noirs, surtout les Noirs. Tournez-vous vers la Plantation, vous y verrez des Noirs bien traités, des laboureurs affalés sur leurs mulets, des enfants qui chassent le raton laveur ou l'opossum à la lueur des torches et puis, aussi, des prières dans la maison commune, des baptêmes dans le ruisseau, des esclaves qui pleurent à l'enterrement de leur maître...

Jusqu'en 1825, le Sud est libéral, et dans les sociétés savantes on aborde ouvertement, comme chose admise et inévitable, la question de l'abolition de l'esclavage. En 1828, on dénombre près de trois cents sociétés anti-esclavagistes réparties dans les onze États sudistes qui feront bientôt sécession...

Il faut moins d'une dizaine d'années de crise des cours du coton sur les marchés internationaux pour que tout se renverse, se crispe, se fige. L'esclavage devient, dans les États du Sud, une valeur sacrée, inattaquable. Une valeur pour laquelle on est prêt à prendre les armes et à mourir. La superbe des cavaliers s'est transformée en rictus. A partir de 1835, le Sud devient conservateur, ou pire. Les sociétés anti-esclavagistes ? Elles ont disparu, leurs animateurs ont changé d'opinion, ou alors ils sont partis. L'anti-esclavagisme n'est guère plus prôné que par des petits groupes de quakers ou de méthodistes marginaux, obstinément attachés à leur lecture de l'Évangile.

Miscegenation. Vers 1835, ce mot, qui désigne et condamne le mélange des races, entre, pour ne plus jamais en ressortir, dans les conversations des 1 250 000 familles blanches installées en dessous de la ligne Mason-Dixon.

Nous tiendrons. Malgré la chute des cours du coton qui ruine une grande partie de nos exploitations agricoles, malgré l'isolement croissant des États du Sud sur la scène internationale. Malgré les leçons d'humanisme données par les yankees, des commerçants qui ne connaissent rien à la terre, tout juste bons qu'ils sont à gagner de l'argent en déplaçant des marchandises d'un point à l'autre du globe. Ce ne sont pas quelques révoltes d'esclaves, sanglantes et traumatisantes, qui nous feront changer d'avis.

1835. La haine de l'autre, forte comme une pulsion, étayée par mille arguments, portée par mille peurs, a saisi le Sud à la gorge. Comme s'il s'avérait soudain, de manière souterraine, potentielle, qu'un jour ces esclaves deviendront des maîtres. Alors, un haut-le-cœur, une évidence venimeuse, galopante comme la rouille : les tenir, leur montrer qui gouverne, leur faire peur, une fois pour toutes. Dire à ces pourceaux qu'ils n'ont pas intérêt à mordre les mains qui ont nourri leurs pères.

Pendant trente ans, tous les mardis, Jonathan Demosthene Perkins laissait son cabinet d'avocat et s'en allait retrouver un paradis de sensualité et d'attentions diverses, du côté de Royal street. Jonathan Demosthene Perkins partageait sa vie en deux parties bien distinctes. Il y avait sa femme d'un côté, et sa maîtresse de l'autre. Avec sa femme, il allait applaudir en famille les jeux de lumière de M. Edison sur Canal street. Avec sa maîtresse, il partageait le plaisir des sens et un goût pour des discussions élevées et profondes. Cette petite quarteronne était intelligente, bonne, sans amertume, attentive, dévouée, tendre, amoureuse, il n'y avait aucune raison qu'il l'abandonnât. Ces amours valaient à J.D. Perkins d'être dans la norme néo-orléanaise, elles meublaient les conversations qu'il avait avec ses amis. Femme blanche et maîtresse noire. Le modèle français de l'amour conjugal. « Nos esclaves pour les besoins de nos corps, et nos femmes pour leur trouver une issue légale », disait-il, en citant sans malice le Démosthène de l'Antiquité.

Un moment, la petite quarteronne se crut désespérément aimée, elle s'emballa et exagéra, jusqu'au point de se mettre en tête de se faire épouser par son monsieur. Celui-ci éluda gentiment la proposition. Pour lui montrer l'intensité de son amour, elle décida de mourir de froid une nuit de décembre, en l'attendant, nue, sur le toit de sa maison de Royal street. Jonathan D. Perkins fut touché par le geste, et il décida de lui faire un enfant. En épicurien qu'il était, il n'envisageait pas que les plaisirs de la vie puissent se dissocier d'une noblesse de comportement. Il fut ravi de voir s'arrondir le ventre de sa maîtresse. Lors de la première visite qu'il lui fit, alors qu'elle était encore dans ses couches, il trouva à l'enfant un teint clair et poupin... Il prit le bébé, l'amena au domicile conjugal, et dit à sa femme qu'il s'agissait de l'enfant adultérin de l'un de ses anciens camarades de combat du 12e Régiment confédéré. Madame Perkins ne posa jamais de questions.

Dave Perkins. Merle noir, élevé dans la maison des Blancs. Un destin barré. Une frontière invisible, une infime petite différence, que n'importe qui, quand il le veut, peut brandir contre lui.

Seul de son espèce. Pas noir. Rien de commun avec eux.

Souvenirs d'une promenade à Perdido, la nuit d'avant le Mardi gras, quelques jours après son arrivée à La Nouvelle-Orléans. Dans la nuit, simplement des appels de lumières et, aux alentours : des bars. Les hommes, là, qui friment ou qui chancellent, casquettes enfoncées jusqu'aux oreilles. A l'entrée du bar, un type vend des billets de loterie, des lames de rasoir, des chaussettes, des lots de préservatifs. Dans un coin sombre, des couples foulent le sol, serrés les uns contre les autres. Une odeur mêlée, de vin, de bière, de pisse, de parfums, de sperme, de transpiration des aisselles. Une grosse fille danse toute seule, frappant dans ses mains. Des jeunes femmes attirent le regard des hommes, fumant derrière le bar, l'œil alourdi par l'herbe et l'alcool. Une femme, robe relevée, cul à l'air : « J' le fais pour vingt cents, *hot papa*. Laisse-moi pas danser avec la gorge sèche. Vingt cents, simplement. »

Impossible non plus de se comparer aux autres métis. Dans l'immense majorité des cas, les quarterons et octovons nés d'amours intra-raciaux sont élevés par la mère. Quelle mouche piqua Jonathan D. Perkins, pour qu'il s'en vienne ramener ce petit merle chez lui ? Il aurait pu, il aurait dû se contenter de faire comme les autres, subvenir aux besoins de l'enfant, lui payer ses études et, même, lui offrir – et cela marquait généralement le terme de l'éducation – un voyage rituel à Paris, pour ses vingt ans. Dans les maisons bourgeoises de Clairborne avenue, on raconte encore qu'en 1870, un planteur avait légué

8 000 dollars à sa concubine noire et à ses deux enfants, une somme tellement exorbitante que toute la bonne société de La Nouvelle-Orléans s'était coalisée pour casser le testament.

Comment, dans ces conditions, agir sur les choses, quand on sait à quel point les choses ont prise sur vous ? Dave Perkins, le presque blanc... Des moments terribles de faiblesse, des tremblements qui le terrassent, vidé, insignifiant, détruit. Des matins terribles, où il ne sait qui il est. Ne se lève pas. Ne travaille pas. Se laisse emporter par l'ennemi intérieur. Livré à l'angoisse. Acculé. Les mains qui protègent le visage et, tout autour, les coups qui pleuvent.

Un réconfort, un havre : la musique. Seul moment de paix. Où il existe. Où la morsure le laisse en paix. L'impression que, avec son trombone, il écarte ses spectres. Quand il joue de la musique, Dave redevient un enfant. Beau à voir, défripé, épargné. Il s'est mis à jouer du trombone à Grenadier's, collège huppé pour enfants d'officiers des régiments d'infanterie de l'armée américaine, où élèves, professeurs, tout le monde est blanc, blanc comme neige, blanc comme le blanc du poireau. L'élève Dave Perkins, c'est notifié dans les livres de l'école, fut exclu de Grenadier's. Non pas parce que l'on s'aperçut là-bas qu'il était noir ; Grenadier's pouvait se montrer bienveillante envers les enfants adultérins des anciens officiers confédérés. Ils étaient deux ou trois élèves qui avaient quelques pigments un peu sombres sur la peau. Si Dave Perkins fut exclu de Grenadier's, ce fut pour cause d'indolence. Une paresse de couleuvre qui le rendait incapable de présenter les armes en même temps que tout le monde.

Dave Perkins se retrouve à La Nouvelle-Orléans. Malgré son air égaré, il sait lire la musique, et il a de fort belles manières. Cela suffit à le conduire, sans qu'il s'en rende compte, à la tête de l'Union locale du syndicat.

Un Noir à la peau suffisamment claire pour se retrouver à la présidence du Syndicat des musiciens blancs.

Pour étonnante qu'elle soit, cette histoire est authentique. Attestée par des articles de journaux, elle est reprise dans des livres qui font autorité [3]. Preuve évidente de son authenticité, Pops Foster, bassiste de Louis Armstrong, lui-même de peau très foncée, fait de Dave Perkins son cousin et rappelle que le tromboniste occupa un poste de responsabilité dans la très puissante Union locale des musiciens blancs.

Le 9 février 1899, Dave Perkins se rend à la convocation du syndicat. Son procès a lieu dans le local du syndicat, Clairborne St. 185. Il tient à la main un grand livre bleu, dont la couverture cartonnée est griffée par un canon. Il s'agit du livre d'honneur de Grenadier's. A la page 120, marquée par un signet, il y a, dessiné au fusain, un portrait en pied de la promotion 1890 de Grenadier's. Dave Perkins est le premier en partant de la gauche, qui tient le fanion de l'École...

– Tu nous as mis dans la merde! lui lance, en préambule, Franck Nowak, une huile syndicale de Chicago venue tout exprès pour faire oublier que l'Union locale du syndicat des musiciens de La Nouvelle-Orléans avait été dirigée pendant un an par un individu ayant eu un ancêtre africain.

Deux jours de procès. De l'autre côté de l'Atlantique, à peu près à la même époque, des juges militaires dégradent Alfred Dreyfus, capitaine juif, dont l'erreur fut de s'être introduit dans un groupe humain qui ne voulait pas de lui.

Idem pour Perkins. Il est exclu de l'American Federation of Musicians, local 496, exclu des orchestres blancs (on ne retrouvera plus jamais sa trace dans aucun de ceux-ci)...

Dave Perkins devra ensuite être traîné devant les tribunaux de l'État de Louisiane parce qu'il a adressé la parole, en public, à une femme blanche. Il n'a pas seulement transgressé un tabou, il a violé une loi écrite, codifiée de l'État de Louisiane. Une loi, votée en 1894, qui complète l'arsenal juridique américain connu sous le nom de Black Codes. Nouvelle définition des individus de race noire (« quelqu'un qui possède dans ses antécédents un ou plusieurs ancêtres africains »), et qui interdit auxdits individus de race noire de fréquenter des lieux réservés aux *white people*, et, à plus forte raison, les *white people* eux-mêmes.

Le *New Orleans Times*, quotidien libéral : « Les races qui se marient entre elles deviennent dégénérées et inférieures aux autres » (8/9/1899).

Le *New Orleans Picayune*, quotidien populaire, à grand tirage : « Que les Noirs restent à leur place ! Un cri pour nous aussi sacré que les bourgeons de magnolia. Mais la vraie place des Noirs semble être maintenant entre les jambes des Blanches » (20/2/1899).

Élisabeth caresse, imperceptiblement, le front de Dave Perkins, son amant. Noir, lui ? Il est si clair de peau, si délicat, si fin. En y regardant de plus près... Lèvres plus épaisses, léger croissant de lune à la racine de l'ongle, et cette infime différence de couleur, entre sa paume et le dos de sa main...

Cela fait trois mois que le scandale de « la Société des Amis » a éclaté. Dave et Élisabeth se cachent, ils ont trouvé asile du côté de Baton Rouge. En fuyant La Nouvelle-Orléans, ils ont évité le lynchage.

Miscegenation. Dave Perkins et Élisabeth Vigne sont des agents dissolvants, bactériens, diaboliques, insensés de ce mélange.

Le père d'Élisabeth Vigne a pris le deuil, après avoir convoqué le conseil de famille qui a déshérité sa fille. Les amies d'Élisabeth ne parlent plus que de cela. Elles évoquent l'histoire avec une espèce de rage convulsive, émaillée de rires grivois... Tous les matins, tous les jours, pendant plus d'un an, le nom des Vigne sera remué, manipulé, déchiqueté par la presse.

Élisabeth regarde son amant. Noir, Dave Perkins ? Mais ça veut dire quoi, au juste ?

Une couleur ? Mais c'est si peu de chose, une couleur. Ne pourrait-on pas imaginer que les couleurs puissent se décliner, se fondre les unes dans les autres, selon toutes les teintes du spectre? Une déclinaison si subtile qu'elle en deviendrait proprement innommable?

Le Noir ne serait rien, s'il n'était que couleur. Le noir est la réaction que cette couleur suscite.

Depuis que ses yeux se sont ouverts sur le monde, elle a vu, tous les matins, sa mère et ses sœurs se précipiter, le front pincé par l'angoisse, vers leur miroir. Elles courent comme des possédées... Ouf... Oh merci Seigneur, de m'avoir, cette nuit encore, gardée dans l'état de blancheur où tu m'as créée.

Tant d'histoires affreuses qui circulent, sur ces peaux d'albâtre, « ma chérie, si tu savais... sa peau était blanche, vraiment blanche », souillées en une nuit (c'est la nuit que ces histoires arrivent), par quelques gouttes de café au lait. Saloperies de perles noires... Et si l'une de ces femmes dignes, droites et hautaines, dont les portraits craquelés ornent les murs de la maison familiale, s'était laissé toucher par un Nègre? Impossible?

En y regardant de plus près, air connu, dans les yeux de ces ancêtres : cette flamme, ce parfum de vertige, cette sensualité comprimée qui exalte ce qu'elle écarte. Comme si toutes ces femmes d'ordre, épouses et éleveuses d'enfants, trouvaient un malin plaisir à entretenir leurs zones d'ombre. Le temps passant, elles devenaient des mamies créoles, vives, piquantes ou autoritaires, revêches et amères. Mais jamais elles ne laissaient en paix ce qui traînait au fond d'elles-mêmes ou chez les autres.

Les Noirs? Encore ceci, pour la tête enrubannée d'Élisabeth : les injures de Mummy, la gouvernante noire, dès qu'un domestique de couleur s'approchait de l'un des enfants dont elle avait la charge. Oh que je t'aime Mummy, encore plus que maman.

Mais il y eut aussi (cela suffit à atténuer les ravages du préjugé racial chez Élisabeth, tant il est vrai que l'on adhère souvent à des idées pour l'aversion que l'on éprouve envers les personnes qui ne les partagent pas), huit ans de repas dominicaux avec M. Edwin Hayter, un Anglican associé aux affaires de son père.

M. Hayter, petit homme aux yeux doux, était un de ces anciens libéraux, membre de plusieurs loges maçonniques, que les désordres de cette fin de siècle avaient fait progressivement basculer vers le conservatisme. S'il méprisait les adhérents du White League Party, qui symbolisaient tout ce qu'il détestait (la vulgarité, la bêtise, l'irréflexion), M. Hayter n'en n'avait pas moins progressivement glissé vers leurs positions. Il n'était pas rare de remarquer son parapluie de couleur mauve, précédant son inimitable démarche d'oie cendrée, dans les grands rassemblements de rues du White League Party. Il accompagnait à distance ces processions terribles, qui tournaient au pogrom une fois sur deux, avec l'air détaché et bienveillant de celui qui, s'il n'admet pas certains emportements, se montre prêt à les comprendre. Tous les dimanches, les Vigne recevaient M. Hayter. C'était l'occasion, pour ce célibataire, de se purger de ses lectures de la semaine.

M. Edwin Hayter lisait, avec fureur, tous les ouvrages qui traitaient de la question nègre. Dès qu'il s'agissait des Nègres, ce fondamentaliste, qui assurait qu'il n'y avait nul besoin de lire d'autres livres que le Livre, se plongeait dans tout ce qui paraissait. Les Français en premier lieu, tel que Gobineau, mais aussi les Allemands et des livres scientifiques qui prouvaient l'infériorité de la race noire.

Qu'est-ce qu'il disait déjà, cet horrible? Il parlait de Cham, fils de Noé, ancêtre biblique des hommes de race noire. Cette phrase qu'elle s'en veut d'avoir en tête – ah, l'horrible influence anglicane – accompagnée de sa référence scripturaire exacte (Genèse, IX, 25) : « Maudit soit Canaan! Qu'il soit l'esclave des esclaves de ses frères. » Savez-vous pourquoi? ajoutait M. Hayter. Parce que Cham aimait rire. Le rire de Cham (qui veut dire chaud, en hébreu) n'était pas un rire de liberté et d'amour mais un rire papillonnant et gratuit, qui cherchait à humilier. Noé avait bu le vin de la vigne qu'il avait plantée. Le brave vigneron s'était enivré et il était allé s'assoupir sous sa tente. Et Cham, grand enfant, avait profité du moment de faiblesse de son père pour le foutre à poil, et convier ses frères à se bidonner au spectacle de leur père ivre.

Voilà qui était Cham. Peut pas s'empêcher. Peut pas résister. Pur instinct. Faut qu'il jouisse. Tout part de là. Celui qui est l'esclave de ses passions deviendra fatalement l'esclave de ses semblables. Et le nabot de poursuivre : « conséquence d'une dépravation morale, invétérée en eux », les fils de Cham furent voués par la Bible à l'esclavage.

Des générations de Sudistes ont pu vérifier combien cette sentence était sage, voire bienveillante. L'esclavage ne faisait pas que sanctionner, il corrigeait, les démagogues bêlants du Nord ne peuvent comprendre cela. Comment laisser en liberté, livrés à l'anarchie de leurs instincts, des êtres victimes d'un tel handicap : l'affaiblissement de la faculté de discernement et sa conséquence, un emballement de l'activité émotive, qui se manifeste notamment par l'hypertrophie de la fonction sexuelle ?

« 95 % des Noirs des États-Unis vivent chez nous, parmi les 1 250 000 familles blanches des États de l'ancienne Confédération », précisait M. Hayter, en accompagnant sa démonstration chiffrée d'un doigt savant et boudiné.

« Mais vous verrez, prophétisait-il. Aujourd'hui, des recruteurs du Nord rabattent des Noirs vers les usines de Chicago, Cleveland, New York, Detroit. Qu'ils y aillent, qu'ils y aillent. Attendez qu'ils s'y installent. Et vous allez voir comment les belles âmes du Nord vont traiter ces braves oncle Tom, ces doux oncle Remus...

Résister à cela. A cela et à ce qu'elle ne cesse d'entendre, au-dehors de et en elle-même. Élisabeth y serait arrivée, si Perkins pouvait lui montrer qu'il pouvait être mobile, nerveux, offensif. Parce qu'il faut de la force, surtout en 1899, pour résister à tout cela. A cette chose ombilicale, vautrée, venimeuse, installée au plus profond de vous. Qui choisit le pire, avec entêtement. Qui sait que le désenchantement finit toujours par gagner. Qui épuise

l'amour, le plus inépuisable amour. Qui se rend à l'abjection, parce que tout est abjection. Qui répond à l'hostilité
du monde avec une colère insuffisante et vaine. Qui
devine qu'elle trouvera toujours à s'allier avec toutes les
eaux sombres qu'elle trouvera à sa portée.

Black

« Les Georgia et les Mahara Minstrels sont l'exception notable d'un temps où des Noirs ingénieux remplacèrent les habituels acteurs blancs... Pour la première fois dans l'histoire des États-Unis, le Noir est le concurrent du blanc pour une même place » (*Music Journal*, revue musicale mondiale de San Franscisco, 9/12/1899).

Tout près de Saint-Louis, Missouri, à Scottfield, dans le train frêté par l'organisation des Mahara Minstrels Men, en 1899.

Dans un wagon pullman aménagé en loge, Dave Perkins se passe le visage à la liqueur de noix. Bien que sa peau ait la couleur du jais, Harry Burleigh, chanteur de *spirituals* qui partage la loge de Dave Perkins dans le pullman, a, lui aussi, le visage recouvert de liqueur noire. Tous les artistes des Mahara Minstrels Men se préparent à une parade, qui, commencée sur les voies du chemin de fer, les emmènera au centre de la ville.

C'est ici, dans ce wagon aménagé en loge, que, quelques mois après son départ de Baton Rouge, Dave Perkins a écrit une lettre, la seule qu'il ait jamais envoyée, à son ancienne maîtresse, Élisabeth Vigne.

Chère Élisabeth,

Dave Perkins va bien, et il vous remercie de votre

intervention (quelle efficacité, quelle discrétion), auprès de monsieur Mahara.

Vous m'aviez prévenu, vous arrivez toujours à vos fins.

Et vous avez fini par trouver un travail à votre lapereau, Lisbeth. Votre lapereau a une place digne de lui. Je suis devenu un *minstrel*. The Mahara Minstrels Men, soixante artistes, est l'une des grandes troupes de *minstrels* du pays. J'aurais mauvaise grâce à me plaindre, d'autant que je me suis fait un ami, un musicien, William Christopher Handy (il joue merveilleusement de la trompette). Il lui arrive de se réveiller en pleine nuit, et de hurler sa joie de faire partie des Mahara Minstrels. Il n'y aurait, selon William Handy, dans tous les États-Unis, que les Georgia Minstrels, les Mac Cabe and Young Minstrels et les Hicks and Sayers Colored Minstrels qui pourraient nous être comparés, pour la musique et la qualité du spectacle.

Travail agréable.

11 h 45 : début de la journée, c'est la parade, directeur en tête, dans sa voiture tirée par quatre chevaux, et nous aut', pauv' Nèg's de musiciens, nous sommes déjà bien fatigués.

L'après-midi, sieste.

19 h 30 : petit programme de musique classique devant le théâtre. Avec attraction. Bagarre générale, chacun cogne sur son voisin, et l'un après l'autre, chaque musicien quitte l'orchestre, sous les applaudissements d'un public compréhensif : « C'est vraiment des Nègres... Mettez-les au paradis, ils en font une poubelle ! »

21 heures : début du spectacle. « Mesdames et messieurs, nous sommes ce soir chez vous pour vous divertir. Les cuivres sont à droite, les tambourins à gauche. Le sssspectacle va commencer... » Le rideau s'ouvre sur la troupe, musiciens, chanteurs, choristes, comédiens, mimes...

Je suis payé six dollars par semaine, avec une augmentation de cinquante cents tous les six mois. Le costume – épaulettes en argent et chapeau huit reflets – est fourni par la direction.

Vous remercierai-je jamais assez, Élisabeth?

Rien ne pouvait m'arriver de mieux que devenir *minstrel* chez monsieur Mahara. Sans cela, je postulais pour un emploi de maître de chant dans une église (quatre grandes églises nègres aux États-Unis ont les moyens de rémunérer ce genre de travail), ou alors, je faisais la tournée des bordels pour y trouver une place de pianiste. Obligation pour un Nègre de faire le clown (moi-même, pendant le spectacle, je suis musicien, mais aussi comédien : je reçois quelques immondices en première partie, et quelques coups de bâton dans une saynète où je vole des melons dans un champ). Vos yeux se voilent, Élisabeth? Les théâtres et les salles de concert ferment leurs portes aux Nègres qui ne se déguisent pas en caricatures de Nègres. Croyez bien que ça donne à réfléchir, de voir, dans chaque ville que l'on traverse, deux ou trois malheureux comédiens, chanteurs ou musiciens nègres, se jeter aux pieds de monsieur Mahara, pour le supplier de les engager.

Nous serons demain au Bailet's 81, à Atlanta, le plus grand théâtre noir de Géorgie. De là, nous descendrons jusqu'à Augusta. Une représentation est prévue autour de la statue d'Elie Withney, inventeur du *cotton gin*, cette merveilleuse machine à séparer le coton en deux qui apporta au Sud sa richesse, et qui (les intonations de votre petite voix d'institutrice résonnent encore dans mes oreilles) causa son déclin. Ensuite, nous irons droit sur la Caroline du Sud, notre train longera les alignements de pins de la rivière Savanah. Nous nous arrêterons, pour une semaine, à Orangeburg et à Sumerville où quelques-uns de mes frères nègres, aidés par le savoir-faire des philanthropes blancs, ont réussi à développer des plantations de thé...

L'emploi du temps est planifié pour un an au moins. Lincoln Theatre de Harlem, au Howard de Washington, au Palace de Memphis... Les plus grands théâtres *« coloured »* des États-Unis. Dans deux mois, nous jouerons au Lyric. Ça te dit quelque chose? Non... C'est pourtant un théâtre *« coloured »*, qui se trouve en plein cœur de La

Nouvelle-Orléans. Votre lapereau a prévenu monsieur Mahara qu'à compter de la semaine prochaine, il devra se passer de ses services.
Adieu.

Dave.

C'est sous les haussements d'épaules et les quolibets d'une soixantaine d'artistes noirs que Harry T. Burleigh a rejoint la plate-forme d'observation, située à l'arrière du train. Il y est comme dans une nasse, isolé du reste du monde par le grondement du ballast. Loin des humeurs noirâtres, loin des émanations de l'amertume collective. Personne ne l'écoute.

Harry Burleigh lance des lieder de Schubert et des arias d'opérette à des troncs d'arbres emmêlés d'algues, à des jacinthes d'eau, à des cyprès couverts de mousse. Quand le train passe sur des grands viaducs en bois et que le bruit des roues couvre entièrement sa voix, Burleigh chante aussi – moins fort, il n'aimerait pas que ses collègues le surprennent dans ce répertoire de chants d'église – des *negro spirituals*.

Harry est gai, tonique, ambitieux, optimiste. C'est un Américain, nourri au biberon des *success stories*. Il croit à ses rêves. Un jour, il arrivera au firmament du chant.

– Tu es fou, lui a dit un jour Dave Perkins. Il n'y a rien à espérer. J'étais à New York quand le Proctor Theatre fut fermé par la police parce qu'il avait osé présenter une version de *la Case de l'Oncle Tom* où le rôle d'Oncle Tom était tenu par un comédien noir...

– C'était il y a dix ans, avait rétorqué Burleigh, en haussant les épaules.

Harry T. Burleigh, chanteur. Tessiture : basse profonde. Particularité : Harry T. Burleigh est le premier Noir des États-Unis à avoir obtenu une bourse pour étudier la musique au Conservatoire de New York. Il y prit des leçons de chant alors qu'Anton Dvorak était le directeur de l'établissement. Le grand moment de la vie de Burleigh, celui dont il n'arrête pas de parler, fut son récital de *negro spirituals* devant le directeur et les professeurs de l'école. Anton Dvorak a pleuré à chaudes larmes durant toute l'audition. « Une grande et noble école », répétait-il. Et Anton Dvorak lui a donné ce conseil : « Essayez de mettre des progressions harmoniques modernes sous les *negro spirituals.* »

Lorsqu'il fait la connaissance de Dave Perkins, Harry Burleigh cachetonne depuis quatre ans chez les Mahara Minstrels Men. « J'arrête à la fin de la saison », répète-t-il chaque année.

New York est bien loin.

Cet îlot de civilisation n'est plus qu'un souvenir, et depuis que le train a laissé derrière lui la ligne Mason Dixon (la limite fictive entre États du Nord et États de l'ancienne Confédération), la peur s'est implantée dans le ventre de Harry T. Burleigh. Et depuis, elle prospère. Sait-on jamais ce qui peut vous arriver, dès lors qu'on a la malchance de traverser ces maudits États du Sud. Les Sudistes ? Des primitifs, des sauvages. Burleigh pense aux Blancs. Aux *hoboes*. Grande terreur. Les *hoboes* sont des anarchistes en rupture de ban. Ils voyagent sans payer. Ils sont sales, défigurés, imprévisibles, ils excellent dans le farniente et les plaisirs violents. Un article du *New York Herald* l'avait prévenu : « Beaucoup de jeunes gens, écrivait le journaliste, dans les parties les plus reculées de ces États, forment une classe nuisible, qui n'a aucune occupation régulière, mais qui vit aux crochets de la communauté. Ce sont des joueurs et des rebuts. Ils boivent du whisky, paradent dans les trains, armés de revolvers et de couteaux et, histoire de s'exciter un peu, ils s'amusent, selon leurs propres termes, à tirer le negro. »

La moindre porte qui s'ouvre, le moindre bruit suspect...

En cet automne 1904, Harry Burleigh est en tournée dans les théâtres réservés aux Noirs dans le Sud profond, avec soixante-dix autres comédiens, chanteurs, mimes et acrobates, tous Noirs de peau (sauf les patrons), qui exercent leur métier de saltimbanques, le visage recouvert de liqueur de noix, comme s'ils n'étaient pas assez nègres comme ça. C'est ainsi que le public les connaît, les attend, les veut.

Hallucinante vision : derrière la famille Mahara, à cheval, soixante-dix Noirs, la peau du visage passée au noir et les lèvres teintes en rouge. Et Burleigh, en chapeau haut-de-forme en soie et redingote écarlate, qui chante, avec une voix formée aux canons du chant classique : « *When a Russian is smoking, he's thinking, When a German gets drunk, he's drinking, But when a coloured man gets warm in the summertime, Well – use your own judgement.* »

Henry Thacker Burleigh ne travaillera pas sa voix, aujourd'hui. A cause de ce baratineur, qui lui fait une peur bleue quand il lui tombe dessus, sur la plate-forme d'observation du train. Ouf. Ce n'est pas un *hoboe*, mais un jeune Noir, à l'élocution aisée et rapide. Impossible de s'en débarrasser. L'autre veut faire une partie de poker avec lui.

Il est habillé d'un pantalon rayé, d'une chemise de flanelle ouverte sur le cou, sans cravate, des bretelles soutiennent son pantalon qui le serre au point qu'il ne peut même pas en fermer le premier bouton.

Le baratineur tend son bras contre le mur du poste d'observation du train, afin que ce plouc qu'il va bientôt arnaquer (faut-il être paysan, pour se balader, comme Burleigh, avec un falzar de la même étoffe que sa veste !), se rende bien compte de la marque de ses chaussures : des Edwin Clapp. Des Edwin Clapp spéciales, venues de Saint-Louis, avec semelles en liège, sans talon, et ornées de motifs de cartes à jouer sur le bout du pied.

– Mon nom est Morton, lance le baratineur, au moment où ils rejoignent le pullman des musiciens.

– Henry Thacker Burleigh, répond l'autre.

– Fred « Jelly Roll » Morton. Né à La Nouvelle-Orléans. Ferdinand La Mothe, de son vrai nom. Une vieille famille française, les La Mothe. Ce prénom, Ferdinand, m'a été donné en l'honneur du roi d'Espagne. Morton, c'est le nom de mon beau-père, le cigarier de Rampart street.

Il continue en dévidant le baratin habituel du Créole de couleur de La Nouvelle-Orléans : la riche marraine, les ancêtres français, anciens colons et maintenant grossistes en liqueurs fines, les études en français dans une université catholique, près d'Algiers, le voyage à Paris.

Jelly Roll Morton prétend qu'il est pianiste (évidemment il a joué dans les plus beaux bordels de Basin street, chez Lulu White, chez Gypsy Schaeffer, chez Emma Johnson, chez Willie Piazza), et qu'il se rend avec son grand frère au concours de piano organisé à l'occasion de la Foire mondiale de Saint-Louis.

– Quand tu étais petit garçon, tu chantais du Meyer-beer, avec toute la famille, le coupe, d'un air las et entendu, Harry Burleigh.

La partie de poker réunit William Handy, Harry Burleigh, monsieur Mahara, et le petit baratineur. Elle se termine au moment où Jelly Roll Morton fait passer les trois valets cachés dans sa manche sur la table, et qu'il se précipite sur le quatrième valet offert par le donneur.

W.C. Handy et M. Mahara lui mettent alors chacun un 38 percutant sur les tempes. Harry Burleigh quitte la table à ce moment-là. Il imagine fort bien ce qui va se passer. Les joueurs vont crier comme des ânes pour récupérer leur fric. Ils n'auront pas besoin de crier longtemps, car un type surgira, l'air éperdu, en se prétendant le frère ou le cousin de ce Morton à la bite en cœur. Il commencera par mettre une grande paire de baffes à son prétendu cadet, et il alignera alors de quoi rembourser ses dettes. Ensuite, les joueurs se calmeront, ils auront l'impression de rentrer dans leurs fonds, avec des enjeux plus élevés... Et Morton et son pseudo-frère rétameront alors dans les graéndes largeurs leurs compagnons de jeu.

Si Harry Burleigh a quitté la table de jeu, à ce moment-là, ce n'est pas tant parce qu'il connaît ce classique de la tricherie, que parce que ce rien du tout se prétend pianiste de ragtime (le ragtime, la dernière invention nègre...) et que le ragtime pue le bruit, la foule, la vulgarité de la rue, les dancings sordides, les restaurants crasseux.

En ce jour, Harry T. Burleigh ne supporte plus d'être noir, non seulement il n'y a pas de rôle pour lui dans le répertoire du théâtre lyrique, mais en plus, il lui faut partager le destin de ces Noirs ignorants et minables, dont il a un exemplaire sous les yeux, en la personne de ce Morton. Tricheurs aux cartes, et tricheurs en musique. Regardez celui-là, menteur et poseur jusqu'au bout des ongles. Monsieur joue du ragtime dans des bordels, et il se pavane parce qu'il a été applaudi par un public de putes. Le ragtime est un bêlement d'arrière-cour, une malfaçon, un déchet musical dépourvu d'émotion et de lyrisme. Une camelote de la même eau que les *minstrel songs*, et autres *coon songs*, qui fait entendre aux Blancs l'infantilisme noir, l'hébétude noire, l'abêtissement noir.

Qui prétendrait que ce n'est pas un handicap, que d'être né sous cette couleur de peau? Harry Burleigh l'accepte, comme un signe du destin. Une fatalité. Une épreuve. Il n'y a jamais eu de grand musicien nègre, pas plus que n'existe et ne saurait jamais exister de grand compositeur nègre. Imaginerait-on que Dvorak fût nègre? Non. Et pourquoi? Parce que Dvorak est calme, mesuré, parce que Dvorak dirige un grand établissement d'enseignement, et que Dvorak est un compositeur.

Un vénéré compositeur. Une ombre tutélaire, dont le souvenir hante Burleigh depuis près de dix ans. Anton Dvorak, dont Burleigh fut l'élève quand le maître tchèque était directeur du conservatoire, entre 1892 et 1895. Tout était si simple avec lui. Il n'y avait alors que la musique. Dvorak était son maître, et Burleigh ne doutait pas qu'il guiderait ses pas dans la carrière. Et Dvorak ressemblait à un ange. Ébloui par la lumière américaine, il boucla en moins d'un an sa *Symphonie du Nouveau Monde*; Dvorak adorait les *negro spirituals* : « Ces thèmes magnifiques et variés sont le produit de cette terre. Ils sont américains. Ce sont les chants folkloriques de l'Amérique, et les compositeurs américains doivent se tourner vers eux. Je trouve dans les mélodies noires de l'Amérique tout ce qu'il faut pour former une grande et noble école. »

*

Des métayers ont reçu des terres d'un seigneur, et ils les laissent à l'abandon. Comment osent-ils? Comment osent-ils négliger ainsi le salut de leurs nègres?

A l'idée de ces âmes d'esclaves, privées de baptême, John Davis redouble de vitesse et ses éperons s'enfoncent dans le flanc de son cheval. John Davis, prédicateur itinérant méthodiste, voit des arbres de feu, qui brûlent dans les plaines de cette Virginie qu'il parcourt à bride abattue. Il s'arrête devant chaque plantation, et, malgré l'opposition des planteurs, il réunit les esclaves nègres autour d'un point d'eau, et il baptise.

Ces noirs visages au regard brisé vivaient dans l'attente de la rédemption de leurs péchés. Un soir, éreinté par la pose de nouvelles pierres, qui seront des Bethléem, des Nazareth, des Jérusalem du Nouveau Monde, il prend la plume et fait part de son action à monseigneur Wesley, son évêque, fondateur d'une église non conformiste qu'il appelle méthodiste, parce qu'il tient à ce que les chrétiens lisent la Bible avec méthode. Aujourd'hui, John Davis a besoin de courage et de réconfort. « Les pauvres esclaves nègres n'ont jamais entendu parler de Jésus et de sa religion avant d'arriver au pays de leur esclavage, en Amérique; leurs maîtres ne s'en soucient pas, comme si leur âme n'avait pas droit à l'immortalité, comme les leurs. Ces pauvres Africains sont l'objet principal de ma compassion... »

Ils ne sont que mille esclaves noirs, sur les cent vingt mille que compte la Virginie, à avoir reçu le baptême, au début du XVIIIe siècle. Est-elle tolérable, cette enclave de paganisme, en plein pays chrétien?

John Davis, prédicateur obstiné, n'attend pas des Négriers ou des planteurs, qui l'aident à baptiser des Nègres. Dès son arrivée en Amérique, le révérend John Davis a pu vérifier la justesse de cette observation, faite par un journaliste londonien, en 1705 : « Parlez à un planteur de l'âme des Nègres; il est probable qu'il vous dira que le corps de l'un d'eux peut valoir vingt livres, mais que les âmes de cent Nègres ne lui rapporteraient pas un sou. »

Comme les princes des États allemands au temps de la Réforme, les propriétaires d'esclaves étaient responsables du salut de leurs « sujets ». Certains baptisaient, d'autres non. Combien étaient-ils, qui partageaient l'opinion de ce conseiller d'État de Virginie, aux premières lueurs du XVIIIᵉ siècle ? « Il est impossible, constatait-il, d'emmener les Nègres à la religion... Grossièreté, barbarie, rudesse de leurs manières, étrangeté de leur langue, faiblesse et vide de leur esprit... »

Il y avait les pasteurs, bien sûr, ministres épiscopaliens, presbytériens, anglicans. Mais quelle froideur dans l'exercice de leur religion ! Quand ils se risquaient jusqu'à la Virginie, ce qui était rare, ils papillonnaient autour des esclaves, les assommaient d'arguments incompréhensibles, puis ils s'en retournaient sous leur ombrelle. De retour vers la Nouvelle-Angleterre, l'un d'entre eux avait conclu que le baptême des Nègres aurait de « fâcheuses conséquences, qu'il les rendrait orgueilleux et moins bons serviteurs ».

Les prêtres conformistes ignoraient que le ciel avait doté ces Nègres d'une immense vertu : la simplicité du cœur. Cela aussi, le révérend John Davis en avait fait part à John Wesley : « Comme ces Nègres ne sont pas assez civilisés pour dissimuler les sentiments de leur cœur, ceux-ci sont exprimés dans le langage de la simple nature, et avec des signes si authentiques de naïve sincérité, qu'il m'est impossible de douter de leur foi. »

Près de vingt mille fidèles à la lumière des torches. Chante, frère. Trémousse-toi, fais aller ton cœur et ton corps au devant du Seigneur. Qui que tu sois, saint vieillard ou jeune converti, quaker ou baptiste, tremble. « Oh frères, me rencontrerez-vous, dans l'heureux pays de Canaan ? Par la grâce de Dieu, nous te rencontrerons, dans l'heureux pays de Canaan. » La fin du monde assurément est proche, calculée d'après les apparitions de la comète de Halley. Certains disent 1835, d'autres l'annoncent pour l'hiver 1843. Chante frère, chante. Adventistes du Septième Jour, Trembleurs, membres de la United society of Believers in Christ. Chante et tape dans tes mains ou dans tout ce que tu trouves. Le plus fort possible, frère. Le diable a peur, il s'éloigne. *Be joyful, be joyful, be joyful, for old Ugly is going.*

Les pêcheurs chantent de vieux cantiques, ou alors des chants reçus en dons. Indiana 1851. Un témoin assiste à ces rassemblements. « Le bruit est semblable à celui d'un puissant tonnerre. Les uns frappent du pied de toutes leurs forces et vocifèrent contre la bête répugnante et méchante... D'autres tourbillonnent pour combattre la chair. Et en même temps, d'autres parlent de nouvelles langues, en faisant des signes et des mouvements si impressionnants qu'ils font trembler les puissances des ténèbres. » Chants de Nègres des États du Sud. Les paroles sont primitives, les mélodies à une seule voix. Contenu religieux ? « Dieu fit l'homme et l'homme fit l'argent », énonce un des premiers *negro spirituals*, composé vers 1855. Un voyageur qui visite une plantation s'en émeut : « De temps en temps, ils se mettent à chanter un cantique que leur ont appris les méthodistes, mais dans lequel les sujets les plus sacrés sont traités avec une étrange familiarité. »

Et c'est ainsi. Les Noirs adaptent les images et le vocabulaire des cantiques aux actes qu'ils accomplissent. Un musicien anglais, de passage dans une ville esclavagiste, écrit : « Une particularité me frappa vivement. Lorsque le pasteur commença à énoncer sa propre vision des psaumes, le chœur se mit à chanter avec une telle rapidité que la mélodie originale n'existait pratiquement plus. En fait, la belle et vieille mélodie des psaumes fut complètement transformée en un chant nègre ; la transformation fut si soudaine et l'air dicté avec tant d'animation que, pendant un instant, je m'imaginai que non seulement le chœur mais toute la congrégation allait se lever. »

Le premier *spiritual, Roll Jordan Roll,* est publié en 1862.

Élisabeth Vigne ferme les yeux, serre ses petits poings. Je n'aurai de cesse, oh Seigneur, que l'Amérique devienne un pays de chrétiens.

Ses sœurs sont en retard. Léger toussotement d'Élisabeth. Elle a tellement donné de la voix, ce matin. Une belle matinée. Les sœurs avaient donné rendez-vous à monseigneur Cannon, évêque méthodiste épiscopalien de Louisiane, devant les portes de l'Opéra français, à Peter street. Elles ont chanté des cantiques jusqu'à l'heure du déjeuner pour protester contre un événement d'une exceptionnelle gravité. Une femme venue de Paris – elle s'appelle Sarah Bernhardt – prétendait exhiber sa personne femelle sur une scène de théâtre.

Étalage impudique d'une morue parisienne sur la scène d'un théâtre, mise en coupe réglée d'une ville, ivrognerie généralisée, assassinat de policiers... Tout cela, réseau de mailles serrées, était tissé d'un même fil. L'offensive menée par Satan continuait.

Les étrangers apportaient avec eux les tares de leur race dans une ville viciée au plus profond d'elle-même. Les Italiens ouvraient des bordels, les Juifs ouvraient des bordels, les Irlandais ouvraient des bordels... Pas un pâté de maison de La Nouvelle-Orléans qui n'eût sa maison déshonorante. Horribles maisons de plaisir. Elle ne veut pas savoir ce qui s'y fait, l'abjection qui s'y étale tient en ceci, qui suffit à la faire frissonner : l'idée que la chair travaille à son propre compte, qu'elle n'obéisse qu'à elle-même, qu'elle ne puisse pas s'assujettir à une instance de désirs supérieurs.

Le clan gangreneux qui dirige la municipalité de La Nouvelle-Orléans contribue à cette prolifération. Certains conseillers municipaux possèdent leurs propres maisons, dont ils ont confié la gérance à des maquerelles dignes de confiance. Ils installent dans un premier temps des prostituées dans les appartements du rez-de-chaussée, puis provoquent, jour après jour, des descentes de police dans ces immeubles, avec la mission d'y faire respecter la loi. Résultat : pas un soir où les habitants n'aient à supporter les cris des filles emmenées par la police. Impossible de

supporter longtemps ce genre de régime. Les gens aban-
donnent leurs appartements et partent s'installer à la péri-
phérie de la ville. La municipalité rachète alors les
immeubles à vil prix...

Cet après-midi, Élisabeth va participer à une autre mission, cette fois-ci avec les Femmes chrétiennes pour la
Tempérance et pour la Protection de l'Amérique. Seront
également présentes : l'Association pour la Croisade des
Femmes, et quelques hommes, membres de l'Ordre des
récabites et des Bons Templiers. Combattre le vice dans
ses maisons, attaquer Satan dans ses forteresses. Rappeler
à chaque homme qu'il sera sauvé, fût-il descendu au plus
profond des abîmes. Témoigner.

Programme (invariable) : l'Assemblée du Seigneur sta-
tionnera devant la porte à deux battants d'un *saloon* de
Conti street, et chantera des hymnes, sous le soleil. Puis
les Femmes chrétiennes entreront dans le *saloon* et y ren-
verseront les autels du Démon. Un grand concert de
louanges, puis les tonneaux abominables seront brisés à la
hache.

Chaque jour, un *saloon* de La Nouvelle-Orléans reçoit
la visite des Femmes chrétiennes pour la Tempérance.
Rire du Seigneur, quand les voix de ces dames s'élèvent
vers le ciel, et que les serpentins d'alcool s'évaporent dans
la poussière.

Que ces vers sont doux et tendres, à l'oreille de Jésus :

> Ne buvez pas, ne buvez pas.
> Celui qui entre dans la taverne
> Devient l'esclave d'un tyran.
> Il pensait boire un verre.
> Il en boit dix.
> Ne buvez pas, ne buvez pas.

Bientôt, le jour va venir. Où l'Amérique, débarrassée
du fléau de l'alcool, baignera de nouveau dans la Gloire
du Seigneur; où les vignes dévoyées redeviendront la propriété de Dieu; où l'on ne verra plus le terrible spectacle
d'enfants de six ans, prostrés aux portes des tavernes. En
ce jour béni, tous les tonneaux d'alcool brûleront sur les
places publiques, les *saloons* fermeront, les hommes

chanteront des hymnes. En ce jour, les couleurs des hommes s'aboliront. Tout cela, le blanc, le noir, ne comptera plus, parce que Dieu aime tous ses enfants d'un même amour, quelle que soit leur race.

Cela adviendra, avec l'aide de Dieu. Pour ce faire, il y a l'enseignement dispensé plus d'un siècle auparavant par John Wesley, fondateur de l'église méthodiste. Lire la Bible avec méthode, et laisser parler les élans de son cœur. Le Salut ne saurait manquer de venir. Pour autant que son cœur soit ouvert aux élans de l'âme, et que l'on rende témoignage à l'Assemblée du Seigneur de tous les changements survenus dans son cœur.

Élisabeth frémit de tout son corps quand elle raconte à ses frères et ses sœurs comment, sans même qu'elle y prît garde, elle était tombée sous l'emprise du mal. L'évêque Cannon lui a fait beaucoup de bien en lui enseignant que le démon s'attaque en priorité aux cœurs purs.

Témoigner. Si l'être humain écoutait les voix conjuguées de sa raison et de son cœur, avait écrit l'évêque Wesley, il choisirait naturellement le bien.

Témoigner.

Élisabeth jette encore un dernier regard sur sa robe, puis elle passe sa main, geste habituel, dans ses cheveux qu'elle porte maintenant soigneusement tirés. Ses sœurs doivent arriver d'un instant à l'autre.

Elle a failli oublier d'épingler un petit ruban blanc sur sa coiffure. Le ruban blanc, signe de reconnaissance des suffragettes. Elle arbore fièrement ce ruban, depuis qu'une adhérente des Femmes chrétiennes lui a expliqué que le vote des femmes était indispensable afin que l'Amérique s'engageât au plus tôt dans la Noble Expérience de la Prohibition. Car l'alcool brouille les élans du cœur, obscurcit la raison et l'homme hésite à se diriger vers le bien.

A côté de la Bible, près de sa porte, il y a ce petit livre, lu et relu, *Life of John Wesley*, l'une des innombrables et édifiantes biographies du fondateur du méthodisme. « Les mineurs de la petite bourgade de Kingswood, dans le comté de Bristol, n'étaient que noirs démons. Ils arrê-

taient les voitures publiques, détroussaient les voyageurs,
recelaient, dans des tanières impénétrables à la police, les
biens volés. L'Esprit Saint désigna Kingswood à l'attention de John Wesley. Quelques dimanches plus tard, les
travailleurs de la mine toute proche traversèrent la ville.
Se préparaient-ils à piller les navires chargés de froment ?
Non. Les mineurs se dirigeaient en procession vers la
cathédrale, des hymnes de louange à la bouche, pour y
recevoir la coupe de la Cène. »
   Élisabeth Vigne repose son livre. Elle imagine Wesley,
clergyman aux cheveux sales, au regard glacial et à la vie
en ordre, teigneux comme la vérité, arrivant à Kingswood, pour y convertir tous ces gueux.
   Comment aurait agi monseigneur Wesley, s'il avait
vécu à La Nouvelle-Orléans ? Comparée à La Nouvelle-
Orléans, l'Angleterre du XVIIIe siècle était une forteresse de
la foi. Les Anglais de 1738, dont John Wesley fit de vrais
chrétiens, avaient été baptisés au sein de l'Église d'Angleterre. Pain bénit, comparé aux catholiques. Pour être née
papiste, Élisabeth connaît l'inclination trouble des catholiques pour le péché. Elle a appris qu'il ne fallait jamais
composer avec le mal ; comprendre le mal, c'était déjà en
jouir.
   Élisabeth Vigne est aujourd'hui chrétienne. L'institutrice s'est convertie, aiguillée par monseigneur Cannon, à
la lecture simple et droite de l'Évangile. Sa vie est réglée,
protégée, et elle ne connaît d'autres emballements que
ceux qu'apporte la vie spirituelle. Stupides emportements
de la chair... Il lui semble qu'elle est maintenant à même
de les contenir. Non qu'elle ait cessé d'aimer. Élisabeth
aime son Seigneur, sa communauté, son archevêque.
C'était cela ou mourir. Mais il ne faudrait pas dire d'elle
trop vite qu'elle a renoncé. Car il y a ces deux enveloppes,
qu'elle a rangées, une fois pour toutes, dans cette *Vie de
Wesley*. La première de ces enveloppes contient la lettre
de Dave Perkins.
   Cet homme passionnément aimé lui a écrit pour
l'entretenir de ses petites misères de musicien, de ses
ambitions rentrées et de l'humiliation qu'il éprouve à se

voir au milieu des *minstrels*. Élisabeth a choisi de lui répondre comme elle sait le faire, en institutrice. Elle a trop de hauteur de vue pour rappeler à Dave qu'il a brisé sa vie. Elle n'a pas pris la peine de lui décrire ce que peut être une vie de femme déshonorée, dans cette bonne vieille ville de La Nouvelle-Orléans.

Et réunie à la lettre de Dave Perkins par une liasse de fleurs séchées, il y a la réponse qu'elle a faite, et jamais envoyée.

La Nouvelle-Orléans, le 8 novembre 1899

Dave, mon tout petit,

Notre première nuit, Dave... Laisse de côté ton sourire et ta suffisance, je ne vais pas te remercier pour la qualité des services. Tu m'as assez reproché de ne pas l'avoir fait alors. Je ne vais pas commencer à le faire aujourd'hui. Je veux te dire, Dave. Dès la première nuit que nous passâmes ensemble, il m'apparut en toute lumière que rien ne serait possible avec toi. Je t'observais dans ton sommeil. Après avoir griffé les draps, tes mains s'étaient refermées. Rien ni personne n'aurait pu les ouvrir. Ta respiration était si lourde. J'ai senti, à travers ton sommeil, à quel point tu étais seul, et à quel point personne ne pourrait jamais te rejoindre. Ton sommeil me terrorisait. C'était pourtant le seul moment où il m'était possible de te parler. Je t'adressais de longues tirades. J'essayais de me prouver que notre amour allait durer. Je disais n'importe quoi, et je commençais toujours ces longues tirades en te disant : tu dors, et je te parle, mon amour.

Je suis en train de faire la même chose. Je t'écris, parce que je sais que tu n'as aucune chance de lire cette lettre. Émile Mahara m'a écrit pour m'annoncer que tu avais disparu, juste avant d'entrer en scène. J'ai sous les yeux ta lettre, où tu répands ton fiel, encore une fois, contre les Minstrels. Tu ne m'écoutes pas, Dave, mais j'aimerais te raconter, t'expliquer. Pour que tu cesses de te plaindre.

Écoute-moi, mon petit garçon.

Voici comment tout ça a commencé : par un type que tu aurais détesté, Thomas Darmouth Rice.

Entre deux métiers, ce ringard, ce comédien de rien gagne sa vie en jouant les seconds rôles dans un théâtre ambulant qui sillonne le Sud profond dans les années 1850. Un soir, juste avant d'entrer en scène, il se trouve – Dieu sait pourquoi – dans l'étable d'une plantation de Virginie. Il voit entrer un esclave noir, vieux, difforme – son épaule droite est très haute sur son corps, et sa jambe gauche, raidie par un rhumatisme, est tordue à la hauteur du genou. Le vieil homme vient soigner les bêtes, il se croit seul, il fait quelques pas de danse : notamment un petit saut qui se termine par un moulin exécuté du pied gauche. Et il chante :

My name's Jim Crow
Weel about and turn about
And do jis so
Eb'ry time I weel about, I jump, Jim Crow.

Je m'appelle Jim Crow
Pirouettez et tournez en rond
Et faites comme moi
Je saute, Jim Crow.

Imagine, Dave.

La scène est hallucinante. Thomas D. Rice est accroupi dans un renfoncement, près de la porte. Il ne quitte pas le Noir des yeux. Ce Nègre grotesque, avec cette patte folle, entourée d'un ballot de chiffon qui balaie les déjections de l'étable. Rice se force à ne pas rire, à ne pas aller vers l'autre en disant : « Oh Uncle, encore, encore... » Son instinct de comédien, sa jouissance de voyeur l'avertissent qu'il aurait tort de se manifester. Ces poses, ces pas de danse, ces mimiques, ce chant... Rice les regarde, comme ça, de près, comme aucun Blanc ne l'avait fait jusqu'ici. Le Nègre était vieux, simple d'esprit, il dansait au milieu des flaques d'urine; mais cette danse était un ballet, et ce Noir, pareil à un courtisan qui se baisserait jusqu'au sol pour saluer un Roi-Soleil de comédie, avait une dignité, une force, qu'aucune défaite ne pourrait jamais complètement anéantir.

Come listen all you, gulls and boys
I Jist from Tucky-hoe
I'going to sing à little song
My name is Jim Crow.

Venez tous, filles et garçons
J'arrive de Tucky-hoe
Je vais chanter une petite chanson.
Je m'appelle Jim Crow

Il a son idée, Rice. Il s'est habillé avec tout ce qu'il a pu trouver : pantalon blanc, chemise de calicot rayé, jaquette bleue terminée par une longue queue de morue ; il barbouille son visage avec de la suie, et recouvre ses lèvres d'une large bande de peinture rouge.

Sur la scène de ce petit théâtre de verdure, il saute en l'air, et il chante, la jambe gauche agitée d'un fort tremblement. « *My name is Jim Crow...* » Il est à peine arrivé au refrain, et les fermiers se sont levés, ils sifflent, ils trépignent ; les femmes frappent le sol de leurs chaises. Elles s'apostrophent, d'un rang à l'autre, oui, c'est ça, tout à fait ça, c'est très bien imité, pensent-elles, les Nègres sont ainsi, dissimulateurs, débiles, ridicules.

Après 1850, l'imitation du Nègre devient la grande affaire de la scène américaine, en même temps que l'inspiration et la source du folklore américain. D'abord appelé « *Ehiopian business* », ce spectacle prend le nom de « *minstrels shows* ». Voici dix ans, Broadway a lancé les « *coon Songs* » (*racoon* : raton, en américain). Des petites chansons qui racontent la vie des Noirs.

Si je te raconte tout cela, mon petit Dave, c'est pour te dire que chez les Mahara Minstrels Men, tu ne fais rien d'autre qu'exercer ton métier de musicien.

Il y a plein de choses à faire, Dave. Tu n'as aucune raison d'être désespéré. Pourquoi n'écrirais-tu pas des chansons ? Autour de moi, tout le monde fredonne la dernière d'Ernest Logan. On raconte ici qu'il y a un endroit, à New York, où l'on peut rencontrer tous les éditeurs de musique que l'on veut. Je t'imagine en compositeur de chansons. Les mélodies nègres sont à la mode, chaque jour il sort de nouveaux *coon songs*.

Je voulais te dire ceci, également. J'entends maintenant une drôle de musique, quand je me promène dans les rues de La Nouvelle-Orléans. Une musique rythmée, qui m'a tout l'air d'avoir été écrite par un musicien noir. J'ai l'impression que toutes les jeunes filles de mon âge se sont mises à jouer du piano, et qu'elles jouent toutes la même chose. Je lisais hier que l'Amérique a fabriqué 45 000 pianos en 1870, et qu'en 1900, ce sont près de 350 000 pianos qui sortiront des usines américaines. Maintenant, avec les rouleaux des pianos mécaniques, il est possible d'écouter de la musique chez soi. Dave, il y aura bientôt de la place pour les musiciens – les bons musiciens – noirs.

Ton Élisabeth, qui pense à toi.

Et qui fait ce qu'elle doit pour t'oublier.

Élisabeth

SAINT-LOUIS, MISSOURI
1899

Scott Joplin, *ragtime player*

Karl Muck, chef du Boston Symphony Orchestra, mai 1901 : « Je ne crois pas que la musique populaire puisse être bonne. La musique que vous appelez ragtime empoisonne le développement musical et le goût des jeunes. Le ragtime est une musique diabolique, une dangereuse épidémie qui doit être exterminée. »

Le critique musical du *New York Age*, 5 mars 1908 : « Depuis le succès de la musique syncopée, le ragtime, quelques Noirs ont atteint une certaine renommée de compositeurs dans ce style de musique. N'en tirons aucune conclusion. La mention d'un Noir comme compositeur de musique disparaîtra, une fois passée la mode du ragtime. »

Charles Ives, compositeur américain, 1920 : « Malgré un intérêt utopique pour la musique de l'avenir, la triste et ironique vérité est que les musiciens américains passèrent à côté d'elle, alors même qu'elle s'épanouissait autour d'eux. »

Scott Joplin joue ses compositions sur un tempo médium, presque lent. Il veut que chacune de ses notes ait la valeur qu'il lui a donnée – une croche égale une croche – et rien que sa valeur. On ne saurait être trop précis. Il a exigé de son éditeur, John Stark, que soit apposée cette indication sur les partitions : « Ne jouez surtout pas cette pièce trop vite. Jouer cette musique sur un tempo rapide est contraire à l'esprit du ragtime. »

Il ne viendrait à l'esprit d'aucun pianiste de jouer à toute vitesse une fantaisie de Chopin, dont le compositeur voulait qu'elle fût jouée à 80 à la noire, *tempo di marcia*. Scott Joplin entend encore les inflexions de monsieur Weiss, le professeur de piano de ses jeunes années. « Vois-tu, mon petit Scott, nous autres pianistes, nous sommes des interprètes. Pas des créateurs. Nous devons être obéissants. Aller jusqu'aux extrêmes limites de l'obéissance. »

Mais apparemment, l'obéissance de l'interprète à la volonté du compositeur ne s'appliquait pas à tous les domaines de la musique. Elle s'arrêtait au seuil du ragtime. Et là, chacun faisait ce qu'il voulait.

Que Scott Joplin entrât dans un bar, dans un salon d'un grand hôtel (depuis le fantastique succès de *Maple Leaf Rag*, il compte parmi les compositeurs les plus joués des États-Unis), et il entendait du ragtime. Mais quel ragtime... Tempo trop rapide, pulsation fluctuante, valeur des notes non respectée... Il y a de quoi en être malade. Scott ne supporte pas l'idée que cette musique grotesque et gigotante ait pu être conçue, pensée, écrite par lui. Il lui faut toujours un long moment pour s'en remettre. Pour s'apercevoir que sa musique est simplement mal interprétée et que la responsabilité de ce salmigondis musical incombe à ce ramassis de pianistes nullissimes et distraits, indifférents à ses recommandations.

Pas compliqué, pourtant. Chaque note qu'il a écrite possède une valeur rythmique intangible. Le tempo qu'il souhaite se situe dans le médium. L'interprétation du ragtime doit être retenue, comme comprimée. Il en va du ragtime comme de ces automobiles qui défilent sur les chaussées de Saint-Louis, Missouri. La puissance de leurs moteurs procède de leur réaction à la somme des contraintes physiques qui s'exercent sur eux.

Il n'est pas de ragtime sans une interprétation absolument rigoureuse. Avant tout, la pulsation... Régulière, oui, mais aussi légère et sans à-coups. Attention! Sans quoi, à la moindre incertitude dans le tempo, cette impression – unique dans l'histoire de la musique – de force, d'avancée inexorable, d'imagination lyrique appuyée sur du béton armé, est perdue. Et la musique glisse vers l'anecdotique.

Est-il nécessaire de rappeler l'évidence? Cette musique, il en est l'inventeur, le concepteur. Architecte, il en a dessiné les fondations, extrait les richesses intimes, mis sur papier les petites surprises rythmiques qui arrachent des gloussements de plaisir aux auditeurs. Il n'a aucun mal à écrire des ragtimes. La musique lui arrive facilement. Les idées abondent. Il ne se passe pas de jour sans qu'il lui vienne des idées de décalages rythmiques, de superpositions d'accords. Il pense même à des formules d'accompagnement qui rompraient avec le sempiternel accompagnement de main gauche : basse-accord, basse-accord...

Scott Joplin, compositeur de ragtime. Compositeur à succès. Mais insatisfait... Tout le succès qu'il récolte, inouï, inimaginable pour un artiste noir, ne le comble pas. Scott est triste. Il n'est pas assez aimé, et il ne le sera jamais assez. Et ce ne sont pas tous ces zozos, qui tapotent ses œuvres au piano en donnant l'impression de marcher sur les touches de piano avec des chaussures d'escalade, qui le feraient changer d'avis. Que l'on joue sa musique n'importe comment, que l'on ne prête pas la moindre attention à ce qu'il demande vaut un aveu : ses contemporains considèrent que le ragtime est une plaisanterie. Pour Scott, le ragtime n'est qu'une étape. Il nourrit des projets élevés. Non pas qu'il considère que ses ragtimes soient de la camelote, bien au contraire. Ces pièces sont de véritables œuvres, écrites avec soin et faites pour durer. Mais elles sont pour lui comme le premier sang... D'autres œuvres s'annoncent : sonates, quatuors à cordes, et surtout cet opéra, dont il a déjà le nom et le sujet : *Treemonisha*.

Tout cela sera bientôt édité, et alors, c'en sera fini, de ces rires gras et mauvais, dont le bruit de crécelle accompagne le ragtime depuis son apparition. Bientôt... Il n'y aura plus de sermons de gens d'église qui assimilent sa musique au grincement du Démon. Et plus d'interprétations oiseuses qui transforment ses œuvres en musiquettes de cirque.

Treemonisha. Ce sera un grand opéra. Impressionnant, grandiose. Sur le modèle de *Robert le diable* ou des *Huguenots*. Un opéra à la française, une grande forme, en cinq actes. Il faut cela, pas moins, car le livret, écrit par ses soins, raconte, sous forme symbolique, l'émancipation du peuple noir. Un sujet épique.

Nés esclaves dans une plantation, Ned et Monisha viennent d'être libérés par l'Émancipation. Ils veulent un enfant. Un jour de 1866, un an après la fin de la guerre de Sécession, leurs prières sont exaucées. Ils trouvent, près de leur case, un bébé noir abandonné. Ils lui donnent un nom – Treemonisha – et ils l'élèvent, sans lui révéler les conditions de sa naissance. Ned et Monisha sont ignorants et superstitieux, mais ils voudraient que l'enfant sache lire. Malheureusement, l'école réservée aux Noirs est trop éloignée de cette petite plantation, située à trois ou quatre miles de Red River, tout près de Texarkana, Arkansas (lieu de naissance de Scott Joplin). Ned et Monisha vont trouver l'ancienne propriétaire – de race blanche – de la plantation, et ils lui demandent qu'elle veille à l'éducation du jeune Treemonisha. Le jeune garçon apprendra à lire, à écrire, à compter... Quand il sera âgé de dix-huit ans, Treemonisha deviendra l'éducateur de sa communauté. Et l'opéra se termine, alors que Treemonisha conduit ses frères noirs, éperdus de reconnaissance, vers les lumières du progrès et de la civilisation.

– Non, Scott. Je ne peux pas éditer une chose pareille, assène John Stark.

– John, tu vas m'écouter. Tu dis non avant même que je t'explique.

– Tu es complètement fou, mon pauvre Scott. Tu sais combien va coûter ton opéra?

– Les banques...

– Mais quelles banques? Tu veux que je demande à une banque du Missouri de financer ton histoire d'enfant nègre qui apprend l'orthographe pour combattre les méfaits du vaudou?

– Tu m'as dit que tu trouvais que cette histoire était passionnante.

– Je t'ai dit que ton Treemonisha ressemble comme deux gouttes d'eau au Tamino de *la Flûte enchantée*. Ce livret va emmerder tout le monde. Je t'ai dit aussi que ce genre d'histoire n'est peut-être pas le meilleur moyen de combattre l'ignorance, les préjugés et les superstitions.

Scott Joplin a cette petite figure, que lui connaît bien John Stark. « Il me refait son Nègre », pense l'éditeur. Il demande, il sait que je ne peux pas accepter, mais il continue à demander, en rentrant ses épaules, et en prenant au fur et à mesure de la conversation un air hébété et stupide. Un mélange de soumission (Scott Joplin est fils d'esclave) et d'insolence. Une insolence sourde qui prend chez lui la forme d'une obstination irréductible. Scott, tu ne comprends pas pourquoi je te dis non. Tu n'as jamais compris que l'on pouvait te refuser quelque chose. C'est comme si, tout d'un coup, on te renvoyait à la poussière. Et Scott, paniqué, oppressé, se dégonfle, se tasse. Mais il continue, infatigable.

– J'ai constitué une troupe de chanteurs, John. La Scott Joplin's Ragtime Opera Company. On va jouer cet opéra dans les villes du Middle West. J'ai des assurances...

Mais qu'il arrête...

– Je ne peux pas, Scott », reprend l'éditeur, d'une voix calme. Il va essayer, une fois encore, d'expliquer à Scott les raisons de son refus. « Tu imagines mille raisons toutes plus fausses les unes que les autres. Alors écoute-moi. C'est trop cher pour moi. Trop grand pour moi. Et je n'ai pas d'opéra à mon catalogue.

– John...

– Scott, tu es déjà venu me voir, il y a trois ou quatre ans, avec un opéra dont j'ai oublié le nom...

– *The guess of honor...*

— Je t'avais dit non. Si dans trois ans tu reviens avec un autre opéra, ce sera encore non.

Insupportables, les yeux de Scott Joplin. Pour ne plus les voir, John Stark ouvre le livret de *Treemonisha*.

TREEMONISHA
Les femmes me suivent
Et les hommes?

LES HOMMES
Oui. Oui. Oui.

LES HOMMES ET LES FEMMES
Nous te suivons
Tu es notre maître.

TREEMONISHA
Vous avez besoin d'un maître
pour vous mener sur le bon chemin

LE CHŒUR
Nous te voulons pour maître
Nous voulons que tu sois notre guide
etc. etc.

— C'est un sujet en or, attaque Scott Joplin. On va faire de l'argent. Comme avec le ragtime.

— Tu vas me faire perdre les quelques sous qui me restent. N'insiste pas. C'est non.

Scott Joplin se lève. Ce crétin d'éditeur, ce trouillard, le laisse en plan avec un projet magnifique.

— Les éditeurs... Morale élémentaire, front plissé, regard exorbité de chien truffier, lâche-t-il, yeux baissés.

John Stark se met à gueuler. Non pas à cause de ce que lui raconte Scott Joplin, mais parce qu'il ne veut plus voir ses yeux. Pour donner plus de poids à ses hurlements, il s'est emparé de la Remington posée sur son bureau, et il frappe.

— Je te préviens que si tu continues à me regarder avec cet air-là, je vais finir par te taper sur la gueule. Mais va donc te faire foutre, espèce de grosse putain de pianiste nègre.

Scott Joplin ne répond pas et se dirige vers la porte, à

travers le bazar d'harmoniums, de banjos, d'orgues, de pianos, qui tient lieu de bureau à John Stark. Il lance :
– Tu as regardé la partition, John?
John Stark hurle à travers la rue :
– Oh, que tu m'emmerdes. Cherche un éditeur à New York. Tu verras où ils vont se mettre ton histoire de dame blanche qui apprend à compter à un petit Nègre... Eh Scott...
Scott Joplin s'est arrêté sur le pas de la porte.
– Oui, John.
– L'ouverture est belle. Du vrai ragtime. Mais pour le reste, personne n'aura jamais rien à foutre de tes airs nègres, de tes récitatifs nègres et de tes chœurs nègres.
– Tu n'es qu'un pauvre type, John. Un petit blanc minable du Missouri. Qui va s'enfoncer la tête dans une éclisse de violon, de ne pas avoir édité le grand opéra de Scott Joplin.
– Scott, crie l'éditeur. Montre-moi les ragtimes que tu viens de composer...

Déjà six ans, depuis *Maple Leaf Rag*.
Le visage du musicien noir est plus rond, la silhouette plus empâtée... Il se dégage toujours de lui la même impression de tristesse. Ses yeux... Des yeux implorants de timide. Demander quelque chose lui coûte un immense effort. Et pourtant il demande, s'accroche, pose sa patte. Il en mourrait, de ne pas demander.

Un rag sous une feuille d'érable

Sedalia, Missouri, mai 1898.

Un petit club, tenu par des idéalistes retardés qui croient en un dialogue entre Blancs et Noirs. (En 1898, 187 Noirs sont lynchés en public, dont un coiffeur de 84 ans, à Springfield, dans l'Illinois, qu'une foule pendit haut et court à la branche d'un marronnier, pour la simple raison qu'il était marié à une Blanche depuis trente ans.)

Le Maple Leaf Club reste ouvert tard dans la nuit, havre de repli d'une population composite : des Noirs bien habillés, quelques Blancs, des serveuses, des joueurs d'échecs, des prostituées, et même un bébé, qui dort dans un landau posé dans un coin de la salle. Ça parle un peu trop fort, avec ce ton appuyé, théâtral, que les minoritaires et les réprouvés adoptent, dès lors qu'ils se retrouvent entre eux.

Sur la porte de ce club, une feuille d'érable. Et cette inscription au fusain, souillée par des mains haineuses : *« For Both Black and Whites. »*

Quand il écoute pour la première fois Scott Joplin, sous la mauvaise lumière du petit projecteur teinté de plaques de mica du Maple Leaf Club, John Stark est éditeur de musique depuis moins de six mois. Il hésite longuement, avant de s'approcher de l'arche, le piano qui trônait au centre de la piste.

– Je m'appelle John Stark, dit-il, en tendant sa carte. Je suis éditeur de musique. Mon bureau se trouve...

– C'est écrit sur la carte, j'imagine.

John Stark toussote. Comment faut-il leur parler, se demande-t-il?

– M. Joplin...

– Vous êtes vraiment éditeur? coupe le musicien, en saluant des amis qui viennent d'entrer.

– Les éditeurs ont une morale élémentaire, un front plissé, et un regard exorbité de chien truffier. Je ne leur ressemble pas.

– Ma musique vous intéresse?

– Je crois bien que oui. J'aimerais vous rencontrer et discuter tranquillement avec vous. Venez me voir... Demain, onze heures, à mon bureau... Mon magasin de musique se trouve au bout de la 14ᵉ rue...

Scott Joplin se présente le lendemain au magasin de musique de l'éditeur. John Stark vient à peine d'ouvrir sa boutique, et le désordre est innommable. Partout, des harmoniums, des pianos mécaniques, les premiers phonographes. Il y a encore six mois, John Stark vendait des instruments de musique à domicile; autrement dit, il courait le Missouri pour écouler sa marchandise.

Il toussote un peu, avant de risquer :

– M. Joplin, verriez-vous un inconvénient à ce que mon fils assiste à l'audition?

– Je voulais vous demander la même chose, dit Scott Joplin. Sa voix est douce, presque humble. « Il y a dehors un enfant... Un enfant de couleur... Je l'ai emmené avec moi. Je voudrais qu'il danse sur ma musique. »

Scott Joplin s'est assis, il a défait sa redingote, assoupli ses articulations, risqué quelques notes dans le grave et l'aigu de l'instrument, remonté son tabouret, ajusté son gilet. Les rites et les hiérarchies secrètes de la nuit ne le protègent plus. Il ressemble en cela à beaucoup de musiciens : la lumière du jour fait de lui quelqu'un de faible, de démuni... John Stark remarque cette tristesse, dans les yeux de Scott Joplin.

Il se demande comment il va percevoir sa musique en plein jour.

Scott Joplin évite le regard de l'éditeur. Il se demande pourquoi ce monsieur s'est donné la peine de le faire venir jusqu'à son magasin, puisque, c'est couru, il va lui refuser sa musique. La seule raison qu'il trouve, c'est que l'autre lui a demandé de venir se moquer de lui. Deux éditeurs lui ont déjà fait le coup. John Perry, de Kansas City et Stan Hoffman, de Sedalia. Scott Joplin développe ce jour-là une hardiesse de timide. Il est le premier musicien noir qui se dit que sa musique pourrait être éditée par un éditeur blanc.

– Vous versez 10 % au comptant, et une petite somme par semaine échelonnée sur trente ans. Si vous achetez cet harmonium, les anges du seigneur chanteront dans votre maison.

Les vendeurs de médicaments, d'assurances et de vie éternelle ont eu tôt fait de repérer la maison en bois blanc de Mummy, madame Joplin, Négresse de Texarkana abandonnée par son mari. Mummy gagnait sa vie en faisant des ménages. Elle élèvera seule ses six enfants.

Mummy est souriante. Liquide, tellement elle est souriante. Une proie désignée. En 1868, l'année de la naissance du petit Scott, elle s'est enchaînée par un crédit qu'elle traînera toute sa vie, en achetant cet harmonium. Elle s'est dit qu'elle pourrait en jouer le dimanche, en rentrant de l'office. Non, elle n'aura jamais le temps d'en jouer. Pas plus qu'elle n'avait pu jouer du banjo, quand elle était esclave, guère plus de trois ans auparavant.

Folie d'avoir acheté cet harmonium. Mais à Texarkana, petit bourg perdu entre le Texas et l'Arkansas, Mummy Joplin n'est pas la seule Négresse à s'être passé la corde au cou dans l'engrenage inconsidéré d'un crédit à vie. Une irresponsabilité qui faisait hurler Booker T. Washington, humaniste et militant de la cause noire, quand il rendait visite à ces familles noires où, écrivait-il, « on se partageait une fourchette pour cinq personnes, et où il y avait un harmonium de soixante dollars dans la pièce ».

Une proie facile, mais protégée par Dieu. Quand Mummy Joplin allait travailler chez les Blancs, elle se débrouillait toujours pour y emmener cette petite boule noire de Scott.

Monsieur Weiss, professeur de piano, ne tapota pas, comme les patrons de Mummy le faisaient tous, le crâne crépu du petit Scott. Mais la première fois qu'il vit ce mouflet noir qui venait à peine de sortir des jupes de sa mère, il lui demanda de lui montrer ses mains. Et tout de suite, et sans qu'il en coutât jamais un sou à Mummy, il colla le bambin au piano.

Monsieur Weiss. Un homme maigre, tout en angles, des cheveux longs et sales, une vie d'homme seul, saccagée par des exils successifs. Au-dessus de tout cela, une science absolue du piano. Qui ne lui servit jamais à rien, en Amérique, tant l'art du piano était quelque chose de déconsidéré et d'insignifiant. « La musique, c'est pour les femmes et les Nègres », telle était l'opinion répandue à Texarkana.

– Tu aimes le base-ball? Joue, mon petit. Comme si tu avais une balle de base-ball dans chaque main.

L'air fier et buté, Scott Joplin plaque les deux octaves d'appel de l'air fétiche du *Maple Leaf Club*, qu'un habitué du club a appelé un soir, le nom est resté, *Maple Leaf Rag.*

Le magasin est recouvert de lattes de chêne. A peine Scott commence-t-il à jouer que les planches de bois se mettent à vibrer, emplissant la pièce de larges vagues d'écho. Qu'est-ce que c'est que ce boucan?

Le garçon noir vient de glisser aux pieds de John Stark en poussant des petits cris d'animaux. Comme mû par un ressort poussif, il se relève, sautille sur une jambe, puis il lance son autre jambe très haut, le plus haut possible. Ensuite, dos courbé, il ratisse le sol à la manière d'un esclave puni par son maître. « Hey Pa, le *cake walk!* », explose le petit Will Stark, âgé de onze ans. Quand le jeune Noir se met à bomber le torse, et à faire le tour du piano, ses deux jambes successivement levées,

Will Stark crie en tapant dans ses mains : « *Hey boy*, plus haut la jambe! Allez! Plus haut encore! Monte! Lève la jambe! »

John Stark reconnaît les pas du *cake walk*. Cette danse, présentée pour la première fois lors des fêtes du centenaire de l'Indépendance, à Philadelphie en 1876, a le don de faire crouler de rire l'Amérique entière.

Agé de cinquante-huit ans, John Stark a passé la moitié de sa vie sur les routes américaines, et il est un des meilleurs connaisseurs de la musique des Noirs américains, auxquels il n'a cessé de vendre pianos et harmoniums. Il est comme chez lui, au milieu des cris, des insultes, des impayés, des mensonges noirs. Dans cette Amérique où derrière le moindre citoyen se cache un chercheur d'or, John Stark aime la musique populaire noire, avec l'ardeur, la patience et le désintéressement d'un savant.

– Will, calme-toi, c'est un magasin de musique, ici.

Excédé par les hurlements de son fils, John Stark gagne un rocking-chair, tout près du piano.

Il écoute. Il a déjà entendu quelque chose qui pouvait ressembler à cela, au cours de ses déplacements, à Saint-Louis, Missouri. Mais ce qu'il entend aujourd'hui est abouti. Achevé. John Stark goûte les effets de banjo de ce *Maple Leaf Rag* (les effets de décalage des deux mains), il en compte les mesures (huit fois quatre mesures, c'est la première fois qu'il entend un Noir jouer une musique qui soit absolument carrée), il note l'empreinte du *scottish* sur la structure du morceau. Il se dit qu'il ne s'attendait pas à ce que la musique nègre arrive si vite à un tel point d'achèvement. Elle n'ira sans doute pas plus loin, mais ce qu'il entend là est stupéfiant.

John Stark est un entomologue de la musique. Un hurluberlu. Le seul éditeur américain qui n'édite que ce qu'il trouve bon. Éditer ce morceau? Si au moins son imbécile de fils et ce petit Noir arrêtaient de faire les andouilles, il pourrait prendre une décision...

Scott Joplin, droit, hautain dans sa redingote et son

col dur, se balance sur sa chaise, yeux fermés, sombre et malin comme un prêcheur baptiste. Il se dit qu'il a bien fait d'emmener avec lui cet enfant noir. Il n'a pas prévu qu'il y aurait un enfant, chez cet éditeur, qui regarderait un autre enfant danser le *cake walk*. Et que, *in fine*, comme une préfiguration de ce que sera la musique américaine du XXe siècle, la décision d'éditer la première œuvre musicale écrite par un Noir aura été prise par deux enfants.

— C'est pas mal, Scott. Les huit premières mesures sont chantantes, agréables à écouter. Mais la deuxième partie, tu me donnes le tournis. Fais-moi plaisir. Mets quelques notes sur les temps.

— J'ai fait ce que vous m'avez dit, monsieur Weiss. Exposer dans la première partie, et développer dans la seconde.

— Scott, j'entends, que tu développes. Mais n'oublie jamais que tu dois garder le contact avec la mélodie et le rythme des premières mesures. Développe comme quelqu'un de civilisé. Dis-moi, pourquoi te sens-tu obligé de taper par terre?

— Hein?

— Arrête de taper du pied, la pulsation est à l'intérieur de toi, elle te berce, et toi tu joues avec elle.

— Je marque le tempo, monsieur Weiss.

L'image naïve et désarmante de monsieur Weiss, pour qui la musique était descendue des sphères pour le bonheur des hommes... Beethoven, Schubert, Schumann... Lors des premières leçons, Scott Joplin crut qu'il s'agissait de relations personnelles de monsieur Weiss, ou tout du moins de personnes vivantes. Julius Weiss semblait les connaître de près. Il s'amusait, en jouant, à relever leurs habitudes, leurs tics d'écriture. Au vrai, il adorait les rudoyer, relever leurs petits défauts. Mais il s'arrêtait en cours de route, saisi par une qualité, un trait, une surprise qu'il venait de redécouvrir. Une famille. Une vraie famille.

— Monsieur Weiss, je pars pour Saint-Louis. Il y a du travail, là-bas, pour les pianistes.

– Il faut que tu continues à travailler. N'essaie pas trop de composer. Dans la composition, il y a les maîtres, les grands rabbins. Et puis les autres... des boutiquiers qui se mettent à leur compte, avec les marchandises du voisin. Travaille ton piano. Trouve-toi un professeur, à Saint-Louis. C'est tout de même regrettable que les Noirs ne soient pas admis dans des conservatoires de musique, dans ce pays...

– Vous avez l'air triste, monsieur Weiss...

– Vois-tu, Scott, certains Juifs ont l'impression de comprendre les finesses de la vie. C'est pour cela qu'ils sont si tristes.

Saint-Louis, Missouri. Ce gros marché à bestiaux du Middle West, cette quatrième ville américaine, avec ses 600 000 habitants, ses trente-deux kilomètres d'étendue au bord du Mississippi était une véritable, une gigantesque école de piano.

Tous les pianistes noirs du Middle West, tous ceux qui, à l'instar de Scott, eurent une petite éducation musicale pendant leur enfance, y débarquèrent, s'y installèrent, pour une soirée ou pour des années. Ils trouvèrent du travail, la nuit dans quelque bordel ou *honky tonks*, et le dimanche matin dans un petit temple baptiste...

J'ai écouté vos conseils, monsieur Weiss. Pendant les sept ans que j'ai passés à Saint-Louis, il n'est pas de pianiste signalé par la rumeur des musiciens que je ne sois allé entendre. Écouter, toujours écouter les autres. Pour comprendre, pour m'approprier ce qu'ils avaient de meilleur en eux. Mais aussi pour me réassurer sur ce que je commençais à savoir faire sur un clavier. Et quelquefois, devant un météore musical que sa technique pianistique mettait au-dessus des autres, pour me faire souffrir.

Vous parliez souvent de cela, monsieur Weiss. Le besoin de souffrance des musiciens. Vous disiez que certains faisaient de la musique en étant des pourceaux, affamés de vie et de jouissance, et que cette méthode pouvait donner d'excellents résultats. Mais la plupart des grands musiciens se tenaient sur une voie étroite, où la création s'accompagnait de souffrance. Vous parliez de ces musiciens que vous appeliez médiocres, ou secondaires, parce qu'ils avaient commencé une œuvre intéressante, mais qu'ils s'étaient arrêtés en chemin. Qu'est-ce qui les distinguait des autres, des grands, des rabbins, comme vous les appeliez ? Un manque de puissance créative, peut-être, mais aussi, une peur panique, insoutenable, de la souffrance. On ne crée pas sans orgueil, et l'orgueil ne peut mener qu'à la souffrance.

Par peur de la souffrance, beaucoup de musiciens finissaient par se répéter, se copier eux-mêmes, revenir à leurs tics, et musicalement, à ce moment-là, ils mouraient. Parce qu'ils n'avaient plus le courage de supporter ces moments où la création était comme privée d'étoile, amortie, arrêtée. C'est pourquoi l'immense majorité des compositeurs rebroussait chemin. Peur de souffrir. Ils adoptaient, sans s'en rendre compte, une mentalité de pingouin. Une infime minorité de musiciens arrivait à garder le cap, réussissait à ménager un orgueil d'oiseau de proie et une naïveté d'enfant.

Écouter les autres. Et cela, jusqu'au moment où Scott Joplin a fini par créer une musique qui s'est appelée le ragtime.

Rag : un bout de chiffon, un éclat de musique. Pour les Américains, la musique noire est ainsi, déchiquetée, excessive, cassée. Et démoniaque. Commentaire d'un nommé Theodore Thomas, chef d'orchestre classique : « Dans une maison chrétienne, là où règne la morale et la pureté, le ragtime n'a pas sa place. Dehors le ragtime ! L'art musical est vendu corps et âme à un satan musical. Purgeons l'Amérique de cette pollution. »

Monsieur Weiss, cela est sans doute dû à la pureté de votre âme... Vous n'avez jamais entendu quoi que ce soit de diabolique, dans la musique de Scott Joplin. Au contraire, à la fin de chaque leçon vous lui demandiez de jouer l'une de ses compositions, pour le plaisir d'y retrouver des musiciens que vous lui aviez fait connaître : Chopin, Schubert, mais aussi ces musiciens mineurs que vous prisiez tant, cet Alkan, pour qui vous éprouviez une prédilection particulière, ou ce Gottschalk.

Les autres élèves de monsieur Weiss, grandes Allemandes raidasses, étaient des nullités. Il n'y avait que Scott Joplin qui allait lui donner satisfaction... Scott Joplin allait être un guide, un éducateur, la fierté du peuple noir.

– Ça y est mon garçon. T'es devenu rabbin...

Scott Joplin n'ose imaginer la tête que ferait monsieur Julius Weiss, professeur de musique à Sedalia, s'il le voyait jouer du piano dans ce bordel de Chesnut, à Saint-Louis, qui, outre les services habituels, offre une fois par semaine à ses clients, sur fond de « piano nègre », le spectacle d'un chien de vingt-trois livres, dévoré par douze gros rats.

La semaine prochaine Scott Joplin enchaînera polkas piquées, *scottishs* et du *jig-piano*, dans un bordel de Market street, où des dames de la bonne société viennent se faire fouetter par des Nègres.

John Stark hésite.

Peut-être pourrait-il vendre la petite partition de *Maple Leaf Rag* à quelques familles allemandes de Sedalia, les seuls clients dont il est sûr qu'ils soient solvables... Les jeunes filles vissées à leur piano sont peut-être lasses des petits exercices de Czerny ? Peut-être vont-elles goûter les syncopes du ragtime ?

Il va dire oui. John Stark signe avec Scott Joplin un contrat qui stipule – une clause extrêmement rare à l'époque – que l'auteur recevra des royalties sur chaque exemplaire vendu de *Maple Leaf Rag*.

John Stark est le premier Américain de race blanche à passer un contrat commercial, d'éditeur à compositeur, avec un Noir.

A tout hasard, il envoie un exemplaire de ce ragtime à un éditeur de New York.

New York, décembre 1898

Ben Harney, vieil acteur usé par trente ans de minstrels shows, entre comme un fou dans la poubelle qui sert de bureau à une crapule dans son genre, un nommé Tony Pastor.

– Un nouveau truc à proposer, Tony.

Il n'y a rien que Tony Pastor, directeur de théâtre, n'ait fait ou tenté de faire dans le genre nègre. De Sambo le voleur à Gogo le paresseux, en passant par le Noir libidineux, le Noir enfant, le Noir lâche, le Noir menteur, Ben Harney et Tony Pastor ont mis en scène et produit tous les clichés, tous les stéréotypes de Noirs qui fleurissent sur les scènes américaines depuis trente ans. Filon exploité jusqu'à la lie. Quand le public new-yorkais sembla montrer quelques signes d'essoufflement devant le bonheur des esclaves noirs chassant l'opossum aux sons du banjo, du temps glorieux de *Dixie*, ils se sont mis aux *Indian Intermezzo*, avec Indiens à plumes et Tipwee. Le tout, avec des bisons en caoutchouc, des faux chariots bâchés et des Indiennes à grosses cuisses et aux mines équivoques. Puis, ils sont revenus aux *coon songs*, ont monté – les décors s'entassent dans les réserves du théâtre – d'autres spectacles de plantation. Le public aime cela, il ne vient au théâtre que lorsqu'on lui fait voir du Nègre.

– Arrêtons de nous monter la tête, Tony. Le genre nègre est usé, fini. As-tu remarqué l'âge des spectateurs de ton théâtre? Bientôt, tu seras obligé de fournir une aide-soignante par personne, ou alors, il te faudra raccourcir les spectacles, pour les avoir encore vivants à la fin.

– Ce théâtre est une mine d'or, Galicien. J'ai une clientèle, un répertoire, et je n'ai pas à me casser la tête pour les décors. Tous les spectacles sont pareils. Dans cinq ans, je ferme la boutique et je pars me réchauffer les reins à Miami.

– J'ai quelque chose à te proposer, reprit tranquillement Ben Harney. Une musique appelée *Ragtime*. Ça vient des péquenots du Missouri, et ça se joue sur le *cake walk.* Un type me l'a fait entendre dans la 52ᵉ rue. Une mine d'or, je te dis.

Les mines d'or, Ben Harney en découvrait une par mois. Et ça se terminait en général par un désastre. Pastor avait pris l'habitude de l'écouter, sans y prêter attention. A la fin de la démonstration, il demandait invariablement : « Tu as de l'argent Ben ? » Quand la réponse était affirmative, il lui louait son théâtre.

– Ben, c'est la dernière fois. Je savais que tu étais malhonnête. Comme moi. Mais ne dépasse pas les limites, Galicien...

Ben Harney avait exagéré. On aurait dit qu'il avait vingt ans de moins. En général, il abandonnait ses idées en cours de route, il les édulcorait, et cela finissait toujours par retomber dans une bouillie épaisse. Il voulait faire un spectacle noir. Pas des Blancs grimés, avait-il dit à Tony Pastor. Des vrais Noirs. Et Tony, suffoqué, vit arriver dans son théâtre un Nègre qui se prétendait pianiste. Il réussit à se contenir, jusqu'au moment où l'autre se mit à jouer.

– *Hey Negro*, lui dit Tony Pastor... Le piano a été accordé hier... tu arrêtes de taper dessus, ou je te renvoie dans ton bayou à coups de lattes dans le cul...

Il y avait également un chorégraphe noir, des danseurs noirs, des chanteurs noirs...

Tony Pastor fut sérieusement attristé quand il vit, chaque jour, s'allonger la file des spectateurs qui attendaient devant son théâtre. « Mais pourquoi je lui ai pas proposé un pourcentage, à ce Galicien ? » Tony était un homme de ressource. Il se mit à courir dans tout Harlem pour trouver des pianistes noirs qui lui écriraient des ragtimes, il les paierait à la pièce, récupérerait tous les droits d'auteur, et 50 % des droits d'éditeur.

Mais c'était trop tard. Tony Pastor ne put jamais se remettre de ne pas avoir saisi au vol un pourcentage sur les droits de *Maple Leaf Rag*, l'air principal du spectacle qui se jouait dans les murs de son théâtre. Au millionième exemplaire imprimé de la partition de *Maple Leaf Rag*, alors que la presse montrait John Stark et Scott Joplin se partageant les droits de *Maple Leaf Rag*, Tony Pastor le Galicien mit fin à cette sinistre plaisanterie qu'était devenue sa vie.

NEW YORK
1912

En 1896, la Cour suprême des États-Unis donne un fondement juridique à la discrimination raciale. Il n'y a pas que les Américains de souche, blancs et protestants, ceux qui fréquentent les assemblées nocturnes et flamboyantes du Ku Klux Klan, qui soient racistes. Des intellectuels ou des membres de l'élite recourent aux analyses de Darwin sur l'évolution des espèces, les projettent sur les races et en appellent aux tests de quotient intellectuel pour prouver l'infériorité intellectuelle et morale de la race noire.

Dans une Amérique qui ploie sous les marées successives d'immigration européenne, et qui découvre qu'elle est une puissance industrielle et militaire – il lui a fallu à peine huit jours, en 1898, pour vaincre militairement l'Espagne à Cuba – mais où seulement 20 % de la population est née sur place, le racisme est devenu, écrit l'historien Rayford W. Logan, « une doctrine admise et respectable, même dans les cercles intellectuels ».

1835, 1899. Deux années où la haine raciale est à son apogée. Et alors que tout concourt à ce que Blancs et Noirs s'ignorent et se haïssent, les « chants éthiopiens », les *minstrels shows* et le ragtime manifestent une même poussée souterraine, vitale : la culture noire communiquait, de manière à la fois évidente et subreptice, avec l'imaginaire blanc américain.

L'*ethiopian business*, les *minstrels shows*? Mais enfin, ces images de Noirs qui volent des poulets, adorent des pastèques, roulent des yeux au passage d'une petite octavonne, en chantant des spécialités comiques avec une voix de basse profonde... Qu'est-ce d'autre que du racisme? Oui, mais... Si l'*ethiopian business* visait le rire bas de gamme, il n'en ouvrait pas moins une brèche dans un océan de méconnaissance.

En 1845, un nommé J. Kennard constatait, dans les colonnes du *Knickerbocker Magazine*: « Qui sont nos vrais souverains? Les poètes noirs, à coup sûr. Ne créent-ils pas la mode et n'imposent-ils pas des lois au goût du public? Que l'un d'eux, dans les marais de Caroline, compose une nouvelle chanson, à peine est-elle parvenue aux oreilles d'un amateur blanc qu'elle est écrite, modifiée, imprimée et lancée très vite dans toutes les directions; elle ne s'arrête qu'aux frontières de l'univers anglo-saxon, sinon à celles du monde. Pendant ce temps, l'auteur continue de bêcher, totalement ignorant de son génie. »

Grâce à des voyeurs qui épiaient les débardeurs noirs, pour s'emparer de leur musique et de leur dégaine, grâce à des musiciens de ragtime, qui retraduisaient, à la manière noire, toute une tradition musicale blanche, deux races, deux mondes, isolés par leur culture, enfermés dans la peur et la haine qu'ils se vouaient, communiquent, via des tréteaux de théâtre et des scènes de spectacle.

Les *ethiopian songs*, en 1840, et les *minstrels shows* après la guerre de Sécession (et jusque dans les années vingt: *le Chanteur de jazz*, premier film parlant de l'histoire du cinéma, était une adaptation libre d'un spectacle de *minstrels*), permettront à des centaines d'artistes noirs de faire l'apprentissage de la scène. Fût-ce dans les rôles de Sambo le paresseux ou de Gogo le voleur. Fût-ce à recevoir, lors de chaque spectacle, des baquets d'immondices. Grâce aux *minstrels shows*, les artistes noirs purent parfaire leur art. Travailler un répertoire musical. Apprendre le métier de la scène. Devenir, somme toute, des professionnels qui n'allaient pas se priver de damer le pion aux artistes blancs.

Joe « King » Oliver, Freddie Keppard, Ethel Waters, Bunk Johnson, Bessie Smith... Tous les premiers musiciens de jazz ont commencé leur carrière dans le cadre des *minstrels shows.*

Raid

Les musiciens de Freddie Keppard attendent que le train dépasse la petite ville d'Algiers, située à la lisière de La Nouvelle-Orléans, pour se précipiter vers les fenêtres et se mettre à hurler. Putain, qu'il est doux de partir... Le train glisse vers l'État du Mississippi, dans une étroite bande côtière, tout près de la mer, comme guidé par une main divine, à travers des embuscades de palmiers nains, de chênes verts drapés de longues mousses flottantes, de savanes, de forêts de pins.

Dehors, ils ouvrent de grands yeux écarquillés. Devant eux, dans l'étroit couloir d'accès à la mer, les stations balnéaires rivalisent d'hôtels somptueux, construits en style espagnol, au milieu des verdures, sous des treillis de lianes tropicales.

Le soleil éclaire en surplomb un square ombragé. Magnolias, palmiers nains, orangers, citronniers, bananiers. Tout cela leur confirme que Dieu les a choisis, parmi tous les musiciens noirs de La Nouvelle-Orléans, pour faire entendre au monde cette musique qui n'a eu jusqu'à présent pour seuls auditeurs que les clients des bordels (si l'on excepte les tristes succédanés que l'on peut entendre sur les bateaux à fond plat qui promènent des touristes sur les eaux boueuses du Mississippi).

Ils sont jeunes, on dirait des enfants. Leur chef, Freddie Keppard, héros noir des quartiers sud de la ville, se promène, le visage grave, nimbé de gloire, depuis que la rumeur publique de La Nouvelle-Orléans a fait de lui un roi de la trompette. Un titre gagné à la régulière, une nuit, à Perdido où il scia méthodiquement le siège royal de Buddy Bolden, grâce à la facilité de ses aigus et la puissance de ses attaques.

Ce meurtrier musical de Buddy Bolden n'a que vingt-trois ans. D'emblée, il en impose, parce que personne ne sait ce qu'il veut ni ce qu'il va faire, et personne ne pourrait dire quoi que ce soit sur la nature de ses préoccupations.

A La Nouvelle-Orléans, Freddie Keppard, devenu une manière de star locale, naviguait entre les quartiers noirs de La Nouvelle-Orléans et le réseau compliqué des bordels de Storyville. Depuis 1896, ce quartier dévolu aux plaisirs est la proie d'une guerre féroce entre les Siciliens et les Juifs. Les bordels se divisent en deux grandes catégories, selon que leur clientèle est noire ou blanche. Dans les palaces de Basin street officient des maquerelles de légende, comme Lulu White ou Josie Arlington; dans la myriade de lieux sordides, *brothels, sporting houses, whore houses, cribs*, petites nicheries pour Nègres, il y a à peine la place de s'allonger, et la passe coûte 15 cents. C'est là que Freddie Keppard a recruté ses musiciens.

Un agent de La Nouvelle-Orléans a demandé à Freddie Keppard de former cet orchestre, en novembre 1912, pour une tournée qui doit durer le temps de la saison d'hiver. L'orchestre devra se produire dans quelques stations de villégiature du golfe du Mexique (Pass Christian, Beauvoir, Biloxi, Tampa, Pensacola...).

Cet orchestre porte le nom d'Original Creole Ragtime Orchestra. Quelquefois, au détour de documents anciens, il apparaît sous l'appellation d'Original Creole Band, ou quelquefois, ce qui est un anachronisme, sous l'appellation d'Original Creole Jazz Band. Même ambiguïté en ce qui concerne les musiciens. Les noms des membres de l'Original Creole Ragtime Orchestra varient selon les sources. Ce dont on est sûr, à peu près, c'est que lorsqu'il quitte La Nouvelle-Orléans, l'orchestre se compose de Freddie Keppard (trompette), Alphonse Picou (clarinette), Bill Johnson (contrebasse), Dee Dee Chandler (batterie), Bud Christian (banjo et piano).

L'orchestre n'est pas encore complet. Un autre musicien le rejoindra à Biloxi, petite ville balnéaire située pas très loin de La Nouvelle-Orléans.

Cela fait un certain temps que Freddie Keppard a entendu parler de Dave Perkins. Non pour l'histoire, bien oubliée, de la Société des Amis. Mais parce que rares sont les musiciens professionnels capables d'assurer, dans un orchestre, les fonctions de présentateur, de tromboniste, de chanteur, de violoniste, et d'amuseur. Freddie Keppard s'est dit qu'à côté des jeunes musiciens qui s'agitent à côté de lui, il pourrait avoir besoin de l'expérience et du calme de quelqu'un comme Dave Perkins.

Personne ne le connaissait. Quand Dave Perkins monte dans le train, avec sa valise et son trombone, Freddie Keppard a l'impression que l'agent artistique qui le lui a recommandé s'est fichu de lui. Quand Dave Perkins entre dans le wagon *saloon*, pour retrouver les autres musiciens, les conversations s'arrêtent. Sa couleur de peau frise la blancheur de l'endive.

A peine les présentations faites, Dave Perkins s'est éclipsé. Quand il revient, peu de temps après, il a passé une splendide robe de chambre en soie bleue. Soie bleue, brandebourgs dorés, houppe en satin... C'est presque un an de cachetons que Dave Perkins trimballe sur les épaules.

Il regarde ses jeunots, et leur trouve un teint un peu trop foncé pour ne pas être patibulaire. Il se dit que c'est la première fois de sa vie qu'il va jouer avec des musiciens aussi noirs.

Des déplacements ferroviaires réduits au minimum, une parade dans l'après-midi, deux représentations le soir... L'orchestre joue trois morceaux, dont *High society*, morceau longtemps associé à la virtuosité du clarinettiste Alphonse Picou, qui connaîtra la célébrité, et accompagne des danseuses dans un numéro chorégraphique où l'on peut voir des Noirs qui disputent à des singes la possession de femmes blanches dans une forêt africaine.

Les six premiers mois de la tournée, les musiciens ont l'impression de vivre dans un rêve que rien ne pourrait ternir.

A Pass Christian, Mississippi, l'Original Creole Ragtime Orchestra obtient ses premiers engagements dans des hôtels et dans des soirées privées.

Une véritable première, là encore. L'orchestre se produit seul, sans chanteuses, ni danseuses, devant un public particulier : des millionnaires en retraite, qui, le jour, alignent une chair surabondante face à un bord de mer indifférent et qui, le soir, manifestent la triple satisfaction d'être encore en vie, d'avoir des dollars plein les poches et d'assister à cette attraction si excitante... Ces six dadais noirs jouent une musique infernale, cacophonique, semblant tout droit sortie de la brousse africaine. Au bout d'un moment, les clients se disent qu'ils écoutent un orchestre nègre, et commencent à donner des signes d'énervement. Freddie Keppard invite alors Dave Perkins à monter sur la scène et ce dernier, affublé d'un banjo et d'un chapeau de jardinier, chante des *coon songs*, puis il beugle quelques chansons folkloriques de Stephen Foster, du genre *Oh Suzannah*. De l'avis de tous, il fait merveille dans ce répertoire.

Une saison de rêve. Où, le dimanche, les musiciens délaissent la morne ambiance des bordels et emmènent les danseuses de la troupe faire quelque promenade en barque, dans une rivière d'eau salée. Où les départs et les arrivées de musiciens se font sans drame. Ainsi, le banjoïste Bud Christian a rencontré et aimé une femme de ménage splendide, dans un hôtel de la côte. Il l'épouse et s'installe avec elle dans une colonie socialiste, près de Sainte-Lucie. Où, quand Freddie Keppard rappelle l'interdiction absolue de regarder une femme blanche, c'est sans hurler. Où le spectacle d'un troupeau d'autruches, observé par les fenêtres du train, suffit aux musiciens pour qu'ils se mettent à rire comme des filles.

C'est sans le vouloir que Dee Dee Chandler donne un grand coup d'épaules à Dave Perkins. L'orchestre joue alors à Pass Christian, au Diana and Norma's, à la fois bordel et salle de jeu. Et lorsque la perruque de Dave Perkins penche et glisse sur son oreille gauche, c'est une salle entière, des clients aux Nègres des cuisines, qui éclate de rire. Chacun s'y met à tour de rôle. Il suffit que l'un des musiciens le bouscule pendant qu'il marche pour que la perruque de Dave Perkins glisse. Les gars de l'orchestre établissent un barème en dollars, selon qu'elle lui tombe sur les yeux ou sur les oreilles. Alphonse Picou, grand gaillard tout sec, à la mine égrillarde, sifflote ce petit air, en regardant Dave Perkins d'un air mauvais, dès qu'il le voit apparaître : « Quand la perruque tombe, c'est que tout va bien ; quand elle tombe sur les yeux, c'est que tout va mieux. »

Il n'est plus possible d'approcher Dave Perkins dans la rue, ni même dans le train (il ne sort plus de son *sleeper*) : les musiciens le bousculent à tour de rôle pendant qu'il chante. Keppard en rit aux larmes, il en oublie de porter à ses lèvres la bouteille de scotch qui alourdit l'une des poches intérieures de ses innombrables costumes. Et Perkins s'éclipse, va boire un verre de scotch, et il revient, sourire aux lèvres, quand il n'éclate pas lui-même d'un gros rire forcé, pour dire qu'il ne voulait pas ternir l'hilarité générale.

Les musiciens sont parmi les premiers Noirs, à l'exception des militaires et des esclaves, à entreprendre des déplacements professionnels dans des conditions honorables de confort. Ils doivent à la musique de n'être ni portefaix, ni terrassiers. Élus. Jusqu'à quand ? L'idée du retour à La Nouvelle-Orléans ? Idée poisseuse, à laquelle personne ne pense. Quand ils reviendront chez eux, ils retrouveront des petits emplois musicaux dans des bordels, dans quelques fêtes privées, dans des pique-niques du dimanche, ils joueront des bouts de musique pour les vendeurs itinérants de médicaments qui sillonnent les petits bourgs du Sud. Et ils redeviendront plâtriers ou cigariers. Pour l'heure, ils sont princes. Servis, nourris, payés.

Parmi les millionnaires du Florida Hotel de Pass Christian, il y a un organisateur de matches de boxe. Il propose à Keppard et à son orchestre de venir jouer, habillés en paysans de Louisiane, à Saint-Louis, Missouri, pour accompagner le grand combat de poids moyens noirs qui oppose Leech Cross à Joe Rivers.

L'Amérique entière va suivre ce match de boxe, où Cross et Rivers échangent des coups au son d'une musique jouée par des musiciens habillés en paysans de Louisiane. En suite de quoi, M. Barnum engage l'orchestre de Freddie Keppard pour une attraction dans son cirque.

« Les Américains aiment qu'on leur en mette plein la vue. » Monsieur Barnum ne s'embarrasse pas de subtilités. Cette devise, il en a fait une ligne de conduite : elle est expéditive, vulgaire, mais juste. Les Américains affluent, par familles entières, sur les gradins du cirque Barnum.

M. Barnum ne montre dans son cirque que de l'étonnant, de l'héroïque, du monstrueux. De quoi frémir ou vibrer. Ou rire. « Hey maman, regarde la fanfare! » Les musiciens, juchés sur une plate-forme, près du sommet du chapiteau, restent silencieux. Avec la longue cape qui leur recouvre jusqu'au visage, ils ressemblent à des chauves-souris comploteuses. Les spectateurs retardataires trouvent leur place dans une cathédrale de sifflets et de hurlements. « Mais qu'est-ce qu'ils font? Ils jouent? » Les musiciens, un à un, se retournent. Des Nègres. Des vrais. « Youpee Barnum », lance une voix, reprise par des centaines d'autres. « Hoodoo », « Hoodoo », beugle la salle.

Après cette entrée en matière, l'orchestre de Freddie Keppard joue dans une petite saynète appelée *Plantation*.

Mise en scène habituelle : un chœur de ramasseuses de
coton entourées de laboureurs noirs affalés sur les mulets
chante une mélodie à faire bayer aux corneilles, un quel-
conque *Gipsy Moon*; puis arrive l'orchestre qui réveille ce
monde endormi avec un air syncopé, tout à fait dans la
tradition néo-orléanaise : *Walking the dog.*

C'est de Saint-Louis que part l'incroyable tournée,
l'impensable odyssée de l'Original Creole Ragtime
Orchestra. Cette tournée Barnum dure un an, et elle se
cantonne aux États du Sud. Le numéro de l'Original
Creole Ragtime Orchestra sera acheté par d'autres cirques
du Sud, avant d'arriver, en 1917, à New York, Chicago, et
même jusqu'en Californie. Au total, c'est plus de quatre
ans que l'orchestre de Keppard va passer sur les routes et
les voies ferrées des États-Unis.

« Un dais de grosses cordes, au-dessus de l'estrade installée pour l'orchestre. C'est au ranch 101, chez Tony Battistina, que j'ai vu ça en premier... Pas longtemps que ça
existe, mais cette petite innovation permet aux musiciens
d'éviter de prendre les bouteilles venues par en haut à travers la gueule. Pour les projectiles qui arrivent en rase-
mottes, il n'y a rien à faire. »
Il y a toujours un historien, dans les orchestres. Dave
Perkins tient la comptabilité des divorces, des malheurs,
des coups de poing, des tessons de bouteille, des coups de
revolver reçus par les musiciens depuis quinze ans. Dave
Perkins essaie de faire rire les jeunes musiciens de
l'orchestre.
Il raconte les *saturday night killing,* ces si bien nommés
dancings du samedi soir. Le chef d'orchestre devait faire
en sorte que son orchestre ne s'arrêtât jamais. « Deux
mesures avant la coda. On attaque... Trois, quatre... *Tiger
Rag.* » Il fallait couvrir le bruit des sirènes de la morgue
quand les voitures à cheval venaient ramasser les
cadavres encore chauds, qu'un quidam compatissant
avait recouverts de sciure et jetés par-dessus la porte.
Il raconte les épisodes successifs qui ont mené Buddy

Bolden à la folie. Une femme qui s'en va, puis une autre. Le travail qui se fait rare. Les solos de trompette, que ses anciens admirateurs n'écoutent plus. Et Buddy, seul dans son échoppe de barbier, qui voit, avec une angoisse qu'il ne peut plus comprimer, arriver la nuit. Un soir de novembre, il est emmené, par une vague cousine, la dernière personne à s'occuper de lui, au département des grands agités du *Charity hospital. Delirium tremens*, paralysie générale... Bud avait oublié jusqu'à son nom.

Il raconte l'audition que passa un orchestre de La Nouvelle-Orléans devant un gangster de Chicago; à l'issue de l'audition, Jim Burn, le gangster, fracassa le crâne du pianiste, parce qu'il aurait voulu que ledit pianiste jouât du xylophone...

Il raconte le coup de corne (fausse vache, mais vraie corne) qui rendit borgne Emmanuel Perez, l'un des trompettistes les plus prometteurs de La Nouvelle-Orléans. Il s'était, dans un spectacle de *minstrels*, déguisé en matador.

Il raconte le dernier lynchage de La Nouvelle-Orléans qui fit de Big Eye Nelson, un clarinettiste âgé de quinze ans, un orphelin. Le gamin jouait au Club 28, dans l'orchestre de Buddy Bolden, quand le lynchage commença. Le gosse tenait à rejoindre ses parents, et les musiciens, pensant à sa sécurité, l'en empêchèrent. Pendant ce temps-là, les braves gens de La Nouvelle-Orléans, qui voulaient encore une fois venger un policier assassiné (cette fois-ci, il s'agissait du capitaine John Day), tuèrent trente-cinq Nègres, dont le propre père de Big Eye Nelson...

Récits irréels. Ce que raconte Dave Perkins se confond avec ce qui arrive tous les jours. « NIGGER, READ AND RUN ! » Panneau d'accueil, écrit en lettres brillantes à l'entrée de Mobile, première ville de l'État de l'Alabama, sitôt dépassé l'État du Mississippi. Dans le même Alabama, en cette même année 1912, un musicien noir vient d'être lynché, pendu à un châtaignier et châtré en public, pour avoir montré un pas de danse à la fille de l'attorney général de Birmingham, où son orchestre s'était arrêté.

Il fait une chaleur intenable, dans les wagons en bois du Southern Railway.

Huntsville, Decatur, Gadsden, Anniston... De petites villes du nord de l'Alabama, des villes récentes, déjà exténuées, sortes de champignonnières humaines reliées au reste de l'univers par les deux rails irisés de la ligne de chemin de fer (aucune route ne conduit encore à ces bleds). Des villes habitées par des pionniers à cheveux longs et raides, aimables comme l'acier. Il n'y a jamais personne pour les accueillir, au moment où leur train longe le quai de la minuscule gare en bois de l'endroit où ils joueront le soir.

Les mâles du coin travaillent. Venus des régions littorales du Sud, avec un petit capital, ils ont acheté des terres qu'ils ont hypothéquées pour construire leurs maisons, puis ils ont hypothéqué leurs maisons pour acheter du bétail et des machines. Les premiers pionniers avaient défriché ces terres, avec une main-d'œuvre d'esclaves. Sous les herbes de la savane, le sol repoussait le soc des charrues. Ce n'est qu'après un an qu'ils ont découvert que ces terres contenaient de l'humus noir, et qu'elles étaient fertiles.

C'est cela qui a poussé les Kaintocks roux et hirsutes, puis, dans les années qui suivirent 1870, des Européens (Allemands, Scandinaves et Britanniques) à venir tenter la grande aventure de la frontière.

Il y a deux points communs, entre tous ces hommes, quels que soient leur lieu de naissance, leur religion, ou leur richesse. Tout d'abord, ils détestent les Nègres. Et puis, ils sont à la recherche (et quand ils la possèdent, ils la défendent avec des couteaux), de la denrée la plus rare et la plus indispensable du Sud profond : une femme.

Ne pas s'étonner s'ils accueillent les musiciens itinérants (toujours nimbés, fussent-ils minables, de l'aura des gens de passage) avec les égards qu'ils auraient manifestés à un convoi de lépreux.

Tournées...

Toute la vie du musicien se déplace, soixante-quinze kilomètres à l'heure, dans ce *sleeper* qui sert de chambre, de bar, et aussi de loge, avec ses souvenirs, la mèche de cheveu (Oh man, j'arrive pas à me souvenir à quelle putain de femme elle a appartenu), la patte de lapin porte-bonheur (toujours l'embrasser, ou la frotter à son sexe, avant de jouer), la garde-robe, sanctuaire inviolable dont la profanation est punie de mort.

Tout ce à quoi on tient est là, entre le *sleeper* et le wagon *saloon*. Ailleurs, il n'y a plus rien. La vie de chacun se déplace entre ces deux rails. Le souvenirs sont partis en premier, merci mon Dieu, de nous épargner ce poids odieux et inutile : la mémoire. Au bout d'un an de ce régime, les musiciens boivent, mentent, volent, ils se battraient avec leur ombre, pour ne plus avoir à subir ces kilomètres qui défilent, écrasants, identiques. Chaque soir, changer d'endroit. Au petit matin, réveil dans l'odeur malodorante, lourde de pétrole d'éclairage, des trains de la Southern Railway.

Au moindre mot de travers, Freddie Keppard prononce la phrase capitale : « *You're fired.* » T'es viré. Et il s'en va télégraphier au syndicat, là-bas, à La Nouvelle-Orléans, parce qu'il sait qu'il lui suffit de lever le petit doigt. Ils sont légion, les jeunes musiciens qui piaffent, à l'idée de venir rejoindre en tournée le mythique Original Creole Ragtime Orchestra.

La veuve de Harlem

Harlem, 1912.

Une jolie veuve.

Lottie Hayward est plutôt jeune, pas plus fatiguée que cela par la vie, et elle mène bon train son affaire. La petite pension de famille qu'elle dirige porte le nom évocateur de Pension des Artistes. Elle est située dans un quartier résidentiel de Harlem, 163 W 131.

Le jour où Scott Joplin entre dans la pension, il croise un vieux poète de sa connaissance, qui lui avait, plus de dix ans auparavant, mis des paroles sous ses ragtimes. Ce poète, occasionnellement balayeur et embaumeur de cadavres à la morgue de New York, était en train de se faire virer.

– Mame... Depuis dix ans que je suis là, j'ai toujours payé régulièrement...

– C'est une pension, ici, pas un hospice. George, tu mets ce monsieur à la porte, et tu retiens sur ses effets le montant de ce qu'il me doit.

Scott fait semblant de ne pas le reconnaître. Il paie ses deux mois d'avance, tend ses papiers, prend la clé que lui donne Lottie Hayward.

Des artistes. Autant dire, des réprouvés.

La veuve (les pensionnaires l'appellent ainsi) a deviné que derrière leur arrogance, ses clients ont la fragilité de l'argile, et que seuls les plus forts, les plus convaincus et les plus louvoyants réussiront, malgré tout, à faire jouer la pièce de théâtre dont ils se rebattent mutuellement les oreilles.

– Tu l'as terminé, ton chapitre?

– Ça avance.

Tu parles.

Un jour de retard dans le terme, et il semble à Lottie que sa pension s'écroule. S'enfonce dans les abîmes. La peur que ça lui fait, un escalier qui commence à se dégrader. Parce que le mal annonce et réclame le mal. Après l'escalier, c'est le salon qui sera menacé. Puis l'entrée. Lottie s'accroche à sa pension comme Noé à son arche. En cas de déluge, Lottie sait qu'elle coulera la première.

Pour la plupart, ses clients sont sales. Négligents. Indifférents au monde et à eux-mêmes. Lottie les rudoie. Elle cogne dans le tas. Au jugé. Quand elle en vire un, ou quand, loi égale pour tous, elle réclame le montant du loyer deux jours avant l'expiration du terme, elle fait cela autant pour se défendre que pour leur apprendre. Sa cervelle de mégère a compris que ses locataires avaient besoin d'être rudoyés. Pauvres andouilles d'artistes. Vous n'êtes pas à votre place, et inutile de la chercher, car votre place n'est nulle part : la société n'a pas prévu de place pour vous.

Ce qui la met en rage, particulièrement, c'est que tout le monde, dans sa pension, cherche des coups. Drôle d'impression, pour une logeuse, de savoir que n'importe lequel de ses locataires peut à tout instant sauter par la fenêtre, sous l'effet de l'alcool, d'une bagarre, ou d'un projet artistique qui n'aboutit pas. Elle se dit que c'est grâce à elle si, finalement, ils ne sont que très peu à faire le grand saut. Elle se dit aussi que c'est grâce à sa poigne, à ses brimades, à ses injustices, à ses insultes qu'ils continuent à échanger les mêmes sempiternelles conneries, avec ce même air de conviction. Ses coups de gueule, ses flambées de colère sont indispensables à la vie de ce petit monde. Priver ses locataires de la terreur qu'elle leur inspire serait aussi cruel que les empêcher de boire de l'alcool.

Lottie est la logeuse d'un repaire de bluffeurs. Certains,

comme ce John Smith, qui tient déjà une chronique régulière au *Messenger*, l'un des journaux noirs les plus lus des États-Unis, figureront plus tard en meilleure place dans les anthologies de poésie négro-américaine. Pourquoi John Smith et pas un autre? John a les moyens de devenir écrivain. Mais encore? Il a de la détermination, de la patience, de l'habileté, il sait faire rire, il est brillant, original, beau parleur, séduisant... Peut-être est-il aussi persuadé que la mer s'ouvrira sous leurs pas, pour peu qu'il lui prenne l'envie d'avancer. Alors, il musarde.

Les pensionnaires âgés paressent, eux aussi. Ils marchent, le cou enfoncé dans les épaules. On dirait que la vie les a saisis dans cette position, résultat de tous les coups qu'ils ont reçus.

– A table, hurle Lottie.

– C'est l'histoire d'un jeune Noir, raconte Scott Joplin; un enfant trouvé, qui finit par devenir maître d'école. Un vrai sujet d'opéra...

Dans la salle à manger de la Pension des Artistes, Scott Joplin raconte à la cantonade le thème de son opéra. La veuve s'est arrêtée de briquer le comptoir de son hôtel, elle écoute, pose quelques questions

– Ça doit être merveilleux, intervient-elle, d'entendre jouer sa musique par des gens qu'on ne connaît pas?

Cette intervention n'étonne pas Scott Joplin. On lui a dit tant de bêtises, de banalités, depuis *Maple Leaf Rag*, mais celle-ci est dite avec aménité. Scott Joplin n'a jamais parlé, communiqué, échangé, qu'avec Bella, sa femme. Il sortait grandi des discussions qu'il avait avec elle. Une impression qu'il n'a plus ressentie, depuis lors. Depuis que Bella, épuisée par son inquiétude sourde et ses jérémiades, l'a quitté (et que, dans le même temps, le ragtime passait de mode), Scott Joplin a du mal à s'exprimer. Parole éteinte. Mais cette femme, Lottie Hayward, se montre impressionnée, voire émoustillée, par ce qu'il lui raconte, l'ambiance de la Plantation, le *deep old south*, et puis, cette histoire d'enfant noir, élevé par des esclaves dans une grande maison tenue par les Blancs, l'émeut beaucoup.

– J'adore les *minstrels shows*...
– C'est un opéra, madame Hayward, un grand opéra.

Il fait doux, cette fin d'après-midi à New York, et Scott et Lottie se sont donné rendez-vous dans un lieu boisé, une étendue verdoyante. Ils passent entre une double rangée d'arbres, leur regard s'attarde sur des pelouses soigneusement entretenues, des bosquets. Ils sont rares, les lieux publics aussi préservés que ce grand parc, en cette année 1912. Les New-Yorkais, qu'ils soient nés ici ou qu'ils viennent d'immigrer, ont ceci en commun : ce sont d'inlassables profanateurs. Des salopards, qui s'emploient consciencieusement à recouvrir leur ville de pépites de tournesol, de crachats, de papiers gras. Ce parc-ci, miraculeusement, reste virginal. Un lieu paisible, où se promènent les Noirs qui ont le privilège d'habiter Harlem. Il porte un nom imprononçable, vestige linguistique de l'époque indienne : le Bronx.

– J'ai tellement peu l'occasion de rencontrer des personnes de qualité, ose-t-elle.
– Treemonisha devient maître d'école, instituteur, poursuit-il, sur la même lancée.
Lottie est comme affaiblie. Ce besoin de s'épancher, tout d'un coup... Est-ce à cause de cet homme ? Qu'a-t-il de différent des autres ? Peut-être son honnêteté sourde, sa modestie trompeuse, son air buté. Lottie se dit que si elle n'y prend garde... Elle voudrait hurler, pour se libérer de la torpeur qui la gagne, mais elle n'y arrive pas. La voilà, mauvais signe, qui parle sans hurler. Une voix humaine. Naturelle. Normale.
– J'étais danseuse, monsieur Joplin. Je suis même allée danser à Londres. C'était joli, cette grande abbaye, et les messieurs ridicules, avec un nez tout rouge et des grands bonnets à poils.
– J'ai failli jouer à Londres, l'interrompt Scott Joplin, en ramassant une brindille. Au dernier moment, ça ne s'est pas fait.

– Je dansais dans une troupe, et c'est pas d'aujourd'hui, lance-t-elle dans un sourire. 1902 (elle le regarde pour voir l'effet que ça lui fait. Aucune réaction). Le spectacle s'appelait *In Dahomey*. C'est passé à Broadway. Ça vous dit quelque chose?

– Will Marion Cook?

– C'était la première grande opérette composée et jouée par des Nègres, M. Joplin. On l'a jouée au palais de Buckingham, devant le roi d'Angleterre. Un monsieur très simple. » Elle continuait : « En 1906, il y eut une audition, où se présentèrent toutes les danseuses noires de New York. C'était encore pour une opérette de Will Marion Cook. *In Abyssinia*. Je n'ai pas été prise. J'en remercie encore le ciel. Il m'arrive de croiser mes copines danseuses, près de l'Apollo. Elles jouent toutes le même rôle, maintenant. Celui de la vieille pute nègre. »

Lottie sourit en femme qui sait ce qu'elle veut. « Je savais ce qui m'attendait, si je ne me mariais pas. Je suis tombée sur un monsieur qui ressemblait aux Nègres que l'on montrait dans *In Dahomey*. Il était menteur, voleur, obsédé par les femmes. Il possédait une pension de famille, et il mourut six mois plus tard. »

Elle revint à son sujet de prédilection : « Je dois tenir mes locataires, voyez-vous, monsieur Joplin, ils disent qu'ils écrivent des livres, ou qu'ils peignent, mais ils ne font rien de la journée. J'ai horreur des feignants, monsieur Joplin. »

Elle connaît les artistes, et ne les supporte plus.

– Moi-même, je suis compositeur...

– C'est différent, pensez, l'opéra...

– Vous avez sans doute entendu parler de moi. Je suis l'inventeur du ragtime.

Les ailes de la fortune ont caressé le visage de l'homme qui marche à côté d'elle. Elle se souvient de *Maple Leaf Rag*, oh Dieu, c'est vous qui l'avez écrit? Elle en chantonne le début, après, cela devient difficile, et Scott s'y reprend à plusieurs fois pour lui faire chanter le rondo. Le rire de Lottie rejoint le piaillement des oiseaux. Qu'elle est drôle cette histoire que lui raconte Scott Joplin. Du jour au lendemain, ces centaines de milliers de partitions, ces petits formats ornés d'une feuille d'érable, que son éditeur expédie par colis aux quatre coins de l'Amérique et, bientôt, dans le monde entier.

Ragtime. Droits cédés aux distributeurs... *Maple Leaf Rag* en version papier, *Maple Leaf Rag* en version piano mécanique. Ragtime à jouer, ragtime à écouter, ragtime à danser. *Maple Leaf Rag*, et l'argent qui entre, et Scott raconte le gros sourire tranquille de John Stark, puis très vite ses gros beuglements d'Irlandais, quand les premières imitations de leur morceau fétiche arrivèrent sur le marché.

Les éditeurs américains passaient commande à des musiciens. Il leur fallait absolument du ragtime à leur catalogue. Et voici des milliers de musiciens qui se sont mis à écrire des copies conformes de *Maple Leaf Rag* : même introduction, même nombre de mesures, même suite d'accords, même découpage en quatre parties, même dessin mélodique que *Maple Leaf Rag*. Mais le public ne voulait pas de *Russian Rag*, *Ragging the Rag*, ou *Spaghetti Rag*... Les gens n'achetaient que les ragtimes composés par Scott Joplin.

Lottie respire difficilement, elle essaie de s'imaginer – et cela ressemble à une vitrine d'un magasin de jouets pendant les fêtes de Noël – que tous les musiciens des États-Unis furent un jour accrochés aux basques de l'homme qui marche en ce moment à côté d'elle...

Et Scott, d'une voix mécanique :

– Voici le contrat (il n'a jamais quitté sa poche) passé avec mon éditeur. 2 % des droits pour chaque exemplaire vendu. C'était un Blanc, Mrs. Hayward. Pendant quelques années, il a compté parmi mes amis.

La voix de Scott Joplin se voile, imperceptiblement. Il se lance dans une histoire embrouillée. Au commencement, dit-il, ils n'y arrivaient pas. Puis, les éditeurs commandèrent des ragtimes à des musiciens capables de vous cracher au petit déjeuner une ouverture d'opéra à la manière de Meyerbeer ou un *scottish* façon *Lancier du Bengale*. Les adroits, les buses, les faussaires... Il imite

l'accent gallois de John Stark : « Les éditeurs, Scott.
Morale élémentaire, et regard exhorbité de chien truffier. »

Ces faiseurs savaient que pour voler un morceau de
musique ou même un style, il ne fallait surtout pas chercher à l'imiter. Il fallait simplement garder la structure
générale de la composition, puis se laisser aller, en préser-
vant la sensibilité initiale du compositeur. « Ils ne m'ont
pas pris les notes, Mrs. Hayward, mais ils m'ont volé ma
musique. Pendant des années, j'ai écouté des rouleaux de
ragtime, et je me suis demandé si c'était moi qui les avais
composés. »

Scott Joplin a effleuré la main de Lottie. Mais c'est l'un
après l'autre qu'ils sont entrés dans la Pension des
Artistes. Les semaines qui suivent, il y a moins de stri-
dence dans la voix de Lottie. Et même, par moments,
quelque chose s'installe qui ressemble à de la compréhen-
sion à l'égard des artistes. Certains locataires de la pension Hayward en deviennent dépressifs.

Lottie se laisse aller. Elle réfléchit, et plus elle réfléchit,
moins elle sait où elle en est. Elle devient niaise, et elle se
laisse doucement glisser vers cet amollissement. État de
sa réflexion : ce bonhomme ne sait rien faire que jouer du
piano, et elle, il lui faudrait un homme capable de réparer
la plomberie ou monter sur le toit pour y changer une
tuile. Est-ce si important que cela ? Elle s'est toujours
débrouillée toute seule, elle n'a jamais eu besoin de personne pour foutre dehors un locataire.

Ce qui l'inquiète un peu, c'est que l'on n'entend plus
parler du ragtime. La mode est passée. Il y a ces nouvelles
danses, le *fox trot*, le *turkey trot*, le *one step*... Et les quelques rouleaux de ragtime vendus sur piano mécanique
sont signés Joseph Lamb, Tom Turpin, Eubie Blake.

Elle a des projets pour le petit bonhomme. Pourquoi ne
dirigerait-il pas l'un des orchestres de danse noirs que
New York s'arrache (les Blancs fortunés ne veulent plus,
pour leurs soirées au Roof Garden, au Strand Roof, aux
Ziegfeld Follies, que des orchestres noirs) ? Elle l'imagine,

dans la peau d'un Jim Europe ou d'un Will Marion Cook, assis au bar du Clef Club, local de réunion des musiciens noirs de New York, interviewé par les grands journalistes noirs, applaudi par les critiques blancs. Qu'a-t-il à envier à un Jim Europe ou à un Will Marion Cook? Il suffirait d'un petit coup de pouce pour que Scott Joplin entre dans le petit groupe des *majors* de la réussite nègre dans le monde musical.

Il a tout l'air d'un garçon sérieux. Combien y a-t-il de Noirs sérieux, par les temps qui courent? Et puis, elle adore ses avant-bras, et elle aime l'entendre rire, même s'il est vrai qu'il rit vraiment très peu.

Il ferait un très bon deuxième époux.

Scott Joplin, opéra

Le Clef Club, qui regroupe les meilleurs musiciens noirs de New York du début du siècle, a quelque chose de la loge maçonnique. Il pourrait être un regroupement d'intérêts professionnels, mais dans son fonctionnement, il y a une part occulte et fermée qui l'en distingue. Ce que l'on peut dire, c'est que la machine mise en place par le Clef Club est bien huilée : il est capable de fournir à qui le demande, pour le soir même, un orchestre de danse de trois à trente musiciens.

Le Clef Club porte en lui les ambiguïtés de Harlem. James Reese Europe, son fondateur, est un musicien noir, né en Alabama en 1881. Doté d'une excellente éducation musicale, il bénéficie d'un poste stable, celui de directeur musical de l'Orchestre de la Marine. Et cela lui permet de monter des coups en toute tranquillité. Il fonde des centres de musique et de danse et surtout, en 1906, cette réunion d'artistes noirs en vue qui prend le nom de Clef Club.

L'une des premières questions qui se pose au Clef Club est de déterminer sur quels critères il va sélectionner ses adhérents. James Europe et son coadjuteur, Will Marion Cook, lui aussi issu de la musique classique, décident que le Clef Club ne sera pas ouvert à tous. Pour en faire partie, on devra jouir d'une certaine notoriété (être directeur de grandes fanfares militaires, compositeur de music-hall, vedette de *minstrels shows*), et recevoir l'agrément, sur un plan esthétique et humain, de James Reese Europe et de Will Marion Cook. Sur quelles bases? Mystère. Pour quelle raison James Europe et Will Marion Cook refusent-ils à Scott Joplin l'entrée dans leur association? Est-ce l'appréhension de se voir dépasser par meilleur qu'eux-mêmes? Ils sont peut-être pour beaucoup dans le fait que l'œuvre de Scott Joplin ne soit pas jouée.

Il serait abusif toutefois de réduire William Cook et James Europe à des apparatchiks de la musique noire, ou d'en faire des margoulins ou des médiocres simplement attachés à empêcher que l'herbe pousse sous leurs pas. Le Clef Club n'est pas une mafia qui monopolise le marché de la danse. Encore moins, comme le pense Scott Joplin, une association de malfaiteurs.

Will Marion Cook, qui fera connaître la musique noire en Angleterre (avec Sidney Bechet), ou James Reese Europe, qui dirigera, pendant la Première Guerre mondiale, la musique militaire du 369e régiment d'infanterie (avec Noble Sissle), sont des compositeurs à idées, des organisateurs capables de mettre en place des opérations musicales imposantes. En 1912, Jim Europe a réuni 125 musiciens pour un concert au Carnegie Hall. Drôle d'instrumentation : 47 mandolines, 27 harpes, 11 banjos, 17 violoncelles...

A son retour de guerre, James Reese Europe a confirmation de ses intuitions. La manière dont les Français ont reçu la musique « noire » l'a impressionné : « Je reviens de France, plus convaincu que jamais que les Noirs doivent écrire de la musique noire. Nous avons notre propre sentiment racial, et si nous essayons de copier les Blancs, nous ferons de la mauvaise copie... Nous avons séduit la France en jouant la musique qui nous était propre, et non pas une pâle imitation d'autres musiques, et si nous voulons progresser en Amérique, il faut que ce soit selon notre nature. Will Marion Cook, Tim Brynes, Harry Burleigh ne sont vraiment eux-mêmes que dans la musique qui exprime leur race... La musique de notre race jaillit de la terre, ce qui n'est le cas aujourd'hui pour aucune race, sinon peut-être les Russes [4]... »

Harlem, 1914.

« Pour nous, gens de couleur, la musique est partie inté-
grante de nous-mêmes. Elle est le produit de notre âme;
elle est née des souffrances et des épreuves de notre race.
Certains des airs que nous avons joués mercredi ont été
conçus par des esclaves de l'ancien temps, et d'autres
datent du temps où nos ancêtres étaient encore en
Afrique. »

— Tu as lu le *New York Negro Press*, Lottie? »

Une flèche en plein cœur. Et Scott qui continue :
« Arrête de frotter ce comptoir, tu ne le nettoies pas, tu
l'amenuises.

— Oh, Scott...

— Le Nègre le plus bête de New York, poursuit Scott
Joplin. Voici James Reese Europe, dans ses œuvres.
Banalités, océan de banalités négropathiques... Enfilées la
main sur le cœur, l'œil bien noir et, derrière, une pompe
aspirante en état de marche. Qui suce, suce... Tout ce qui
passe à sa portée du moment que ça a la peau blanche :
pitié, oreille attentive, intérêt intellectuel. La pitié, c'est
l'eau qui précède le lait, au moment de la traite. Ce que
vise la pompe aspirante du Clef Club, c'est le fric.

— Ta gueule, Scott. J'en ai marre. A t'entendre, on
dirait que chaque jour qui passe a été créé par le bon Dieu
pour le plaisir de te couler de l'huile bouillante sur la
peau. Dis-moi : qu'est-ce qui t'empêche de demander à
Jim Europe et Will Marion Cook ton admission au Clef
Club?

— Je suis allé les voir.

— Tu vas pas recommencer avec cette histoire de *Treemonisha*.

— Je pouvais avoir les meilleurs chanteurs noirs. Harry
Burleigh était d'accord, il voulait chanter le rôle de Ned.
Dans la fosse d'orchestre, il y aurait eu les meilleurs musi-
ciens noirs de New York. Quand je lui ai parlé de tout ça,
Jim Europe m'a regardé, comme si je lui demandais la
permission de pisser dans ses chiottes, pendant qu'il était

dans la salle de bains. Tout ce qu'il a pu me dire, c'est qu'ils n'étaient pas producteurs.

– C'est vrai qu'ils ne le sont pas. Le Clef Club réunit les musiciens de danse, c'est tout. » Lottie Joplin pleure. Tout ça a été dit et redit des dizaines de fois. « Qu'est-ce qui t'empêche de faire comme eux ? Fais de l'argent, Scott. L'argent n'est pas un problème, c'est une solution. Jim Europe vient de lancer une nouvelle danse : le *fox trot*. Fais pareil. Invente une nouvelle danse. »

Hurlements de bête blessée, du côté de Scott Joplin.

– Va te faire niquer par ces salopards. Ces Noirs irrésistibles et défrisés se pavanent en pelisse de loutre dans les rues de New York. On les invite à la mairie, on les reçoit partout. Tant mieux pour eux. Mais Lottie, je te tuerai, si tu répètes encore une fois que ces raclures humaines ont inventé quelque chose. *Fox trot, turkey trot, one step...* Tout ça, c'est du ragtime.

Elle sait maintenant qu'elle n'aurait pas dû. Faute grave.

Elle qui, pourtant dotée d'une méfiance de chatte, s'était promis de ne jamais frayer avec un artiste, elle s'est laissée aller à épouser un musicien. Il lui avait fait le coup du compositeur d'opéra. Elle imaginait une vie d'épouse d'homme célèbre. L'homme qui rentre à la maison épuisé par les répétitions, qui rêve d'une demeure paisible, après les voyages trop longs, les usantes questions administratives. Elle s'entendait dire : « Chéri, si tu as des soucis, je suis prête à t'aider... »

Comment ne lui est-il pas venu à l'idée que Scott Joplin ne pourrait *jamais* monter son opéra ? Comment a-t-elle pu passer à côté de ce fait simple : cette marchandise ne se vendrait jamais tout simplement parce que son vendeur était noir ?

Scott Joplin ne sort pour ainsi dire plus de sa chambre.

Il ne peut plus entendre ce mot : non, qui signifie que *Treemonisha* ne sera pas imprimé, qu'aucun chanteur ne pourra le chanter, qu'aucun directeur de théâtre ne pourra l'entendre.

Pourquoi ça ne marche pas? A cause de sa femme.
C'est elle qui empêche tout. Le grincement que font ses
pas, le fracas de ses regards, le hurlement de ses
reproches. Tout en elle est réprobation.

Impossible de se concentrer. Impossible d'écrire, il faudrait au moins qu'il en ait terminé avec la partie voix et
piano. Mais cette femme, pire que la première, l'en
empêche. Idée de femme : l'empêcher d'écrire. Par tous
les moyens. Tout juste si elle ne lui demande pas de vider
les tinettes et de clouer le tapis de sa pension. Je suis
musicien, Lottie. *Musicien.*

S'il n'y avait que sa femme... C'est une véritable
conspiration qui l'empêche de travailler. A commencer
par ces tournées de vaudeville, ponctuées par ces arrêts
nocturnes dans des chambres d'hôtel remplies de cafards,
que les patrons de cirque réservent à celui qu'ils ont présenté tout à l'heure comme « le roi du ragtime ». Ses
élèves aussi... Pour qui se prennent-ils, ceux-là.
Qu'espèrent-ils apprendre en venant chez lui? Ou ne pas
apprendre? Ils ne veulent pas travailler, ils le regardent
avec un sourire intolérable quand il leur donne à jouer
des études de Czerny. On dirait qu'ils viennent prendre
des leçons chez lui, pour éviter Czerny.

Mais lui, monsieur Weiss l'a fait débuter ainsi. Il ne
peut plus supporter le sourire niais et la paresse satisfaite
de ses élèves. Ils se sont trompés d'adresse, s'ils pensent
que l'on vient chez Scott Joplin parce que le ragtime est
une musique facile.

Il a mal au ventre, même quand il doit lancer ses cinquante cents au cireur de chaussures. Essayer de ne pas
avoir la voix qui faiblit, quand il demande à Lottie de
quoi acheter son tabac. Allez... Il accepte une dernière
proposition de John Stark : écrire des arrangements pour
orchestre de ses principaux ragtimes. « On mettra tout ça
dans un recueil, et on appellera ça le *Red Book*, Scott. »
Encore un obstacle, encore une épreuve qui le détourne
de *Treemonisha*. Il faut qu'il arrête tout ça, les tournées
stupides avec des troupes de *minstrels,* les élèves et leurs
faces hébétées, les travaux d'écriture... Il va prendre le

problème de *Treemonisha* à bras-le-corps. Aucun éditeur ne veut copier, imprimer, éditer sa musique? Il va s'en charger lui-même.

Qu'elles sont douces, ces nuits, vides de tout projet du lendemain, où il travaille sur cette partition. Finalement, il écrira jusqu'au bout la réduction orchestrale au piano et la partie chantée de l'opéra. Avec une partition éditée, il finira par trouver un commanditaire, puis il cherchera un théâtre, des chanteurs, un orchestre. L'argent? Lottie avancera. Il copie, copie. Page après page. Il va bientôt finir, aidé en sa tâche par un de ses élèves, un Blanc appelé Sam Patterson. Il sait déjà, c'est une consolation, que *Treemonisha* ne connaîtra pas le destin de *The guest of honor*, cet opéra dont il écrivit des fragments aux premières aubes du siècle, et qui a disparu à tout jamais dans les sables de l'oubli, tout simplement parce qu'il avait cessé de s'y intéresser. Couché sur le papier, *Treemonisha* vivra. La partition est à la musique ce que l'instruction est au peuple noir. Une parade qui permet d'échapper à la destruction. D'autres que lui viendront, et joueront son œuvre. *Treemonisha* sera immunisé contre la fatalité, contre la passivité.

Folie, mon Dieu, cet homme là-haut enfermé, qui ne sort plus, il a les yeux rouges et il est tout maigre, dévoré par je ne sais quoi, ça ne peut être qu'une maladie. Le premier mari de Lottie est mort alcoolique, et celui-là, là-haut, entretient une folie rampante, qui s'attaque à tout, comme une rouille. Rien ne semble pouvoir arrêter son œuvre de destruction. Elle devrait le jeter dehors. Il suffit d'une dernière rage, il lui suffit d'ouvrir la porte de la pension, et de le laisser s'enfoncer comme un vieux bateau dans les rues de New York. Sa vie redeviendrait supportable. Elle ferait installer l'eau courante, dans sa pension, et augmenterait les tarifs.

– Tu n'as que quarante-cinq ans, tu n'es pas un vieillard.

Elle lui a dit cela le jour, c'était le 7 août 1913, où Scott s'était entortillé un vieux bout d'écharpe autour du cou, pour aller – il n'avait pas mis le pied dehors depuis des mois – déposer une annonce au *New York Age :* « Compositeur cherche chanteur(euses), en vue d'un opéra qui sera donné cet automne, au Lafayette Theatre, à Harlem. »

Le lendemain, il lui a fallu subtiliser le *New York Age,* afin que son mari ne le vît pas. Le critique musical du *New York Age* avait cru bon de faire suivre le communiqué de Scott Joplin d'une appréciation toute personnelle : « Du ragtime au grand opéra, écrivait-il, il y a une différence de nature. Certains *ragtime composers* semblent ne faire aucune différence entre le grand art et la pacotille. »

John Smith, l'ange noir du *Messenger*, descend les escaliers quatre à quatre, et se plante, sourire aux lèvres, devant Lottie :

– La chambre du deuxième étage, Mrs. Joplin, celle du vieux débris, elle pue. Une odeur de rat crevé. Vous tenez une pension de famille ou un foyer de l'Armée du Salut?

Poète... Lottie ne lui donne pas dix ans avant qu'il n'erre, édenté et mort de froid, dans les rues de New York. Pour l'heure, il est cruel comme la jeunesse. Ses phrases sont bien troussées, la puanteur du vieux débris au premier étage excite sa verve. Les locataires ne s'y trompent pas, ils accourent, excités par l'odeur du sang. John A. Smith est poète, ses mots coupent comme une lame, mais il est aussi empereur, coq de combat, procureur et bourreau. Ses mots feront le tour de tout ce que Harlem compte de jeunes peintres noirs, de jeunes écrivains noirs, de jeunes penseurs noirs.

Lottie n'a rien à répondre, elle essaie de dire, avec son regard, que les rieurs devront, dès demain, se trouver une chambre ailleurs. Ses yeux disent cela. Mais apparemment, ses yeux ne menacent personne, ils ne demandent qu'une seule chose : un peu de répit. Une fraction de seconde, un moment de rémission, le temps de se reprendre. Le temps de placer sa voix, de trouver les mots qui rétabliront l'ordre dans *sa* pension. Demain, tous virés. Mais aujourd'hui, ces rires de nègres s'abattent sur elle comme de la grêle. Le poète fait flèche de tout bois : les odeurs de cuisine dans la chambre du vieux débris, les fenêtres jamais ouvertes, le pardessus gris qui en fait un fantôme, l'accent du Sud, ses cris de bête, qui réveillent en pleine nuit les paisibles locataires de cette pension. Tellement de rires, que ça descend dans l'escalier.

Elle va tous les virer, et tant pis pour le robinet d'eau courante. Mais il n'y a que ces quelques mots qui sortent de sa bouche :

– Jeune homme, le client du deuxième est un compositeur de musique. Il écrit des opéras. S'il vous plaît, soyez gentil de faire moins de bruit, il ne peut pas supporter le bruit, quand il écrit.

Harlem, 1915.

Ce soir, dans une petite salle de répétition de Harlem, Scott Joplin présente la version oratorio de son grand opéra. *Treemonisha* va être montré au public. *Treemonisha* n'est pas, comme l'ont écrit certains journaux noirs, un loch-ness lyrique, une arlésienne.

Ce soir, le public va se prosterner. Lottie Joplin a tout organisé : location de la salle, audition des trois chanteurs, envoi des invitations... Elle est la reine, ce soir. Sur une robe d'amazone, Lottie a enfilé un manteau de demi-saison. Elle sourit, passe d'un groupe à l'autre, verre de gin à la main, pendant qu'elle note les présents (Abbie Mitchell et Laura Bowman, les deux actrices noires qui viennent de triompher dans *Simon the Cyrenian*, au Garden Theater du Madison Square Garden, sont là, ainsi que les poètes et écrivains de la Renaissance harlémite : Paul Laurent Dumbar, Countee Cullen, James Weldon Johnson, John Toomer, Nathan Huggins, directeur du très influent journal noir, *The Messenger*, et, très entouré, le grand poète Langston Hugues).

Ce soir, ils seront tous à ses genoux. A ses pieds, même, et, surtout, à ceux de Scott. Elle répond aux questions fielleuses du directeur du magazine poétique, *Crisis*.

– Scott est en forme. La musique que vous allez

entendre ce soir va faire encore plus de bruit que *Maple Leaf Rag.*

— Mrs. Joplin, comment se fait-il que Scott n'ait pas pu trouver de musiciens, pour accompagner *Treemonisha...?*

— La scène est bien trop petite. Mon mari accompagnera lui-même les chanteurs au piano.

— Scott, John Bumberg, le critique du *New York Age,* vient d'arriver, lui glisse à l'oreille Sam Patterson. Scott Joplin, par un miracle de la volonté, se tient debout, il marche à petits pas, comme s'il voulait économiser le peu de vie qui lui reste.

— Le compositeur, monsieur Scott Joplin, lance Sam Patterson d'une voix forte. « Quelle forme, il tient ! », a glissé ironiquement un journaliste à sa voisine du premier rang, en recrachant son jus de pistache.

Dans la salle, il y a un gros garçon noir de douze ans. Il a jeté un regard à sa sœur, âgée de quatorze ans, qui est encore plus grosse que lui. Thomas Waller a grandi en écoutant les *piano rolls* de Scott Joplin. Il est capable de les jouer d'oreille. Il y a une chose qu'il ne peut supporter, c'est la tristesse. Thomas « Fats » Waller a besoin de gaieté. Le rire est son oxygène, quelque chose qui l'unit à la vie. Allons-nous-en, glisse-t-il à sa sœur. Et cent cinquante kilos de graisse quittent leur place, en déclenchant des tornades de rires.

A ce moment, Scott Joplin, seul au piano, avec Sam Patterson qui tourne les pages, commence à jouer l'ouverture de *Treemonisha.* D'abord discrets, les rires du public éclatent comme une volée de bois vert, au moment où les trois chanteurs que Scott Joplin avait trouvés entrent en scène.

« Tant de nuits, mon Dieu », pense Sam Patterson, passées à copier cette musique. Avec Scott, penché au-dessus de son épaule, et lui ravi, elle est si douce la compagnie des musiciens qu'on estime.

— Joue Scott, ne les écoute pas, trépigne-t-il, tout en tournant les pages de la partition.

Je ne les écoute pas, Sam. Ils ont raison de rire. *Treemonisha* est une chose cosmique qui n'a plus aucun rapport avec la société des hommes. Ces gens ne méritent pas cet opéra. Moi non plus, je ne le mérite plus. Je me le suis trop souvent répété dans la tête. Je ne me souviens même plus des notes. *Treemonisha* est une étoile brumeuse, invisible, inhabitée. Un jour, peut-être, des explorateurs vont redécouvrir cette musique. Et ils n'en croiront pas leurs oreilles, quand ils se rendront compte que c'est un Noir qui l'a écrite. Un Noir de l'Arkansas, fils d'un esclave de plantation et d'une femme de ménage.

La fin se noie dans les sifflets. Nathan Huggins, critique du *Messenger*, va écrire : « Assez de ces Noirs de plantation. Qu'advienne le Nouveau Noir, le produit des forces universelles d'où sont sortis les grands mouvements libéraux et progressistes qui sont en train de s'emparer du pouvoir politique, social et économique, dans tous les pays civilisés du monde. »

— Dis-moi, Sam, glisse Scott Joplin à son élève, alors qu'il le raccompagne chez lui. Ne trouves-tu pas que Lottie avait vraiment l'air heureuse, ce soir? Il faudrait organiser d'autres petites soirées comme celle-là.

Quelques jours plus tard, Lottie et Sam se décident enfin à emmener Scott à l'hôpital. Il ne peut plus se tenir debout.

La voix du médecin a l'éclat du brillant :

— Une syphilis en phase terminale, madame Joplin. Vous seriez venue plus tôt que cela n'aurait servi à rien. Tout y est : paralysie générale, détérioration mentale... Évolution inexorable. Crises de démence, raptus anxieux et violences exercées sur lui ou sur les autres. Vous ne pouvez pas le laisser chez vous. Hospitalisation obligatoire. Où habitez-vous?

— A Harlem, docteur, répond Lottie Joplin. Un petit coin charmant, au milieu des jardins et des chants des oiseaux. Tout près du Bronx.

Chiens de musiciens

L'engagement de New York a commencé sous les meilleurs auspices.

C'est à peine si les musiciens de l'orchestre de Freddie Keppard remarquent, en ce mois d'avril 1917, ces affiches blanches et sobres, qui recouvrent par dizaines de milliers les murs de New York. *« Wake up, America. »* Réveille-toi Amérique.

Des pasteurs, des juristes, des professeurs, des vedettes de théâtre, des politiciens, des pacifistes repentis préparent le pays à la guerre. Une boucherie impressionnante mais locale est en passe d'accéder à la dignité de guerre mondiale.

Pour le reste tout est normal.

Devant le restaurant de la 50e rue dans lequel ils jouent, il y a la manifestation traditionnelle du syndicat des musiciens. Les musiciens new-yorkais font le pied de grue depuis trois heures de l'après-midi, et ils tapent le sol avec leurs pancartes en hurlant : « Dehors, la Jasz music. » Les musiciens syndiqués sont rejoints par une « Délégation de maris américains » qui manifestent contre « l'influence exercée par cette musique de gigolos sur les nerfs de leurs épouses ».

Depuis deux ans qu'ils sont en tournée dans les villes du Nord, les choses se passent toujours ainsi : l'Union des musiciens du cru organise des manifestations pour les empêcher de jouer. Cette expression, « jasz » ou « jazz music », lancée comme une injure, a commencé à se répandre comme une traînée de poudre, pour désigner la musique de l'orchestre de Freddie Keppard.

C'est à travers un épais brouillard d'alcool que Freddie Keppard négocie le contrat (« Soixante-quinze dollars par semaine, vous n'aurez pas un cent de plus. – Je m'appelle Freddie Keppard, et je vaux cent dollars) qui mène l'Original Creole Ragtime Band au Town's Topic Theatre, à New York. Ça a marché, une fois encore.

Dave Perkins sort de la Pension des Artistes. Avec mille précautions, pour éviter de tomber sur Lottie Joplin et ne pas l'entendre, avec son haleine puante, lui demander de régler sa chambre.

Une fois dehors, il lance un gigantesque crachat sur le premier lampadaire venu. Il n'a rien répondu à Freddie. Il ne lui reste qu'à ramasser les dollars des prochains *gigs*, celui de New York, puis celui de Portland, Maine, et de là, filer tout droit vers La Nouvelle-Orléans.

Cela fait plus de six ans qu'il n'a pas respiré l'odeur des magnolias de La Nouvelle-Orléans. Défilent sous son nez des artichauts, des crabes, des céleris, des tomates farcies aux petits oignons, accompagnés de pâtés en croûte.

La Nouvelle-Orléans... Les rues ombragées, les gardes de frise au-dessus des fenêtres, les Négresses au tablier amidonné, les étals de sucre roux et de pralines, les conversations languissantes sur fond de l'angélus des cloches des tramways, l'odeur du linge en train de bouillir, les cris des vendeurs de charbon de bois : « *Coaly coal coal/ Pretty coaly/* Charbon de Paris/ De Paris, Madame, de Paris. »

Comme une étoile lointaine, brumeuse, irréelle.

Tu ne connais plus grand monde, là-bas. A ton arrivée, tu déposeras tes valises chez une femme brune et molle, mille fois rembarrée, dont l'attitude dévouée t'exaspérait quand tu étais en forme. Personne n'a oublié, surtout pas toi, que tu es presque un Blanc, Dave. Cela donne des droits. Ensuite, tu iras au local du syndicat. Celui des musiciens noirs. D'après les nouvelles, confirmées par les musiciens rencontrés çà et là, les types de ta génération contrôlent encore la machine. Ils vont te trouver quelque chose. L'idéal serait une place tranquille dans un des bordels du *District*. Et si tu ne trouves pas de travail comme musicien, tu iras nettoyer des cendriers, dans un bordel.

En attendant... Tu n'as pas d'argent! Trouve le courage de partir... Si ce n'est pas toi qui pars le premier... Tu ne sers plus à grand-chose dans l'orchestre, et le prochain sur la liste, Dave, ce sera toi. D'ici peu, ce gros ingrat de Keppard t'annoncera, comme il l'a fait pour les autres, les yeux plongeant sur tes chaussures : « *You're fired, Dave* » (tu es viré).

Tu n'as pas d'argent! Prends-le comme ça vient, mon vieux Dave... Tu as du mal à le croire? Pourtant c'est ainsi. Tout est parti, dépensé. L'argent gagné avec l'Original Creole Band, et aussi celui que tu as fait avec les troupes de *minstrels,* tout ce blé gagné en poussant la chansonnette est parti dans des bouteilles de scotch, des mises de jeu, des fringues, des filles.

Il n'y a qu'Alphonse Picou, qui n'a pas claqué ses cachets, aidé par sa haine du genre humain et un entêtement de tapir. Ce clarinettiste n'est pas un musicien, mais un ascète. Restaurant? Non merci, j'ai mon sandwich. Gin? Non, pas soif. On achète quelques billets de loterie, Alphonse? Je ne joue pas. L'horreur, cet Alphonse Florestan Picou. Toujours à se soustraire. Toujours à se refuser aux élans. Il parle d'une voix égale, d'un ton satisfait. Contrairement aux autres musiciens, il est rare qu'il s'énerve, ou qu'il s'enthousiasme. Il se contente de faire ce qu'il doit faire. Mais Dieu, cette satisfaction qui exsude de lui, quand l'un des musiciens se plaint de manquer d'argent. Sourire venimeux et désolé, il n'y peut rien, il n'a pas à donner de leçons sur la manière de conduire sa vie. Il ne donne pas de leçons, pas plus qu'il ne prête d'argent.

« Tu es le pire rapiat que j'aie jamais rencontré », lui dit Keppard, un jour où Picou, qui venait d'apercevoir un bureau télégraphique près de la voie ferrée, tira le signal d'alarme du train pour en descendre et donner des ordres à son agent en bourse.

Comment as-tu pu économiser pendant ces tournées ? Te priver du plaisir de laisser glisser ton fric au hasard des bars ? Nous, c'était : champagne, garçon. Fais vite ton service, loufiat. Qu'est-ce que tu veux encore, loufiat ? Voir notre fric ? Tiens, regarde. N'est-il pas plus émouvant que le cul de ta sœur, ce paquet de pognon frais, estampillé Bank of America, odeur garantie maison. Une question : as-tu seulement calculé combien il te fallait faire d'aller et retour, de la salle de restaurant jusqu'à ta cuisine, pour posséder un nombre équivalent de billets verts ?

Et toi, Alphonse, pingre parmi les pingres, pendant que nous dégustions le suc de ces années triomphales, tu épluchais les cours de la Bourse et ajoutais un « obligado de clarinette » à *High society*, morceau fétiche du jazz Nouvelle-Orléans.

Six années de tournées ininterrompues, avec ces petits musiciens qui ont pris le vieux Davie comme tête de turc. Sales gosses. Dieu, ce qu'ils peuvent rigoler, quand ta perruque tombe sur tes épaules. Ça serait bien si, un jour, on pouvait te foutre la paix. Tu n'as plus l'âge de supporter ça. Avant, personne ne te chatouillait. On te savait prêt à casser la tête de la première personne qui s'approchait. Vieux ? Même pas. Tu es jeune, Dave. Regarde. Il faut être un gamin, pour ne pas avoir de quoi acheter un billet de train pour retourner à la maison...

Ce n'est rien. Rappelle-toi que tu as bien profité de la vie. Avant. Quand tu n'avais pas besoin de cacher ce front tout chauve. Tu étais heureux. Tu interprétais des mélodies gentilles et rythmées. Tu jouais du trombone et tu chantais, d'une voix de baryton propre et policée. Au début, tu suivais l'évolution de la musique. Tu étais même capable d'imiter Buddy Bolden. Puis, les choses se sont précipitées. Les musiciens d'aujourd'hui, et principalement ceux de Freddie Keppard, ont lancé la musique vers des terrains glissants.

Ils ne se rendent pas compte à quel point leur tintamarre est inhumain. Il faut gigoter, rythmer, précipiter les notes, donner à ta phrase un tour saccadé. Tu fais ce que tu peux pour chanter là-dessus, mais il y a toujours quelqu'un, dans l'orchestre, pour te dire, en te secouant par les épaules, que ce que tu viens de chanter est mou, raide et vieillot. *Hot papa*, te disent-ils, pourquoi bombes-tu le torse, quand tu chantes du ragtime? Tu réponds par ton rire. Tout le monde est maintenant persuadé que tu ne sais rien faire d'autre que rire.

La guerre, bientôt? Le président Woodrow Wilson a engagé les Américains « à sacrifier leur vie dans le combat contre l'ennemi naturel de la liberté », entendez : l'Allemand.

Mais les musiciens se foutent de la guerre. Le seul musicien de l'orchestre qu'inquiètent les bruits de bottes est Louis « Big Eye » Nelson. Mes imbéciles de frères, pense-t-il. Il est le quatrième clarinettiste de l'Original Creole Ragtime Orchestra, après Alphonse Picou, George Baquet, et un autre, dont l'histoire du jazz n'a pas retenu le nom. Louis « Big Eye » Nelson est persuadé que ses deux frères, Art et Billy, se sont empressés de rendre une petite visite aux bureaux de recrutement de l'armée américaine.

Couillons de frangins, pense Big Eye. Une couillonnerie dont la responsabilité incombe à John B. Nelson senior. Avant d'être assassiné, John B. Nelson avait élevé ses enfants dans l'amour de l'Amérique. C'était un homme serviable, coopératif, patriote. Le genre de Noir dont on croise la silhouette au premier rang des cérémonies civiques, attendant son tour d'être embrassé sur les cheveux par des politiciens de métier.

Boucher de son métier, John B. Nelson avait envoyé ses enfants à l'école de Tuskegee, à quatorze heures de voyage en train, en partant de La Nouvelle-Orléans. Une plaine immense, des collines vertes et riantes, soixante petites maisons de bois vertes et grises, entourées de galeries de bois et bâties à deux pieds au-dessus du sol. C'est là que le réformateur noir Booker T. Washington faisait vivre, malgré les insultes de Sudistes convaincus de l'inutilité, pire, de la nocivité de l'éducation des Noirs, une école technique pour enfants noirs.

Programme : des enseignements techniques. But : faire des Noirs des citoyens américains. Booker T. Washington voulait donner une éducation manuelle et technique aux jeunes Noirs. Booker T. Washington n'avait rien d'un révolutionnaire. Il disait : « A ceux de ma race qui vont en terre étrangère (le Nord!), ou qui sous-estiment l'importance qu'il y a à cultiver les relations amicales avec les Blancs du Sud, je dis : restez où vous êtes, soyez amis de toutes les façons possibles avec les gens qui vous entourent, restez dans l'agriculture, la mécanique, le commerce, le service domestique. »

Élevés dans cette atmosphère, les Nelson de Gravier street ne pouvaient que répondre favorablement aux exigences de l'oncle Sam. Grands couillons de frangins. Se doutaient-ils seulement que le ministère de la Guerre n'admettait, pour les grades supérieurs à celui de sous-lieutenant, que des Blancs?

Tout a bien commencé, vraiment. M. Ruthinski, propriétaire du restaurant, a graissé la patte du président du syndicat de New York, et l'orchestre a pu commencer à jouer sur sa petite estrade.

A l'intérieur du restaurant, les fêtards, les snobs, les jeunes gens dansent (« N'écoutez pas : dansez simplement », écrit le restaurateur, à l'entrée de son établissement). L'angoisse est arrivée sans crier gare. Tout doucement, tel un reptile. Sous la forme d'un homme jeune, un Blanc souriant et bien mis qui, après une première série de *shimmies*, a attiré Freddie Keppard près du bar. Bref échange. Les musiciens ont vu le visage de leur chef se congestionner, et l'autre battre précipitamment en retraite.

A son retour sur l'estrade, Keppard vacille.

– J'ai refusé, j'ai refusé, répète-t-il.

– Qu'est-ce que tu as refusé? demande Dave Perkins.

– Ce fils de pute travaille à la Victor Talking Machine Company. Il voulait nous faire enregistrer un disque, reprend-il, magnifiquement.

– Nous autres? dit Perkins, comme dans un rêve.

– Essaie de comprendre, espèce de Nègre blanc. Ils voulaient voler notre musique. Si l'on enregistre un disque, la semaine prochaine, dix orchestres joueront comme nous et nous serons fichus!

Freddie Keppard est fou. Maladie de la persécution. En 1917, c'est à peine s'il accepte maintenant de jouer en public, tellement il est sûr que ces Blancs qui l'écoutent sont là pour voler l'héritage dont il estime avoir reçu dépôt, une nuit, à La Nouvelle-Orléans.

Rendu cinglé par les milliers de kilomètres de tournées, par l'alcool, un début de tuberculose, par les Blancs.

Que veulent-ils? N'en sait rien. Tout s'entrechoque dans sa tête. D'un côté, ces musiciens syndiqués, qui souillent sa musique de ce nom de jazz. Il y a cette grosse femme, qui le suit depuis six mois et qui s'est présentée à lui comme « le bouledogue qui court autour des pieds de Jésus-Christ et aboie contre ce qu'il n'aime pas » (cette dévote à l'odeur de chou rance s'est spécialisée dans le salut des musiciens, elle les suit en leur demandant : « Aimes-tu Jésus? Arrête-toi de boire, mon garçon. Tu ne dois pas savoir écrire, signe ici, avec une croix »).

Mais il y a pire. Les voleurs... Cette chanteuse, Sophie Tucker, qui l'écoute avec un air de truie qui s'apprête à bouffer ses enfants. Ce petit gros à tête ronde, son nom est Paul Whiteman, il ne se donne même pas la peine de se cacher, il note ce que je joue sur un cahier de musique, assuré qu'il est qu'on peut impunément voler un Nègre. Et ces petits Italiens de La Nouvelle-Orléans, avec ce nom stupide, l'Original Dixieland Jazz Band, qui venaient nous écouter, quand on jouait au Mack Vickers Theatre, à Chicago.

Les voleurs sont faciles à reconnaître. Ils ne dansent pas. Ils écoutent. Race de vipères... Ces hypocrites ont le culot de battre du pied, *comme des Nègres*, dès que l'orchestre attaque *Tiger Rag*, son morceau fétiche.

Enregistrer un disque, dans ces conditions? *Motherfuckers.*

S'il est vrai que les musiciens ne doivent pas aimer que l'on pleure sur leur dépouille, l'âme de Scott Joplin dut éprouver un sentiment de bonheur, devant le petit nombre de personnes présentes à la cérémonie funèbre.

Lottie l'aurait voulue grandiose, seuls la suivent un petit groupe de pianistes de ragtime, des mendiants, des punaises de sacristie, et les pensionnaires de Lottie Joplin (ils sont commis d'office). Un gros garçon noir hilare s'installe d'autorité à l'orgue de l'Abyssinian Christian Church. Thomas « Fats » Waller commence à jouer des hymnes baptistes, au moment où arrivent à l'office funèbre un petit bonhomme à barbiche, représentant du Clef Club, et Freddie Keppard. Le pasteur termine son homélie devant le cercueil. Freddie Keppard se dit qu'il est le seul personnage de l'assemblée habilité à rendre le dernier hommage au créateur du ragtime. La tonalité maussade du prêche n'est pas faite pour le faire changer d'avis.

Quoique ivre mort, Freddie Keppard réussit à se contenir, réservant ses imprécations à la chaise placée devant lui, jusqu'au moment où le petit groupe des amis commence à présenter ses condoléances à une petite tache noire, tassée sur elle-même : Lottie.

Maintenant, il faut qu'il parle :

– Deux mots sur Scott, monsieur le pasteur », dit-il. Personne ne bronche dans l'assistance, sauf Fats Waller qui se met à jouer un ragtime aux grandes orgues de l'église. La sublime beauté de son interprétation accompagne les paroles de Freddie Keppard. « Je ne te connaissais pas, Scott, commence-t-il. Mais du jour où, à La Nouvelle-Orléans, j'ai entendu tes premiers ragtimes, j'ai décidé que je ne pourrais rien être d'autre que musicien. J'ai appris à jouer de la trompette grâce à tes arrangements de ragtime, tous ceux qui savaient lire la musique à La Nouvelle-Orléans copiaient les ragtimes du *Red Book* pour jouer tes morceaux.

« Paix à ton âme, Scott. De la part de nous tous, les musiciens de *ragtime music*.

« Je voudrais aussi vous dire un mot, Mrs. Joplin. Je ne sais pas quelle a été votre vie avec Scott. J'imagine que c'était un bon garçon. Un type droit, honnête. Malheureusement, il était musicien. Ne dites rien, vous autres. Personne ne peut imaginer à quel point il est difficile de vivre avec un musicien. Combien d'insatisfaits, d'angoissés, de paresseux et d'inconsolables, dans cette corporation. »

Brusquement, Freddie Keppard s'arrête. Il regarde les murs nus du temple protestant, le cercueil, posé sur deux tréteaux, le pasteur qui n'avait que ce mot de pécheur à la bouche. Et il se met à pleurer.

Il essaie tout de même de continuer :

« C'est pas cela que je voulais dire. Scott Joplin n'était pas un musicien comme les autres. Il a été le créateur du ragtime, et il y a une chose que je voudrais dire à tous les gens de New York et, surtout, au monsieur noir, là-bas, au fond, qui représente cette honorable association de musiciens de couleur de New York qui cherche par tous les moyens à se faire passer pour blanche.

« Monsieur le représentant du Clef Club, reprit Keppard. Écoutez jusqu'au bout ce que ce gros cul noir de Freddie Keppard va vous dire. »

Le représentant du Clef Club le regarde, comme s'il était un singe frappé de démence. Keppard le toise, avant de déclamer, d'un ton solennel et roublard : « Nous sommes des *ragtime players*. »

Et l'organiste répond : « Amen. »

Le regard vitreux de Freddie Keppard traîne au loin. Il pleure. Que dire d'autre ?

A la sortie de la cérémonie, ne voulant pas le laisser dans cet état, le manager de l'orchestre l'emmène au champ de courses. Et c'est à un cheval du nom de Frankie Dorifolk, qui passe sur la balance de pesage de l'hippodrome de New York, que Freddie Keppard adresse son dernier discours new-yorkais.

« Hey Yanks... Cette musique... Vous n'avez jamais entendu une musique pareille. La musique de Dixie. La vraie musique noire. Le Message. »

Devant Keppard, le cheval commence à s'inquiéter.

— Casse tes couilles Négro, lance son lad.

— Minute, reprend Keppard. Je suis en conférence avec monsieur. Les musiciens blancs ne m'arriveront jamais à la cheville. Je vais te dire mon secret, Frankie : je joue avec un mouchoir qui cache ma main droite. Sous le mouchoir, il y a ces pistons à moitié baissés, qui envoient des glissandos d'un octave, et ça rend fous les gens. Les Blancs s'approcheront de cette musique, mais ils ne feront que l'effleurer.

— Casse tes couilles, Négro, répète le lad.

— Je me présente, dit Freddie, sans quitter le cheval des yeux. Freddie Keppard, né à La Nouvelle-Orléans, et dépositaire exclusif du Message. Notez, monsieur, notez : il y a déjà pas mal d'années, un joueur de tambour connu sous le nom de Dee Dee Chandler eut l'idée d'un levier qui actionnerait la mailloche d'une grosse caisse par la pression du pied. Le voir actionner, à lui tout seul, les caisses et les cymbales arrachait aux enfants des cascades de rires. Dee Dee Chandler venait d'inventer la batterie.

« Cette musique, c'est celle qu'ont inventée Buddy Bolden, et moi, Freddie Keppard. Buddy était le roi, mais j'ai pris sa place. Et d'autres arrivent. J'entends maintenant parler d'un nommé Joe Olivier, des frères Dodds, de Jimmie Noone, de Kid Ory, et de ce petit roquet appelé Sidney Bechet, qui joua de la clarinette dans mon orchestre quand il avait sept ans et qui, ce jour-là, me donna une chair de poule que je n'oublierai jamais, et Louis Armstrong, le tout dernier, que je n'ai jamais entendu, mais Dieu que cette rumeur est forte, qui dit qu'un jour il sera le plus grand.

« Voyez-vous cher ami, l'Original Creole Band va bientôt disparaître. J'entends les musiciens qui piaffent, et chacun d'entre eux tire de son côté, à hue et à dia. Les meilleurs orchestres finissent toujours par se séparer.

L'Original Creole Band est arrivé chez nous au milieu
d'un numéro de ramasseuses de coton. Restez tran-
quilles... Quand les prophètes entraient dans Jérusalem,
c'était sur le dos d'un âne. »

Il aurait pu continuer longtemps sur ce ton, si Armand
Piron, l'un des musiciens auxquels il devait de l'argent, ne
l'avait rejoint et assommé, devant le box d'un Frankie
Dorifolk indifférent.

LA NOUVELLE-ORLÉANS
NEW YORK
1917

Dans le *New York Tribune*, daté du 11 mars 1917, un article fait mention du jazz. C'est la première fois que ce mot jazz apparaît dans la grande presse. L'auteur est un certain George S. Kaufman : « Le jazzband est la dernière folie à la mode dans les cabarets. Le jazzband introduit le cubisme dans la musique. Cela se joue sur des mandolines, des bouteilles, des boîtes de conserve et sur les nerfs des auditeurs. »

Le *New Orleans Times Picayune*, 8 novembre 1918 : « Qu'est-ce que le jass ? A ses débuts, on l'entendait honteusement derrière les portes closes et les rideaux tirés, mais, comme c'est le propre de tous les vices, il s'est popularisé jusqu'à gagner les quartiers honnêtes, où on le toléra, à la faveur de son côté burlesque... En matière de jass, La Nouvelle-Orléans est particulièrement visée, car on prétend que ce vice musical est né ici, et qu'il doit son origine à des coins plus que douteux, au fond des quartiers les plus populaires. La cause de tout ce mal a disparu, trop tard à notre goût. Mais il semble que des jeunes gens américains pensent se mettre au goût du jour en embrassant la religion du jass. Il nous plaît d'être les derniers à refuser pareille sauvagerie, dans notre société néo-orléanaise, si empreinte d'authentique courtoisie. Là où le jass a surgi, nous nous ferons un devoir civique de le supprimer. »

Les maisons de La Nouvelle-Orléans

New Orléans, mai 1917

— Je ne pouvais pas imaginer que j'avais autant d'amis dans cette ville, dit Dave Perkins.

— John Robichaux m'a demandé de jouer de la clarinette avec lui. J'ai refusé, ajoute Big Eye Nelson.

Cela fait huit jours, depuis leur arrivée à La Nouvelle-Orléans, que Dave Perkins et Big Eye Nelson se racontent sans y croire les mêmes histoires. La ville qu'ils retrouvent n'est plus celle qu'ils avaient laissée derrière eux. Les musiciens, aussi, ont changé. Autres tics, quand ils posent l'embouchure de la trompette sur les lèvres, autres manières de se vêtir et de parler aux filles. Ce ne sont plus les mêmes noms qui circulent sur les bouches. Le musicien dont on parle aujourd'hui s'appelle simplement l'homme, *the man* : son nom est Joe Oliver.

— King Oliver, il paraît que les jeunes musiciens se battent pour porter l'étui de son cornet.

Quand on ne fait pas partie de cette bande, les portes se ferment devant vous. Que de nouveaux visages ils ont vu, depuis qu'ils sont là... Un monde s'est mis en place, qui n'a pas de place pour eux.

Restent des valeurs sûres. Y a-t-il quelque chose qui puisse se comparer au plaisir de lire le *New Orleans Picayune*, en mangeant des crabes farcis à la terrasse d'un café de Canal street ?

Lecture de la presse.

Les bruits de bottes se rapprochent. Cela veut dire : la guerre va bientôt être déclarée. Est-ce qu'un musicien peut imaginer qu'il lui faudra sacrifier ses biens et sa vie sur l'autel de la liberté ? Trop irréel. Ce qui ronge nos musiciens, comme un acide de malheur, ce sont ces bruits, autrement plus inquiétants, d'une fermeture de Storyville.

– C'est pour cela que le boulot fout le camp, Dave.

Le ministère de la Marine, inquiet pour la santé physique et morale des soldats qui s'embarquent de La Nouvelle-Orléans pour rejoindre la zone des combats en Europe, aurait décidé de fermer Storyville. On en parlait tant que l'on avait fini par ne plus y croire. On s'est aperçu que la rumeur était fondée, quand Lulu White et Emma Schaeffer, tenancières des deux plus grandes maisons de Basin street, ont mis la clé sous la porte. A ce moment-là, l'angoisse de toutes les corporations qui travaillaient à Storyville s'est trouvée justifiée. Si les grandes maisons de Basin street ferment, cela veut dire que c'est vraiment fini. Lulu White et Emma Schaeffer étaient les gérantes de maisons dont les actionnaires principaux siégeaient au Conseil municipal. Les conseillers municipaux ne pouvaient ignorer que le *District* allait fermer au plus tard à la fin de l'année 1917.

D'ailleurs, Basin street commence à ressembler à une rue de ville d'eau délaissée par ses curistes. Méconnaissable, à pleurer.

Lorsque Big Eye Nelson avait quitté la Nouvelle-Orléans pour rejoindre l'orchestre de Freddie Keppard, Basin street était un phare de l'univers. La rue amirale du sexe. La ville sainte de l'en-dessous de la ceinture. Mais attention... Les clients et les promeneurs de Basin street se voyaient proposer un marché sexuel haut de gamme. Du chic, du luxueux, du magnificent. Basin street pouvait se prévaloir de posséder, presque mur à mur, les bordels les plus inaccessibles et les plus renommés des États-Unis : The Terminal Saloon ; Fewclothes' Cabaret ; Tom Anderson's ; Hima Burt's ; Diana and Norma's ; Lizette

Smith's; Minnie White's; Jessie Brown's; Arlington; Martha Clarkes's; Mahogany Hall; Lulu White Saloon; Franck Toro Saloon's; Countess Willy Piazza's; Emma Johnson Studio's; Firehouse; Antonia Gonzales, Gipsy Shafer's; the 101 Ranch.

— Quand j'ai commencé le métier, chacune de ces maisons faisait en moyenne 40 000 dollars de chiffre d'affaires par semaine.

Allez, mon vieux Perkins. Replonge. Baigne-toi à nouveau dans ce souvenir d'odeur âcre, ce mélange de sperme, de parfum et d'alcool, dont tu parles aujourd'hui comme quelque chose de paradisiaque, mais qui, alors, ne t'avait pas envoûté, mais écœuré. Parce que tu étais alors l'un des rares musiciens qui pouvaient se prévaloir d'avoir été aimé par une femme. En t'aimant d'amour, Élisabeth t'avait changé. T'avait sauvé, presque. Quoi qu'il arrivât après, une partie de toi-même avait cessé de ressembler aux autres musiciens.

Il n'empêche qu'en quittant Élisabeth Vigne, tu t'étais mis à fréquenter les bordels, comme un loup. Ta réputation de nègre blanc, d'homme qui avait passé la ligne, te poursuivait. Un jour, Buck Weaver te surprit, alors que tu entrais dans un bordel qui venait de s'ouvrir, sur Conti street. Buck se retourna vers toi, tu étais après tout l'ancien dirigeant de son syndicat, il te toisa, et tout ce qu'il trouva à faire fut une mimique d'imbécile. Buck était un garçon distrait. Il avait oublié, un court moment, que tu n'avais plus de fonction sociale et que tu n'existais plus. Mais Buck n'était pas un mauvais type. Ses grimaces gênées, sa démarche dodelinante et fragile (qui conservaient encore quelque chose d'obséquieux à ton endroit), te signifiaient simplement que les bordels pour Blancs t'étaient interdits, et que s'il te prenait l'envie d'entrer dans une de ces maisons, eh bien lui, Buck, il ferait tout ce qui était en son pouvoir pour t'empêcher de poser tes couilles entre les cuisses des putains blanches.

Si tu t'es mis à fréquenter les bordels, ce n'était ni pour te faire voir par des collègues, ni pour rencontrer des amis, ni même pour le sexe. Mais pour te sentir exister. Tu racontais avec une satisfaction goulue que lorsque ta silhouette se profilait à l'entrée de l'un de ces bouges, situés dans la partie américaine de Storyville (de Gasquet street à Clairbone avenue), il arrivait que le videur lançât : « Laisser passer le Blanc. » Il te semblait glisser vers des abîmes, mais tout cela était doux, indolore. Rien d'autre qu'une glissade sans importance dans l'eau tiède. Puis tu devins morne, passif et farouche. Et ces sourires de femmes, ces gestes de femmes te devinrent indispensables. Peu t'importait qu'ils fussent tarifés. Bientôt, tu ne cherchas au bordel rien d'autre qu'une famille et un peu d'oubli...

— Lulu White, reprend Dave Perkins, tenait le Mahogany hall. Cela non plus, tu n'auras pas connu. Dans cette maison, dis-je, il y avait en permanence trois théâtres qui présentaient chacune des scènes poivrées. (Que de mots, que de mots, pense Big Eye.) Tu avais le choix entre voir des culs japonais, ou applaudir des chattes turques ou orientales. Sur les murs du Mahogany, il y avait des tableaux de Toulouse-Lautrec.

— Lautrec, le musicien ?

— Il y avait aussi des poignées d'argent aux portes. La plus petite chambre était revêtue de marbre.

— Tu me fatigues, Davie. Laisse tomber les bordels. Tu es un vieux musicien. Tu as trop vécu la nuit... Ouvre les yeux. Il y a des femmes partout. En quantité. Libres, neuves et gratuites.

A La Nouvelle-Orléans, le bordel que vous fréquentiez témoignait de la place que vous occupiez dans la société. Pour rien au monde, Dave Perkins, pourtant singulièrement déclassé, ne serait entré dans les *cribs*, les nicheries pour Nègres de Dauphins, Burgundy, Saint-Louis et Bienville. Un métis ne descendait pas jusque-là. Ces *cribs*, c'était le bas de l'échelle. Un box à peine plus grand qu'un mètre carré. Un lit, une cuvette, une chaise. Couchée sur le lit, jupes relevées, une Négresse. Il était impossible de faire la différence entre les gamines et leurs grands-mères, tant les unes et les autres étaient bouffées par la vermine.

En 1910, les premières plaquettes de marijuana s'introduisent à Storyville, via les prostituées...

— Une vierge, reprend Dave Perkins, une vraie vierge vaut actuellement quinze dollars dans un bordel de deuxième catégorie. Amuse-toi à calculer le prix qu'elle coûterait, si elle était gratuite. Rien qu'en cadeaux...

— Mais tu peux la baiser plus longtemps.

— Je t'ai parlé d'Emma Johnson ? Phénoménale réputation... Ses meilleurs clients avaient droit au *sixty seconds plan.*

— J'ai déjà entendu ça.

— Si tu lui faisais l'amour pendant une minute, sans lâcher ta purée...

— Tu étais remboursé, clôt Big Eye Nelson.

Dans le train qui les emmenait à La Nouvelle-Orléans, Dave Perkins ne parlait que des bordels. Depuis qu'ils étaient arrivés, son sujet de conversation n'avait pas varié d'un pouce. Le bordel était sa philosophie, sa vision du monde, un club, un bureau, une famille. A l'entendre, les bordels de La Nouvelle-Orléans ressemblaient à des cathédrales de la Renaissance italienne. On y trouvait tout ce qu'on y cherchait : les amis, le travail, la rencontre avec d'autres artisans, la naissance de fraternités de métier, les mécènes.

Big Eye Nelson n'écoute plus. Tout lui est indifférent, tout d'un coup. En premier lieu, ce vieux débris radotant, avec ses éternelles histoires de bordel. Qu'il vende sa chemise et qu'il pleure dans les rues, mais qu'il me débarrasse la vue. Big Eye n'est pas non plus allé voir ses frères. Il n'a rien à leur dire. Après tout, ce n'est pas plus mal, qu'ils aillent se faire trouer la peau en Europe.

Il reprend la lecture du *New Orleans Picayune.*

— Ils n'arrêtent pas de parler de jass...

Ce mot *jass* ou *jazz* les a suivis comme un signe d'ignominie pendant la dernière année de la tournée de l'orchestre de Freddie Keppard, et aujourd'hui, cela fleurit, sur la manchette des journaux...

Il y a autre chose qui fleurit, depuis deux mois, dans la presse de La Nouvelle-Orléans : la peur.

L'homme à la hache

La Nouvelle-Orléans, mars 1918.

En 1918, la presse de La Nouvelle-Orléans titre sur la terreur qu'inspire à la population du *french quarter* un homme à la hache. Les victimes de ce sauvage ont un point commun. Ce sont des épiciers ou, quelquefois, des femmes d'épicier d'origine italienne. C'est ainsi que, le 23 mai 1918, Joseph Maggio, épicier, est retrouvé égorgé avec sa femme. L'arme du crime, une hache, sera découverte le lendemain, sous la maison. Rien n'a été volé. Les enquêteurs trouveront des bijoux dans l'armoire et de l'argent sous les oreillers.

Le mois suivant, monsieur et madame Bessumero subissent le même sort. Monsieur Joseph Romano, agressé lui aussi, réussit à faire fuir son agresseur, qui abandonne sa hache sur le palier. Dans Little Italy, des tours de garde sont mis en place. La mafia? Un détective italien, Joseph Damiano, tient à la mettre à l'écart de tout ça : « Nous avons affaire à un maniaque sexuel. On aurait tort d'accuser la mafia, elle ne s'attaque jamais aux femmes. »

Le 29 novembre 1917, une lettre arrive au *New Orleans Time Picayune*. Elle est signée de l'homme à la hache : « Ils ne m'auront jamais. Je suis invisible, je suis un esprit. Je suis un ange de la mort, et je rends visite à n'importe lequel d'entre vous, chaque nuit. J'ai une proposition à vous faire. J'aime beaucoup la musique de jazz. Je serai à La Nouvelle-Orléans le 19 mars 1918. Si j'entends que, cette année, la Saint-Joseph est fêtée par un jazz-band qui swingue, j'éviterai de faire mon devoir. »

Les chevaux du corbillard marchent d'un pas égal. Sur leur dos, la plus belle couverture brodée, louée par l'entreprise Jack Laine et Fils (coût : quinze à vingt dollars). Joli enterrement. Sûr qu'ils ont bien fait les choses... Les gens apprécient en connaisseurs les larmes qui coulent des yeux des chevaux (arrangement tacite entre la famille du défunt et Jack Laine : le *marshall* qui mène l'enterrement a versé subrepticement du jus d'oignon – contre deux dollars – dans les yeux des chevaux, juste avant le départ du cortège).

Jack Laine est obèse, et ces marches de quatre heures dans la boue des rues de La Nouvelle-Orléans ne sont plus de son âge. Il lance des regards inquiets derrière lui. Est-ce que les petits gars de son jazz-band se tiennent bien ? Mais pour rien au monde, il n'arrêterait de jouer de la grosse caisse – le vrai modèle : 74 centimètres de diamètre – dans un habit de cérémonie qui rend jaloux tous ses copains du *french quarter*.

Pour cela, il faut que ça meure autour de lui. Papa Laine exerce maintenant le métier de croque-mort. Il s'est pris au jeu ; il guette la mort d'autrui, parce que les enterrements sont l'une des rares occasions qui lui restent de jouir pleinement de la vie. Dès qu'il entend parler d'un décès, il humecte ses lèvres flétries dans un gallon de whisky parfumé à la menthe, il sort au-devant de sa boutique, et attend la visite de la famille du défunt. Les services qu'il peut proposer tiennent sur l'enseigne, au-dessus de la porte : « Jack Laine *and sons*, Enterrements et marbrerie funéraire ». Au dos de l'enseigne, il a écrit, à gros traits de peinture rouge : « Papa Laine, fanfare et orchestres ».

Peu lui importe la nationalité, la race, la religion ou la loge maçonnique du défunt. Vivent les morts. Grâce à eux, il enfile la sangle de sa grosse caisse. Pour redevenir le musicien qu'il a toujours voulu être. De 1893 à 1917, tous les musiciens de race blanche de La Nouvelle-Orléans ont joué dans l'orchestre de Papa Laine. Musiciens... Une végétation venimeuse contre laquelle le chef d'orchestre mène un combat perdu d'avance. Papa Laine a été autoritaire, complice, débonnaire. Les musiciens lui ont fait souffrir mille morts. Mais il n'y a qu'en compagnie des musiciens que Jack Laine se sente heureux. Il a de nouveaux musiciens avec lui. Ils sont jeunes, il osent à peine jouer, et ils éclatent d'un rire idiot quand il leur donne des conseils. Ce sont des garçons mous et mal dégrossis, mais c'est un soulagement de les avoir avec lui, après ce qu'il a vécu avec les types de son ancien orchestre, la bande de Dominique La Rocca...

Ceux-là, c'étaient les pires de tous ceux qu'il ait eus. Bizarres, déplaisants. Ils avaient la manie de parler de musique, à longueur de journée, et de se taire quand il arrivait ; pourquoi ce sourire vipérin quand il leur expliquait, avec toute la patience dont il était capable, comment s'obtenait un *legato* à la clarinette ? Ou quand il leur rappelait que la différence entre un musicien et un charpentier tenait tout entière dans le respect des nuances.

Les copains de Nick La Rocca haussaient les épaules. Papa Laine comptait dorénavant pour du beurre. Il n'avait rien à leur apprendre, semblait-il. Ces petits messieurs jouaient du ragtime... Ils ont beau faire les fiers, se console Papa Laine, ils ne connaissent pas le métier. Ils sont incapables d'interpréter les quadrilles, polkas et *scottishs* ; et ils sont godiches comme des mormons, quand ils présentent le chapeau pour recueillir le pourboire du client.

Ce jour-là, Papa Laine, monsieur plutôt débonnaire, se sent envahi par quelque chose qui ressemble à du venin. Une riche idée, cet homme à la hache. Les communiqués qu'il adresse à la presse font une réclame du tonnerre à son jazz-band. Les engagements pleuvent. Bien fait pour ces andouilles de La Rocca et les autres. En partant pour New York, ils ont choisi le mauvais cheval.

Un représentant d'une agence artistique de Chicago était venu pour engager le jazz-band de Papa Laine, et La Rocca avait négocié avec ce Yankee derrière son dos. Ils étaient tous partis à Chicago, Paul Mares, trompette, George Brunis, trombone, Larry Shield, clarinette, Edwin Edwards, trombone, Tony Sbarbaro, batterie. Aucun d'eux n'avait osé venir lui dire au revoir.

Mais quels musiciens ils étaient... Il arrive encore à Jack Laine de penser à la trompette de Nick La Rocca, à la clarinette de Léon Rappolo, ou à ce petit dernier, méprisant comme un insecte, avec sa moue aux lèvres, Emmett Hardy.

Il leur a mis les doigts sur les instruments. Il leur a facilité l'entrée dans les bordels les plus fermés de Storyville; il leur a expliqué les mille et une combines adultérines du musicien marié; il leur a appris à garder le sourire devant le client.

Le sourire de Papa Laine se crispe quand il se souvient de La Rocca, Rappolo et Hardy, jouant avec lui dans les contrats qu'ils dénichait à Storyville. Les putes chantaient : *Juba up and Juba down, Juba all around de town, Juba dis and Juba dat Juba round de Summon vat*, et à chaque fois que le mot *Juba* revenait, elles ouvraient leurs cuisses et découvraient leur sexe.

Le cortège de Papa Laine vient de croiser un enterrement noir. Les gosses qui suivent l'enterrement noir sont pliés de rire.

– Hé, les musiciens, c'est bien ce que vous jouez là, pas vrai, hé Jackson, t'aimerais pas, toi, jouer comme eux, hé comment vous faites, les gars, pour jouer si bien? Z'êtes des musiciens? Ah oui, t'entends Jackson, c'est des musiciens...

– On ne répond pas aux Nègres, ordonne Jack Laine. Et on continue de jouer, poursuit-il. Avec pompe, hauteur et dignité.

Ses nouveaux musiciens sont obéissants, mais ils jouent mal. Timidité, uniforme repassé et petite fonction de tambour. Ils ne feront rien d'autre dans leur vie que jouer des pas redoublés dans les *marching bands* ou les *brass bands*. Il les claquerait.

Original Dixieland Jazz Band

— Tu sais pourquoi le sol du couloir est fait de mosaïque ?

— L'incendie, Nicky. Pour éviter les incendies.

C'est comme ça depuis le départ de La Nouvelle-Orléans. Nick La Rocca répond à toutes les questions. Et quand les questions viennent à manquer, il les suscite. Il ne cesse de rire, de pousser en avant le groupe.

L'Original Dixieland Jazz Band va bientôt avoir le monde à ses pieds. Mais il n'y a pas de temps à perdre. Vite, vite. Pour aller où ? Nul ne sait et peu importe, il faut faire vite. Autour d'eux, les *jass bands* poussent comme des champignons. Rude concurrence. Earl Fuller Jass Band, Fishelli Jass Band... Et le dernier arrivé on ne sait d'où, Theodore Leopold Friedman, dit Ted Lewis. Arrogant, insolent, pétulant, exhibitionniste, Ted Lewis est clarinettiste de ragtime. Il a monté un *jass band*, avec Walter Kahn à la trompette, Henry Radderman au trombone. Autant de loups, qui dévalent les terrains de chasse, et qui sont prêts à tout avaler, jusqu'à la gueule. Partout où l'ODJB se présente, il doit enlever le morceau. Des centaines de musiciens veulent prendre sa place.

A Chicago, au café Schiller, salon de thé situé dans le quartier des affaires de la Cité des Vents, Alcide Nunez, incontrôlable clarinettiste de l'Original Dixieland Jazz Band traite de chienne vérolée une serveuse qui refuse de se laisser peloter. Éjecté, Nunez. Ce n'est pas un mal. Alcide Nunez, doté d'une générosité latino-américaine, ne comprend pas pourquoi il doit payer ses repas et ses chambres d'hôtel. Et Nick La Rocca, qui s'occupe pour le moment de l'orchestre, lui soustrait de ses cachets le montant de l'ardoise. Pepe Nunez offre le spectacle de l'une de ces foutues colères hispaniques.

Nick La Rocca câble à un autre clarinettiste, Larry Shields, qui accourt.

A la fin d'une soirée au Schiller, un agent se précipite vers l'orchestre. Max Hart parle sans s'arrêter, accumule les promesses, sa petite tête ronde fait rire. Max est capable de vendre n'importe quoi à n'importe qui. Solide sur ses jambes. Heureux de vivre. Un gars simple, doté d'un odorat en état de marche. Le fumet de l'argent... Dès l'instant où il les a vu s'installer sur scène, il a su qu'il y avait de l'argent sous les godillots de ces cinq musiciens qui se présentent sur scène, habillés en paysans de Louisiane.

Max Hart n'a pas eu besoin d'écouter l'orchestre plus d'une minute. Déjà, il câble à Chicago : « Je vous ai trouvé le meilleur restaurant de New York : Reisenweber's. 135 dollars par semaine et par musicien. » Cinq fois plus qu'à Chicago. Ils sont les musiciens les mieux payés de New York.

Rien n'impressionne Nick La Rocca. Ni le Metropole Tower, ni le Singer Building. Ni les savants équilibres d'acier de l'île de Manhattan. Les mesures du monde sont devenues les siennes. Automobiles, ascenseurs... Nick La Rocca sait tout. Il explique pourquoi les riveteuses pneumatiques font crépiter l'acier des gratte-ciel. Il sait que la municipalité de New York prépare une loi concernant la construction des buildings. Son accent de péquenot du Sud éclate au grand jour, devant les boutiques de journaux, les débits de tabac.

A ses pieds, la ville. Il l'aura quand il voudra, et à ses conditions.

– Nick, regarde... Une procession de frères moraves,

on se croirait dans le bayou de Sainte-Catherine, lui dit un jour Larry Shields.

– Les frères moraves que l'on voit depuis que l'on est à New York s'appellent des Juifs, précise Nick La Rocca.

Ne regardez pas derrière vous. Vous êtes à New York, maintenant. Les autres musiciens de l'ODJB ont besoin de rapporter ce qu'ils voient à ce qu'ils connaissent. Ils ont cette vitalité, cette vulgarité de gosses de pauvres, mais ils réagissent à la ville avec retard. Ils s'y heurtent. Harry Ragas, le pianiste, régnait parmi les musiciens blancs de La Nouvelle-Orléans. Maintenant, il peine, dans cette ville qui fourmille d'excellents pianistes. La concurrence le panique à un point tel qu'il en a fait venir sa fiancée.

Mal vu par des musiciens, ce genre de comportement.

Nick La Rocca a pris la mesure du caractère sauvage de la ville. Il sait que New York n'a que faire des tendres, des timides, des apeurés. Qu'ils hésitent, et New York les vomira.

Le 23 janvier 1917, débuts de l'Original Dixieland Jass Band au Reisenweber's Restaurant à Manhattan.

– Harry, tu as pensé à déposer les morceaux du groupe?

Pas plus Harry Ragas qu'un autre n'y a pensé.

Max Hart entre dans les coulisses en courant, c'est fou l'activité et le dynamisme de ce type; aujourd'hui, entre dix coups de téléphone et des rendez-vous avec tout New York, il est allé déposer les morceaux du groupe à une société d'auteurs, et a rencontré, aux éditions Remick, un jeune pianiste dont il pensait qu'il pourrait faire d'excellents arrangements de jazz. Son nom était écrit sur le piano : George Gershwin.

Max Hart est inquiet. Le Reinsenweber's est l'un des plus beaux restaurants de New York, la presse a été convoquée, et il se rend compte qu'à part Nick La Rocca, les musiciens ont peur. Trop grand pour eux, cet endroit. Ils ne sont que des modestes musiciens de La Nouvelle-Orléans.

Il coince Larry Shields contre le piano, et il l'engueule :
– Ne te laisse pas intimider, Larry. Écoute ce que le
gros Max va te dire. Sous les robes et les smokings, il y a
de la viande. Même si elle appartient à l'élite, la viande,
c'est de la viande. Écoute-moi bien. Tu me remercieras
plus tard pour ce que je te raconte aujourd'hui. Les gens
qui ont réservé ce soir au Reisenweber's ont de jolies
manières, mais ce sont des brutes. Des voraces, des
chiens, des habiles. Ne vous laissez pas impressionner,
lance-t-il à la cantonade. Leurs manières de pédés ne
servent qu'à éloigner les Ritals et les youpins du terrain
de jeu.
– Qu'est-ce qu'on met, ce soir? demande Nick La
Rocca. Smokings?
– Surtout pas, répond Max Hart. Vous mettez les chemises à carreaux et les chapeaux de paille. Ça va les atten-
drir. Ils vont vous prendre pour ce que vous êtes, des
petits Ritals de Louisiane, à peine sortis de la boue du
Mississippi. Quand vous allez leur envoyer votre
musique de sauvage à la gueule, ces brutes auront un
moment d'hésitation. Patience. Ce ne sont encore que des
convives en smoking. Mais après, ils vont se mettre à
vivre.
Ouvrez le rideau. Devant vous, première table, monsieur et madame Smith, lui est coulissier à Wall Street,
elle est femme de coulissier. Ils n'attendent que cela :
plonger leurs corps de riches dans la nasse ; les mélanger
et les faire frire au milieu d'autres corps suants... Vous ne
pouvez pas savoir, mes petits Ritals, à quel point la journée de monsieur Smith a été éreintante. Bagarre d'argent,
mesquineries de collègues de bureau, et viennent d'arriver les premières secrétaires... Agaçantes, ces croupes qui
se promènent, qui passent tout près de M. Smith.
M. Smith est poli, il n'a pas le droit de toucher, ni même
de regarder. Rendez-vous compte... Les garces ne mettent
plus de corsets, et comment ne pas remarquer le rouge à
lèvres sur leurs bouches, bouche rouge, entrouverte, et ces
manches relevées sur les avant-bras, le duvet sur l'avant-
bras, vous croyez que c'est facile, de ne pas les prendre,

telles qu'elles sont, et de les baiser, par terre, sans un mot?

Mais ce soir, grâce à vous, ODJB, les viandes de riches vont enfin pouvoir trembler sur leurs étals.

– Qu'est-ce qu'il raconte, ce commerçant? Eh Nick, on joue la même chose que d'habitude?

– Pire que d'habitude, coupe Max Hart... Vous allez jouer de la manière la plus vulgaire possible. Je vous fais confiance, je sais qu'en ce domaine vous avez des ressources. Compris? Ce soir, les brutes de New York devront se péter les mains en applaudissant les brutes de Louisiane.

Joe Figey, de son vrai nom Joseph Feiglebaum, assure la première partie de la soirée, avec de la musique d'ambiance. Avant d'entrer en scène, ce musicien tzigane jette un œil interdit sur les musiciens de l'Original Dixieland Jazz Band.

– Toi, le tzigane, lui lance Tony Sbarbaro. Quand as-tu vu, la dernière fois, un client lever les yeux de son potage pour t'écouter?

– Pardon?

– Tu es un âne, tzigane. Ta vie est une condamnation. Tu es voué aux *czardas, bratsch*, aux *horas*, aux *sirbas* de mariages juifs en soirées mondaines.

– Ça ne sait pas jouer de son instrument, et ça a très peu d'éducation, répond le violoniste.

Tony Sbarbaro a volé à Dee Dee Chandler le principe de la batterie. Mais comme son modèle est noir, il se proclame partout l'inventeur de la batterie. Tony est le premier batteur à jouer simplement avec des caisses et des cymbales. Il n'a ni grelots, ni cloches, ni carillons, ni bouteilles accessoires attachés à sa batterie.

– Tu joues pour qu'on te marche dessus, violoniste tzigane. Tu as autant d'intérêt musical qu'un tapis de sol, conclut le premier batteur blanc de *jazz band*.

Autre regard, très éloquent, lui aussi. Celui du couple qui assure les démonstrations de danses du Reisenweber's. Quel genre de danse irait sur une musique pareille? Mystère et boule de gomme. Horrible décadence. La guerre arrive et, avec les temps nouveaux, arrive le règne de l'arrogance, de la sauvagerie et de l'arythmie. Parfaitement, Cora, a dit le professeur de danse à sa compagne. La musique de ces jeunes gens est arythmique. Mais ne t'inquiète pas, ma chérie. Les gens ne pourront jamais se passer de la valse, et tant qu'il y aura des valses...

Un silence glacial s'ensuit, quand l'Original Dixieland Jazz Band se met à jouer. Les journalistes présents commencent à pouffer. C'est donc cela, ce qu'on leur a présenté comme l'attraction la plus sauvage du moment? Une confirmation. Personne n'oserait jamais danser sur cette musique. Constatation à peine formulée que déjà démentie. Une cliente, un peu éméchée, arrive sur la piste de danse. Elle traîne les pieds, en poussant des gémissements inarticulés. La Rocca saute sur l'occasion et lui répond en imitant le braiment de l'âne. Réaction immédiate de la salle. « Retournez à la ferme, tas de péquenots. » Max Hart se précipite sur la danseuse, et il danse avec elle, ou plutôt, autour d'elle, avec ses yeux de hareng saur extatique, qui se déplacent de la danseuse aux tables des dîneurs.

Nick La Rocca souffle dans sa trompette, et ses yeux noirs regardent Teddy Edwards et Larry Shields, le tromboniste et le clarinettiste. Continuez. Jouez. On ne cède pas. On vaut 350 dollars, et on est la meilleure attraction de New York.

Et il gueule :

– Plus fort maintenant, tous les trois ensemble...

Cour de justice

Le 28 janvier 1917, les cinq musiciens de l'Original Dixieland Jazz Band s'assoient devant les énormes cornets, ancêtres de nos micros, dans les studios ultra-modernes de la Columbia Gramophone CO, au coin de Broadway et de la 60ᵉ rue. La Columbia avait réservé une cire pour que ces cinq gamins enregistrent *Walking the dog*, le morceau fétiche de l'orchestre de Keppard. Les ingénieurs de la Columbia trouvent cette musique si détestable qu'ils entrent en hurlant dans le studio d'enregistrement. La cire est perdue, et les responsables de la Columbia, qui n'aiment pas cette musique, sautent sur l'occasion, et ne demandent pas à l'orchestre de refaire une prise.

L'Original Dixieland Jazz Band reprend le chemin des studios. Il enregistre *Livery Stable blues*, cette fois-ci, pour la Talking Victor Company, et le disque est mis en vente par la Victor en mars 1917. Il s'agit du premier disque de jazz jamais enregistré. En quelques semaines, il s'en vendra des centaines de milliers d'exemplaires.

Le 6 avril 1917, les soldats du corps expéditionnaire américain l'ont avec eux alors qu'ils se dirigent vers l'Europe. Quelques habitants de Saint-Nazaire sont vraisemblablement les premiers Européens à écouter du jazz, en juin 1917.

Le coup est d'autant plus dur pour la Columbia que ses affaires marchent mal. Elle essaie de rattraper les choses, en dépêchant un « *talent scout* » à La Nouvelle-Orléans. Le « chercheur de talents » s'arrête à Memphis, Tennessee, et y déniche l'orchestre de William Handy.

Publicité de la Columbia pour le disque de W. C. Handy : « Le dernier mot de l'enchantement, la grande sensation du moment, la danse la plus délirante du jour. Une symphonie sauvage du plus bel effet délirant. Achetez ces *dance jazz blues* pour vos *parties*, elles seront un succès. »

Mais William Handy a passé trop de temps dans les *minstrels shows*. Il ne sait pas jouer le jazz. Et ce disque est un *flop* retentissant.

Après l'éclatement de l'orchestre de Freddie Keppard, Ernst Fuller, son dernier bassiste, est resté à New York. Pendant un temps, il a monté un orchestre de ragtime. Il s'est donné beaucoup de mal pour que cet orchestre trouve des engagements. En pure perte. Aujourd'hui, personne à New York ne sait qui est Ernst Fuller. Et Ernst, brisé, est bien seul...

Ernst Fuller s'étire, son dos lui fait mal, il s'allonge sur le morceau de carton qui lui sert de lit, sur le pont de Williamsburg, et il relit, comme dans un brouillard, comme si cela ne le concernait en rien, le texte qu'a fait imprimer la Victor Talking Company, pour présenter à la presse *Livery Stable blues* interprété par l'Original Dixieland Jazz Band : « Appelez cela Jass, Jas, Jaz, ou Jazz. Rien ne saurait résumer un *jass band*. Certains disent que cela vient de Chicago. D'autres, de San Francisco. Les *jass bands* sont la dernière chose à la mode dans les cabarets, une forme musicale qui déchaîne l'hilarité. On raconte que le premier instrument du *jass band* fut un gros bidon vide, dans lequel il fallait souffler. Maintenant que les *jass bands* ont gagné en volume, nous avons décidé d'enregistrer le meilleur d'entre eux, l'Original Dixieland Jass Band. La grande difficulté avec eux, c'est que vous ne savez jamais ce qu'ils vont faire dans la minute qui va suivre. Ce que l'on sait, c'est que cette musique va tuer les danseurs et qu'elle est capable d'injecter une vie nouvelle à une grand-mère. » L'irrépressible colère qu'il sent monter en lui a au moins ce mérite : lui procurer un peu de chaleur.

Ernst Fuller aura bientôt une nouvelle occasion de réchauffer ses os. Il suit (cela fait les gros titres des journaux) le procès qui décide de la propriété musicale de *Livery Stable blues*, qui devrait en effet rapporter beaucoup d'argent. Mais à qui ? Au compositeur, cela va de soi. Trois personnes prétendent avoir composé le morceau : Nick La Rocca, Alcide Nunez et Max Hart.

Procès à Chicago, le 11 octobre 1917. Nick La Rocca est le premier à venir déposer à la barre, en complet vert pomme, assorti d'une chemise à rayures rouges. « Un vrai *jazz kid*», remarque la presse.

– Monsieur le juge, commence le trompettiste, avec un accent de Dixie qui renverse de rire l'assistance, je suis le compositeur de *Livery Stable blues*. Tout d'abord, je suis l'inventeur de la musique que l'on appelle le blues. Ensuite, c'est moi qui ai eu l'idée des cris d'animaux. (*Livery Stable blues – le blues de l'étable –* est rempli d'imitations d'animaux, fait par les instruments à vent.)

Le juge lui coupe la parole :

– Vous êtes là pour parler ménagerie ou musique ? Rires.

– Qu'est-ce que le blues ? reprend le juge.

– Le blues, c'est le jazz », répond, du tac au tac, Nick La Rocca. Et le trompettiste italien ne s'arrête pas en si bon chemin : « Le jazz, c'est le blues. Le blues est au jazz ce que le rag est au ragtime. Vous saisissez ? »

C'est au tour d'Alcide Nunez d'être appelé à la barre. Pour déposséder Nick La Rocca de ses prétentions à la composition de *Livery Stable blues*, il use d'une argumentation qui a le mérite de la clarté : il déclare que cette œuvre ne saurait avoir de compositeur pour la bonne et simple raison que les blues appartiennent à la musique nègre et que celle-ci ne connaît pas de compositeur. Ou plutôt, n'en connaissait pas. Car devant un tribunal médusé, Alcide Nunez (blanc de peau) se déclare homme de couleur, ce qui, à ses yeux, vaut pour preuve qu'il est bien l'unique compositeur de *Livery Stable blues*.

Quant à Max Hart, il se prévaut d'un argument juridique irréfutable. Il est le compositeur de *Livery Stable blues*, car son nom figure au bas des partitions.

Reste à écouter l'avis des experts.

Miss May Hill, chanteuse de cabaret, témoigne devant le tribunal en qualité de musicologue. Elle affirme, partition à la main, que tous les blues sont identiques et ne forment qu'une seule musique : « On peut les jouer en même temps sans gâter l'harmonie et la mélodie des uns et des autres. »

C'est ensuite le tour d'un nommé Bill Gurson, qui doit savoir de quoi il parle, car il est noir et pianiste. Le juge pense que M. Gurson va éclairer la lanterne du tribunal :

– Pouvez-vous, cher Monsieur, nous préciser ce que les Noirs appellent le blues?

– C'est un son, répondit Bill Gurson. Rien qu'un son, monsieur le juge. Chaque orchestre possède le sien, avec des mélodies différentes.

Le juge continue sa recherche :

– Dites-nous ce que vous entendez par mélodie?

– La mélodie, monsieur le juge. Eh bien, pour tout vous dire, c'est la mélodie. Rien que la mélodie.

Le jugement de la cour paraît dans tous les journaux.

« Attendu que Dominique La Rocca, Alcide Nunez et Max Hart, ainsi que tous les autres interprètes de jazz n'ont aucune éducation musicale, qu'ils s'apparentent aux artistes tziganes et qu'ils sont incapables d'écrire ou de lire la musique :

« Attendu que l'intérêt et la valeur de cette composition réside principalement dans la valeur et l'intérêt des cris d'animaux :

« Décidons que messieurs Nick La Rocca, Alcide Nunez, et Max Hart ne peuvent être les auteurs ou les compositeurs du morceau appelé *Livery Stable blues*[5]. »

De l'un des seuls morceaux qui rapportât de l'argent dans l'histoire du jazz, aucun des protagonistes de l'affaire de *Livery Stable blues*, musiciens ou imprésarios, ne devait retirer le moindre sou.

LA NOUVELLE-ORLÉANS
1919

Dans les brumes de Storyville noir

Au commencement, Papa Laine avait cru à un bobard des petits gars de l'Original Dixieland Jazz Band. Ils avaient bien appris la leçon, voilà tout.

Ils ne seraient pas les premiers. Il en avait vu partir, des musiciens. Sur le quai de la gare, ils avaient tous cet air crâne et conquérant. Persuadés que là-haut, vers le Nord, ce n'étaient que dollars, filles, et grandes maisons aux murs lambrissés de chêne. Quand ils revenaient, c'est à peine si on les voyait, ils rasaient les murs, passaient une ou deux fois au syndicat, puis ils s'enfonçaient vers les *saloons* du District, pour y noyer leurs pauvres lunes d'ivrognes désillusionnés.

Folie, disait Papa Laine. Ne partez pas d'ici. Il clamait ça aux quatre vents, une vraie croisade. Écoutez-moi. Vous ne rencontrerez, là-bas, que malheur et chagrin. Comment voulez-vous qu'un musicien du Delta, fût-il doué du talent exceptionnel de savoir lire la putain de musique écrite par un compositeur, puisse gagner de l'argent chez les Yankees?

Il fait tout ce qu'il peut pour mettre en garde les musiciens de La Nouvelle-Orléans. Il leur explique, leur raconte... Le contrôle de plomb qu'exercent les Unions locales du syndicat des musiciens à l'entrée des clubs et des cabarets. Pour avoir le droit d'y jouer... Va savoir ce qu'il faut faire pour obtenir cette putain de carte syndicale.

Haussement d'épaules, chez les jeunes. Plus rien à faire à La Nouvelle-Orléans. Les bordels ferment leurs portes, les uns après les autres. Leur tête résonne de légendes, les enluminures, la folle équipée de Freddie Keppard, les prouesses de Jelly Roll Morton. Mes pauvres crétins, disait Papa Laine. Voulez-vous que je vous dise? Trois semaines après son arrivée en Californie, Son Excellence Jelly Roll Morton, maître de musique, bluffeur, et professionnel du billard, refaisait ses valises. Il ne pouvait pas faire un pas dans la rue, tout le monde riait. Pourquoi? Mais à cause de tout. La couleur tout à fait stupide de ses chaussures, sa démarche chaloupée et rebondie, sa manière de relever ses pantalons dans les bars, pour montrer les diamants de ses jarretières... Mettez-vous ça dans la tête, une fois pour toutes. Ils nous prennent pour des singes, là-bas. Sa musique? Tout le monde s'en foutait, de sa musique. Même les putes.

– Hey Papa, s'interpose Buck Weaver... La dernière fois que Jelly Roll était là, il avait un diamant incrusté dans une dent.

Drôle de réflexion venant de Buck Weaver, qui n'est plus un jeunot. En cette année 1917, ses cheveux ont quelque peu blanchi, les entretenir lui demande beaucoup d'énergie, et lui pompe une bonne partie de la réflexion dont il est capable. Avec Papa Laine, Buck est le seul survivant de la première génération de *jazzmen* blancs. Tous les autres sont morts ou ne font plus de musique. Buck a insisté.

– T'es vraiment trop con », s'exclame Papa Laine.

Mais Buck Weaver ne l'intéresse plus. Il s'adresse aux jeunes musiciens.

Faux, le diamant, comme est faux tout ce qui sortait de la bouche de Jelly Roll Morton. La vie de ce pianiste de ragtime, qui se présentait dans chaque endroit où il allait comme l'inventeur du jazz, n'avait été que ratages et déconvenues. Papa Laine peut en parler aisément, lui qui connaît toutes les vilaines astuces qui vous font tourner un monde.

Il sait ce qui les attend, là-bas.

« Musiciens vous êtes, mais ils vous traiteront comme Nègres en usine. Vous userez vos reins à plomber des boulons sur des voitures. Ne partez pas, garçons. »

Les Yankees achetaient la ville par pans entiers, ils se pavanaient dans les rues, et les jeunes d'ici s'en allaient chez eux, dos courbé, pour y chercher du travail. « N'y allez pas, garçons. Vous ne pouvez pas imaginer la tête des patrons de cabaret de New York ou de Chicago. Ils ne parlent même pas la même langue que nous. »

La voix de Papa Laine, fils d'Italie, possède maintenant les intonations d'un croisé créole. Il souffre pour le Sud, ce Sud devenu le sien, et il n'en finit pas de cuver sa défaite.

Emilio Rossolino, petit trompettiste teigneux et vulgaire, est entré en hurlant dans le local du syndicat. Il tient à la main un exemplaire du *New York Herald* daté du 14 janvier 1917. Le petit trompettiste a commencé à lire l'article à voix haute, mais les musiciens se sont précipités autour du journal, qui flotte maintenant au-dessus de leur groupe comme un dais nuptial. « Après son triomphe de Chicago, l'Original Dixieland Jasz Band est à New York. Mieux qu'un spectacle, c'est une folie à ne louper sous aucun prétexte. Vous y danserez les danses sauvages qui font fureur à La Nouvelle-Orléans. »

Qu'est-ce que c'est que cette histoire? Du baratin, de l'inventé, essaie de placer Papa Laine. Brouhaha total, personne ne l'écoute. Sa voix est vide, creuse, démonétisée. Il ressemble à un prêcheur de l'Armée du Salut brusquement abandonné par son Dieu. Des fabulateurs, glapit-il dans son coin. Les jeunes regardent cet homme tout d'un coup devenu vieux. Ils en ont passé, du temps à écouter cette momie. Ils auraient dû partir depuis longtemps. Papa Laine, et ses petites combines... Ils en sont aujourd'hui à promener leurs regards sur ce local aux murs écaillés. Il y a de quoi frapper. Et pendant ce temps-là, Papa Laine continue...

Il donne un cours. Il remet les choses à leur place. Il explique que les types de l'Original Dixieland Jazz Band vont bientôt revenir à La Nouvelle-Orléans. Il rappelle pourquoi ils sont partis. C'étaient des gars sans famille, sans attaches. Incapables d'arriver à l'heure, toujours à faire des histoires. Nick La Rocca s'est fait virer du Ranch 101 parce qu'il n'arrivait pas à jouer de la trompette *sans hurler*.

Papa Laine regagne du terrain. Il n'est pas un musicien qui ne se dise que la réussite de l'Original Dixieland Jazz Band est suspecte. Trop rapide. Trop inattendue. Imméritée. N'importe qui aurait pu être à leur place.

L'auréole qui flotte au-dessus de la tête des six musiciens de l'ODJB est encore imprécise, peu installée. Quand leur succès deviendra indiscutable, il n'y aura plus qu'à s'incliner. Ralliement général. Les anecdotes personnelles suivront. Chacun aura droit à sa part de manne du succès de l'ODJB. Papa Laine le premier. Finalement, qui est-ce qui leur a appris le métier, à ces petits ? Nest-ce pas lui, le premier, qui leur a posé les doigts sur les pistons...

Partir ? Il y a au moins un musicien, perdu dans un coin du syndicat, son verre de whisky à la menthe devant lui, qui n'y pense pas. Cette histoire lui est indifférente. Il s'appelle Léon Rappolo. Il est blond, ses yeux bleus glissent sur les autres musiciens, avec un air d'indifférence glacée. Tout cela ne le regarde pas. Nick La Rocca l'a supplié de partir avec lui, il voulait en faire le clarinettiste de l'Original Dixieland Jazz Band. Rappolo n'a pas voulu. Il serait bien en peine d'expliquer pourquoi.

La peur ? Même pas la paresse. Et pourtant, Dieu sait à quel point Léon Rappolo est paresseux. A somnoler des journées entières, au creux de son lit, les yeux vagues. A ne rien faire, à ne penser à rien. Juste fumer un peu d'herbe. Le soir, quand il ne joue pas lui-même, il plonge dans les ruelles mal éclairées du Storyville réservé aux Noirs. Des halos de musique passent à travers les soupiraux, les auvents, l'haleine alcoolisée des filles. Léon Rappolo s'y promène, tenant son chapeau à pleines mains, pour ne pas avoir à se battre avec la fille qui le lui arracherait. Les filles l'interpellent : « Hey, le Blanc, tu voudrais pas un petit câlin ? »

Léon Rappolo ne cherche qu'une seule chose : la trompette. Il la reconnaîtrait entre mille. Tant qu'il y aura un type à La Nouvelle-Orléans pour jouer comme ça, Léon Rappolo ne quittera pas cette ville.

Ils sont peu nombreux les Blancs qui s'aventurent dans le Storyville noir. Ce sont en général des gars au bout du rouleau. On ne veut pas d'eux au Storyville blanc, ils en sont à se payer des femmes à cinquante cents la passe. Ils n'attendent plus rien de la vie, ils se laissent glisser vers ce néant où, espèrent-ils, n'existe ni froid, ni haine, ni douleur. Il ne leur reste, comme derniers plaisirs d'une existence torpillée, que la tendresse prodiguée par des putains nègres ou par des putains blanches jetées aux Nègres, des filles à l'aspect monstrueux et à la débilité irréversible.

A ces silhouettes lentes, hagardes, cassées par le malheur, s'ajoutent, chez les Blancs, celle de deux ou trois aristocrates créoles qui ont décrété une manière de grève du sexe contre la décadence des grands bordels de Basin street. Les filles de Storyville ne leur conviennent plus. Ces putains, leurs amies de toujours, sont devenues infréquentables. Expéditives, automatiques, sans lumière. Des douairières de la chair. Les lupanars de Lulu White, d'Emma Schaeffer ? Réputation surfaite. Leurs mises en scène de tableaux vivants sont tout juste bonnes à faire bander des coiffeurs. Les filles ne connaissent plus leur métier, et le mobilier a vieilli. Ces bordels ressemblent à leurs tenancières. Sous le maquillage, des chairs écaillées, flétries, sans imagination. Sidney Story, conseiller municipal de triste mémoire, en circonscrivant, en 1897, les activités sexuelles de La Nouvelle-Orléans à un quartier que l'on appelait le District, avait tué l'activité sexuelle de la ville.

Storyville ne vit que par le sexe, mais le sexe ne vit plus à Storyville. Mieux vaut plonger dans les abysses de la chair, et s'en aller consommer les plaisirs plus musqués du quartier noir.

Léon Rappolo tique, dès qu'il l'aperçoit. La silhouette
flotte au milieu des vapeurs des brumes nocturnes de Storyville noir, elle semble s'accrocher à lui, le suivre, le
rejoindre dans les bouges où il s'arrête. Mais qu'est-ce
qu'il me veut, celui-là? Une pédale, sans aucun doute.
Qu'il s'approche... Il aurait dû lui casser la figure, la première fois, quand l'autre s'est approché de lui, à l'entrée
de chez Sue Ellen, à côté du tonneau de vin où jouaient
les trois Noirs.

C'est un jeune Blanc trop vite grandi, tout en hauteur.
Une allure de pantin désarticulé; il dessine, quand il se
déplace, une ligne brisée en trois, un torse minuscule sur
des jambes interminables, et une tête trop ronde ou trop
mobile, piquée de taches de rousseur et surplombée par
des bosquets de cheveux roux recroquevillés sur eux-
mêmes. Bien vêtu, il n'arbore pas cet air blasé que l'on
peut voir sur les visages des habitués de tous les bordels
du monde.

Ils sont là, ce soir encore, deux Blancs perdus au milieu
de Noirs ahuris, dans une taverne de Storyville, un de ces
saloons où les Nègres du port viennent dépenser l'argent
qu'ils ont gagné pendant la journée. L'opération dure peu
de temps, à raison d'1,90 dollar le gallon de whisky. Pour
les femmes et les enfants qui n'ont pas la force de s'approcher du comptoir, il y a le tonneau, à l'entrée de l'établissement. Là, il n'en coûte que trente cents le gorgeon.

Tout le monde a l'œil sur eux. Deux Blancs dans une
taverne de Storyville noir, c'est au moins un de trop.

Léon Rappolo va lui casser la figure, le sortir. Avant
que l'autre, avec son allure de lieutenant confédéré, ne lui
gâche sa soirée en lui racontant des souvenirs de collège.

Parce que lui, Léon Rappolo, il est chez lui, dans ce bar.
Il pourrait être un maquereau italien. Même élégance,
même morgue à l'égard de ce qui l'entoure. Il ne demande
rien, il ne donne prise à rien. Il donne l'impression que
tout l'effleure, que tout glisse sur lui, et c'est à peu près
vrai. Ce qui lui importe, c'est de pouvoir entrer dans un

de ces bars réservés aux Noirs. Quelques-uns, ici, auraient pu lui en imposer... Il se fond dans la foule, s'approche des filles, il danse un peu, et il se fend d'un sourire, quand l'une des filles se frotte à lui.

« Emmett Hardy », fait simplement l'autre, pour entrer en matière. Il se met à parler. Sa voix est posée, mondaine, avec des intonations traînantes, si sudistes qu'elles détonnent dans ces bas-fonds. Il donne le nom de son collège et de ses joueurs de base-ball favoris. Une toux discrète entrecoupe chacune de ses phrases.
– *Hey man, ride on.*
Quelques consommateurs flairent la bonne affaire (ah, si ces croquignols s'étripaient en public!), les poussent l'un contre l'autre : « Z'êtes pas des gonzesses... Cognêz-vous, les enfants. Coup de boule, vas-y. Quoi t'entends pas... Y vient de te traiter de pédé. T'entends pas? Mais t'es vraiment un pédé, alors... »
Le cercle, autour d'eux, se fait plus étroit. « Qui joue avec moi? Deux deullars sur le petit blond. » Un type, au bar, commencé à prendre des paris. Une aubaine, cette bagarre. Léon Rappolo recule d'un pas, prêt à taper. Il va cogner sur cette carcasse fragile. Il va mettre une rouste à cet Américain qui n'a rien à faire ici.
Emmett Hardy continue de parler, sur le ton de celui qui vient retrouver un vieux copain, dans une réunion de fraternité d'étudiants. « J'ai oublié de vous dire, lui lance-t-il, avant de lui tourner le dos. Je joue aussi de la trompette. »
Léon Rappolo vient de comprendre qu'il ne présente pas le moindre intérêt pour le rouquin. Cette grande gigue souffreteuse est là pour les mêmes raisons que lui. C'est à ce moment-là que le gros gamin noir, assis sur son tonneau, les deux jambes recroquevillées sous lui, se met à jouer de la trompette. Si on peut appeler cela jouer...
Cette trompette est parfaite. Le gosse qui sort des phrases comme celles-là est un jeune Noir mal dégrossi, avec une bouche énorme. Il joue quelques phrases et s'arrête quelque temps, pour éclater de rire et s'éponger le front.

Léon Rappolo se tait. Ça le rend malade, d'avoir à partager le son de cette trompette avec un type comme ça. A côté de lui, Emmett Hardy a fermé les yeux, il se pince les lèvres, cette trompette lui éclate dans les oreilles, c'est un bain de bonheur, une purification. Allez raconter cela, avec des mots de collégien, qu'un trompettiste noir joue une musique qui donne envie de se précipiter sur la fille qui boit un *drink* à côté de vous, une musique qui est un poison détruisant, avec système, tout ce qu'il a pu aimer auparavant.

Le gros Noir qui joue de la trompette assis sur son tonneau doit avoir dans les dix-sept ans.

Un gamin à Perdido

Quatre blocs d'immeubles, entre Perdido street, Gravier street, Locust street et Franklin street. Des baraques en bois, des arrière-cours boueuses, encombrées de tas d'ordures. Une enfilade de tripots délabrés, de bastringues. Quelques épiceries.

Storyville noir. C'est ici, à Franklin street précisément, que Buddy Bolden a exercé des métiers indéterminés, et qu'il a commencé à jouer de la trompette.

C'est ici que Louis Armstrong – né, dit la légende, le 4 juillet 1900, jour anniversaire de la déclaration d'indépendance américaine – a grandi, au numéro 1233 de Perdido street, dans une maison en bois d'un étage, avec un auvent sur le côté (derrière la maison, les toilettes, un trou à même le sol, tout près de la citerne d'eau potable); Louis a fréquenté quelque temps une école du quartier, la Fisk school, 507 South Franklin (il y a appris à lire, à écrire, à compter, et à faire, selon l'usage, la lecture des journaux à de vieux voisins illettrés); et peu de temps après, à Franklin street encore, le Waif's home, une maison de correction pour jeunes noirs.

Uptown, l'appellent aussi les habitants de La Nouvelle-Orléans. Le quartier des Noirs.

Les Noirs. A ne pas confondre avec les métis de vieille souche de La Nouvelle-Orléans, les Créoles de couleur, comme ils se dénomment entre eux. Ceux-là habitent au centre-ville, ils sont catholiques, ils parlent une langue curieuse, mélange d'américain et de français, et Dieu qu'ils sont fiers, ces Chacas, Chaks, Chakalatas, Chacunas, Bambarras, Bitacaux, de ces gouttes de sang français. Cela suffirait à les différencier des Noirs. Ils sont de souche et de culture françaises, et ils s'enorgueillissent d'avoir eu statut d'homme libre, bien avant la guerre de Sécession. A deux générations près, les Noirs de Perdido naissaient esclaves dans une plantation. L'Émancipation leur a enlevé une assise séculaire.

Protestants et anglophones, ils ont laissé derrière eux les plantations ancestrales. Après s'être essayés à une vie de petits propriétaires (les premières années de la Reconstruction donnèrent à tout chef de famille noire la disposition d'un champ de quarante acres et d'une mule), ils se sont installés ici. Dans cet endroit que l'on appelle *Uptown*.

Trois siècles d'esclavage, et du jour au lendemain, son pain à gagner, seul devant le patron. A *Uptown*, les familles ont éclaté. Les femmes elles, tiennent le coup. Il faut élever les enfants, et l'office du dimanche matin leur donne de la force. Toutes les misères ont une fin, et Dieu éprouve de la tendresse pour ceux qui souffrent.

Regardez Mayann Armstrong, mère de Louis. Une petite bonne femme, semblable à d'autres femmes noires. Pieuse et débrouillarde, comme ces Négresses méritantes, dont la vie était racontée dans les feuilles bien pensantes des brochures abolitionnistes...

Non. La vie de Mayann n'a rien à voir avec une image pieuse. Mayann est jeune, belle, elle s'est mariée, très jeune, avec le premier type venu. Elle élève seule ses enfants, à la va-comme-je-te-pousse. Elle ne peut rester en place. S'il fallait compter le nombre de fois où elle a quitté son domicile, une vraie folle, laissant ses enfants livrés à eux-mêmes...

Mais personne, autour d'elle, ne s'aviserait de lui faire le moindre reproche. Tout le monde sait que ses fugues lui sont indispensables. Quand on est une femme comme Mayann, on peut aimer ses enfants jusqu'à la folie, et partir à l'aventure, tête vide, pendant quelques jours. Il n'est pas besoin de s'étendre sur l'amour que Mayann porte à Louis et à Mama Lucy, sa petite sœur. Prête à griffer et à mordre, Mayann, le plus *lovely* des amants, s'il s'avisait de porter, pas même la main, mais le mauvais œil sur eux. Avec quelle facilité elle passe des larmes au rire. Il suffit que l'un de ses enfants soit à côté d'elle. Mayann rit de tout, dès lors qu'elle a un de ses enfants sous les yeux.

Les hommes par contre, à *Uptown*... Dieu qu'ils sont faibles. Comme démunis, désarmés par ce siècle qui s'amorce, sans régisseur de plantation pour donner des ordres.

Trop de complication, pour les hommes noirs, ils ne comprennent plus. La charge de la vie est lourde. Alors, ils partent, en laissant derrière eux l'épouse, mère récriminante d'un nombre trop élevé d'enfants. Beaucoup d'entre eux, indécis et sans axe, s'en iront rouler leur vie au gré de boulots hypothétiques, ils seront métayers un jour, forestiers le lendemain, ou alors ils iront trouver embauche dans les grandes usines du Nord ou du Middle West. Ils laisseront leur vie dans ces déplacements, s'arrêtant simplement dans quelque endroit où ils espèrent un peu de calme, un travail pour le lendemain, un bar ouvert et des femmes.

Le père de Louis Armstrong est de ceux-là. Parti on ne sait où, pour des aventures incertaines. Lorsqu'un journaliste l'interrogera sur son père, plus tard, Louis Armstrong lui répondra : « Mon père n'avait pas le temps de me voir, il était trop occupé à voir les putes. » Et lorsque lui parviendra la nouvelle de la mort de son père, Louis Armstrong, en tournée en Europe, fera le compte des raisons qu'il aurait d'envoyer une gerbe de fleurs. Il n'en trouvera aucune.

Tous ne sont pas ainsi. Voyez Uncle Ike, le frère de la mère de Louis. Sa vie n'est peut-être pas un modèle de régularité, ses boulots ne sont pas toujours des plus honnêtes. Uncle Ike n'est pas du genre bon nègre, avec des yeux qui remercient chaque jour le Seigneur de l'avoir posé pour toujours auprès d'un même poste à souder, dans la même usine de térébenthine. On ne sait pas trop comment Uncle Ike se débrouille pour vivre. Sans doute a-t-il des femmes qui travaillent pour lui. Mais tous ses enfants ont à manger et portent des chemises propres sur le dos.

Quand Mayann fugue, et ses échappées durent quelquefois trois ou quatre jours, Uncle Ike prend Louis et Mama Lucy à la maison. Il y a toujours un coin de lit pour eux et l'oncle a la délicatesse de ne jamais poser la moindre question. Dieu bénisse Uncle Ike.

Il y a Tom, aussi. C'est un gros monsieur aux sourcils épais, gentil comme un ange et affublé d'une claudication qui le fait marcher comme un canard. C'est l'un des petits amis les plus réguliers de Mayann. Ce n'est pas le plus drôle, le plus disert ou le plus charmeur de ses amants. En général, Mayann fait mieux. Mais Tom est celui sur lequel la famille peut compter. Plongeur dans les cuisines du Desoto Hotel, au coin de Perdido et de Barrone Street, il ne manque jamais d'apporter aux gosses des restes de nourriture laissés par les clients, des bouts de côtelettes, des poulets ou des œufs. Dieu bénisse Tom.

Et qu'Il bénisse aussi Mister Jones. A Perdido, il n'est pas un gosse, ni même un adolescent qui n'ait un jour reçu une paire de taloches signée Joseph Jones. Et s'il faut parler des coups de Mister Jones, taloches est un mot bien en dessous de la réalité. « Sale petit Négro », il crie, au moment où ses mains de lessiveuse s'abattent sur leur cible, toujours au même endroit, à la base du cou, derrière la tête.

Mister Jones fait peur. Une corpulence de soutier. On raconte... S'il n'y avait que sa force. Plantés au milieu d'un visage sombre et convulsif, il y a ses yeux, des yeux terribles qui disent que Mr. Jones est prêt à tout pour venir à bout des injustices et des misères du monde. Mr Jones est un fanatique noir. Il n'est qu'à le regarder, en train de faire sa promenade d'inspection, dans les rues de Perdido. La mission qu'il s'est fixée le pousse en avant.

Rien ni personne ne le dévoierait. Joseph Jones est ainsi. Droit jusqu'à la rigidité. Buté jusqu'à la bêtise. Surtout quand il tape.

Mais la vérité, c'est que si ses coups font mal, ce n'est pas parce qu'il méconnaît sa force et qu'il confond les enfants de Perdido avec les chênes de Louisiane. Ses coups font mal, parce que chacun sait à qui appartiennent ces mains-là. En 1898, Joseph Jones s'est porté volontaire dans l'armée américaine, il s'est battu contre les Espagnols dans la guerre de Cuba. Et pas dans n'importe quel régiment, comme tous ces Noirs enflammés d'héroïsme et qui forcèrent la porte des bureaux de recrutement pour finalement passer cette guerre aussi ridicule que courte (quelques jours) à faire la tambouille pour les soldats blancs ou à décrasser le cul de quelques bourrichons.

Mr. Jones, lui, a fait partie de l'un des deux seuls régiments noirs combattants de la guerre américano-espagnole, et le régiment de Mr. Jones, tous les Noirs de La Nouvelle-Orléans connaissent son nom : *The Bucks of America*. Les *Bucks* furent les premiers soldats américains qui firent le coup de feu contre les positions espagnoles et ce sont les *Bucks* qui ouvrirent la route de Santiago au gros de l'armée américaine (l'indicible fierté dans les foyers noirs, quand ce régiment de soldats noirs, conduit par ses officiers blancs, défila dans les rues de La Nouvelle-Orléans, une fois la guerre terminée. Les femmes noires pleurèrent de joie, en voyant leurs fils, devenus des héros célébrés par les journaux, défilant sous les ordres du colonel Theodore Roosevelt). Le *Picayune*, pourtant habituellement raciste, écrivit : « Honneur aux soldats noirs du vaillant 10e régiment... Ils faisaient feu en avançant, la précision de leur tir était admirable, leur sang-froid superbe et leur courage soulevait l'admiration de leurs camarades... »

Il est devenu presque impossible que Mr. Jones se promène tranquillement dans les rues de La Nouvelle-Orléans. Il y a toujours quelqu'un qui lui siffle dans les oreilles le vieux chant de guerre des Bucks, mélodie usée jusqu'à la corde : « Hey les gars, ça va chauffer dans la vieille ville, ce soir. »

Sale petit Négro. Après sa démobilisation, le soldat Jones, matricule 21 09 8429, n'a pu quitter son uniforme, qui lui était comme un drap de baptême. Il sentait qu'il n'en n'avait pas fini de se battre. Il s'est mis à courir les rues, en hurlant son nom. Ça le rend fou, ces enfants livrés à eux-mêmes, chacun dans leur quartier, regroupés dans leurs gangs : Golden Eagles, Wild squa-tou-chas, Red Frontiers Hunters, Golden Blades, Little Red, Yellows Pocatontas... La marijuana circulait parmi des gosses de dix ans. Il s'est mis à leur parler, à ces sales petits Négros. Quand ils ne le comprenaient pas, il criait. Et quand il en voyait un qui avait les yeux brillants, la voix pâteuse et l'humour stupide, il frappait.

Joseph Jones sait qu'il a raison de taper, mais il se rend bien compte aussi qu'il pourrait passer ses jours et ses nuits à taper, et que cela ne changera rien. Ses mains, des battoirs, ne peuvent rien contre les gangs d'enfants. Son passé de combattant, fût-il celui d'un *Buck of America*, est inefficace contre la marijuana, ses yeux de prophète émacié ne peuvent rien contre des cerveaux de maquereaux âgés de douze ans.

Il est inquiet pour ces sales petites têtes. Il hurle son nom dans les rues, et quand une mère inquiète l'entend, elle l'appelle, et il monte donner sa correction. Continue à me rendre folle, et je te le jure, tu termineras chez Mister Jones. Comme tous les enfants de Perdido, Louis Armstrong avait entendu parler de Mister Jones, avant même d'avoir eu affaire à lui.

Un jour de printemps, en 1902, Mr. Jones a eu une inspiration. Il a retrouvé, jetées au fond d'une vieille armoire, toutes ses décorations de la guerre, il se les est épinglées sur la poitrine, et, selon ses propres mots, il est allé voir le gouvernement.

La guerre lui avait appris à ne pas trembler de la voix quand il s'adressait à des Blancs. Il savait ce qu'il voulait. Un an plus tard, alors que les catalpas, les arbres à balles chinoises et les vignes vierges embaumaient le vent chaud de mai, le WAIF'S Home – Foyer pour Enfants noirs abandonnés – ouvrait ses portes.

Les gamins noirs ne traîneront plus dans les rues. Grâce à Mr. Jones, ils ont maintenant un foyer où ils apprendront à lire, à écrire, à compter, et, parce qu'il faut bien les distraire, à jouer de la musique.

Continue à me rendre folle... Le premier janvier 1913, Peter Davis, gardien du WAIF'S Home, enregistre sur un petit carnet le nom d'un nouvel arrivant : Daniel Louis Armstrong.

Qu'est-ce qu'il a fait, celui-là ? La veille, il a failli crever l'œil d'un policier en lui tirant dessus avec de vraies balles. Pour s'amuser, il dit. Il est vrai que c'était la nuit de la Saint-Sylvestre. Il n'y a rien ni personne qui n'indique aux enfants d'*Uptown* les limites à ne pas dépasser.

Pénitencier, maison de correction, foyer de redressement, prison pour enfants... Le WAIF'S aurait pu être tout cela. Mais c'était sans compter sur Mister Jones. Au WAIF'S Home, des éducateurs apprennent à lire aux enfants. On fait du jardinage. Deux fois par semaine, on leur apprend à manœuvrer dans la cour, avec tambours et fusils en bois.

Car Mister Jones n'a plus besoin de taper sur les enfants depuis qu'il leur donne ce commencement d'ordre et de discipline qui manque à leur vie.

En 1907, Mister Jones a fait acheter, pour sept dollars, un lot d'instruments de musique. Deux cornets, un piccolo, un baryton, un tambour et un clairon. Et si l'on mettait le petit Armstrong dans les rangs de la fanfare du foyer ? Il n'est pas méchant, celui-là, il serait plutôt du genre renfermé et apathique. Il ne sort de sa retraite que pour bouffer. Ou pour faire rire. Mais il faudra qu'il se tienne bien. Ces dix-huit garçons qui défilent le dimanche matin en casquette blanche à visière, tunique blanche et pantalon blanc sont la crème de l'établissement. La fanfare, c'est pour ceux dont Mister Jones pense qu'ils ont quelque chance d'échapper au destin qui les attend dans le système pénitentiaire américain.

Louis Armstrong y fait ses débuts sur un instrument bizarre, mélange de trompette et de cor anglais : le sax-horn. Son professeur, Peter Davis, ne connaît pas le nom des notes, il ne dit pas comment placer l'embouchure sur les lèvres, pas plus qu'il n'apprend comment se servir de la colonne d'air. Souffle, il dit. Il ne dit que cela : souffle. Le petit Armstrong apprend bien. Il a déjà un son net et pur, les phrases qui sortent de son sax-horn ont un côté fleuri à la sentimentalité un peu lourde. « Bon élève, écrira bientôt Peter Davis sur son petit carnet. Dès aujourd'hui, je fais passer Daniel Louis Armstrong à la trompette. »

Louis Armstrong, première

Emmett Hardy nage dans le bonheur. Louis Armstrong lui a donné rendez-vous à son travail, dans la boutique de Morris Karnovski, un marchand de charbon, à l'angle des rues Perdido et Freret. Emmett s'apprête à passer sa journée avec Louis Armstrong. Il va l'accompagner dans ses livraisons. *Char-coal! Char-coal!* Principaux destinataires : des prostituées.

Emmett, tu es un garçon débrouillard et plein de fantaisie. Tu réussis ce qu'aucun autre garçon de ton collège ne ferait, ni n'aurait même osé imaginer : tu es devenu l'ami d'un Noir. Bientôt, tu iras dans le Storyville des souteneurs, des putes et des musiciens. Ce qui te donnera cinquante ans d'avance sur les pâles garçons de ton collège. Lesquels, pour se nourrir en émotions fortes, chassent le crocodile dans les bayous des environs de La Nouvelle-Orléans.

Assis aux côtés de Louis Armstrong sur le devant de la carriole de livreur, Emmett se met à chanter, d'une voix mal assurée d'adolescent, *West End Blues*, la dernière composition de King Oliver.

Le tombereau de charbon s'arrête au bas de la rue Conti, devant la carriole de celui que l'on appelle Joe le diacre. Accroupi sur une charette en bois, l'homme vend les billets de la Pelican Lottery, l'une des loteries clandestines les plus importantes de La Nouvelle-Orléans.

– Toi, dit-il à ce Blanc qui le regarde avec des yeux

héberlués, tu viens de rêver qu'une femme nue glissait sur ton ventre. Arrête de me regarder comme si j'étais une apparition. Je ne suis qu'un diacre de l'Église baptiste. Tiens-toi tranquille et écoute-moi. Lorsqu'un garçon rêve d'une femme nue pendant la nuit, cela veut dire que Dieu veut le faire gagner à la loterie. Tu joues le 14, le 65 et le 19. Pour combien il va nous en prendre, ce beau jeune homme? Pour un nickel? Pour un dime? Non. Allez. Un dollar. D'autres jeux encore? Keno... Dice... Bingo...

Emmett attend que Louis Armstrong vienne à son secours, mais son nouveau copain le laisse aux prises avec le baratin de ce vieux fou. Il contemple les postillons qui sortent de la bouche puante du vieux Joe. Visage immobile. Pas le moindre battement de cils. Des badauds s'attroupent, tout autour. Et Joe le Diacre continue son prêche : « L'homme que tu as devant les yeux vivait dans le péché. Il a été tiré cinq fois au revolver par une femme. J'ai dit à Dieu que s'il me laissait vivre, je ne ferais plus rien de mal. Je me suis marié avec une femme chrétienne, et je vends des billets de loterie. Je mange des bananes et je vois Dieu. Prends-moi un autre numéro et je te dirai à quoi Dieu ressemble. Il arrive ton dollar? Merci, capitaine. Dieu ressemble à un homme normal. »

Char-Coal! Char-Coal!

Louis Armstrong regarde à la dérobée ce garçon serviable et maladroit qui l'accompagne dans ses livraisons. Depuis ce matin l'autre est accroché à lui, il s'empresse, se précipite sur les paquets de charbon pour se rendre utile et, avec son air ahuri, il pose des questions.

– Emmett, je dois rentrer chez moi. Je joue ce soir au Kid's Brown. Le Kid's, ce n'est pas un endroit pour un garçon comme toi.

Louis Armstrong a dit cela d'une voix faible. S'opposer à la volonté de quelqu'un lui pose des problèmes insurmontables. Il ne pourra jamais dire non. Toute sa vie, quand il devra refuser quelque chose, il biaisera. En prenant la fuite, ou en faisant rire.

Il lui est d'autant plus difficile de dire non que la personne, en face de lui, est de race blanche. Louis Armstrong a appris très tôt à ne pas ruer, avec un Blanc.

– Ça rapporte du pognon, de livrer du charbon? demande Emmett.

– Si tu as un travail régulier, l'armée ne veut pas de toi. J'attends que la guerre s'arrête. Morris Karnovski me donne quinze cents par chargement, plus un pourboire et un sandwich.

Mais que me veut-il, ce corniaud au teint d'endive? Il me pose des questions, et il boit ce que je lui raconte. Qui plus est, il essaie de parler comme un Nègre. Mais il n'en fait qu'à sa tête. Comme tous les autres Blancs.

Un court silence, et Emmett Hardy y va d'une autre question :

– Tu connais beaucoup de gens qui ont gagné à la loterie?

– Un homme qui se retrouve avec les bons numéros dans la main se rend compte que malgré tout ce qu'il a pu vivre et souffrir jusque-là, Dieu se tient à ses côtés et le suit tranquillement. Alors, il se met à trembler de tous ses membres. Comprends cela, Emmett. La loterie, c'est du rêve nègre. Rien d'autre que du rêve nègre. »

N'était cette trompette rangée chez lui, qui d'ailleurs lui porte plus sur l'esprit que sur les lèvres, Emmett Hardy serait plutôt un garçon au profil conventionnel. Base-ball, fraternités d'étudiant... Un garçon comme les autres.

Les mots d'Armstrong s'enfoncent dans ses chairs comme une piqûre.

Une découverte qui pourrait se résumer ainsi : les musiciens noirs, êtres frustes et peu instruits, seraient dotés d'intelligence.

« Tous les dimanches, le vieux Joe va à l'église, et il reçoit la visite de l'esprit, dit Louis Armstrong, avec son plus bel air d'andouille.

> *Char-coal! Char-coal!*
> *My horse is white, my face is black*
> *I sell my charcoal, two bits a sack*
> *Char-coal! Char-coal!*

Emmett Hardy regarde son compagnon. Ce visage, tout d'abord. Un gros nez épaté, pyramidal même, dont la base repose presque tout entière sur la bouche, elle aussi d'une formidable largeur; des yeux fiévreux, implorants; des joues empâtées et bouffies. Incroyable mobilité de ce visage. En un quart de seconde, il passe de l'abattement simulé à la joie la plus débridée. Il enregistre, tel un sismographe, la rumeur de la rue, le bruit comme la lumière. S'impriment sur lui les cris des vendeurs de bière, de pains au gingembre, de chandelles à la myrrhe, de bouquets de fougères, de vêtements...

« Ma femme m'attend, dit Louis. Avec un couteau de poche, une boucle de ceinturon et des grosses briques.

– T'accompagne, Louis, dit Emmett, en redressant ses épaules. »

Quel crampon, celui-là.

C'est une construction de rapport de deux étages, à laquelle on accède par un escalier disposé contre la paroi extérieure. Des petits cubes sans cachet, que les yeux d'Emmett transforment immédiatement en paradis. Les voici dans le logis des Armstrong. Une chambre, en vérité. Avec dedans : un lit, couvertures en désordre, une table, deux chaises, un coffre. Un fil descend de l'ampoule électrique et traîne par terre.

– Mes hommages, madame.

Daisy Parker a épousé Louis Armstrong le jour de ses dix-sept ans. De sa bouche se déverse un torrent de paroles... Des mots orduriers, la syntaxe abracadabrante d'une demi-débile. Emmett Hardy retient que Daisy Armstrong danse quelquefois sur les planches ou les comptoirs d'un cabaret. Elle travaille aussi comme serveuse au Brick House, un dancing de Gretna, dans une des rues attenantes de Perdido. Autant dire qu'elle vit de ses charmes. Madame Armstrong prépare un potage d'okra avec des coquillages et un reste de têtes de poissons, accompagnées de riz et d'un fond de haricots rouges. Et Emmett a l'impression qu'il va dîner au Pélican, le meilleur restaurant de la ville.

Le Kid's brown, tripot doublé d'une épicerie, s'ouvre sur une salle réservée aux *bookmakers* et aux joueurs de cartes. Il est situé à l'angle de Gravier et de Franklin. L'orchestre d'Edward « Kid » Ory y joue tous les soirs. Parmi les musiciens de l'orchestre : Louis Armstrong, Joe Oliver, les frères Johnny et Baby Dodds, ainsi que Sidney Bechet.

Les musiciens jouent, coincés entre l'embrasure de la porte et un tonneau de whisky, pour des prostituées qui délaissent le comptoir pour danser, nues ou peu s'en faut, attendant que les clients glissent dans leurs bas des pièces de monnaie ou des billets verts. Les musiciens raffolent de cette manière de danser, ils jouent lentement, très lentement, sur cette chorégraphie qui a tout d'une simulation de copulation à la verticale.

Ils joueront ainsi, jusqu'au petit matin. Le fric gagné pendant la nuit, ils le claqueront dans la salle de jeu.

Emmett Hardy pourrait déjà mettre un nom sur les visages des musiciens. Joe Oliver, première trompette, avec sa grosse taie sur l'œil gauche ; Edward Ory, que les musiciens appellent Kid, sourit, il dodeline d'une jambe sur l'autre, heureux de tout ; deux clarinettistes, ce soir : Sidney Bechet, petit bonhomme râblé et soupçonneux, joue avec une morgue de pacha, persuadé que la musique qu'il balance à des prostituées et à des dockers indifférents conquerra le monde dans les délais les plus brefs ; Johnny Dodds, l'autre clarinettiste, est plus effacé, plus élégant aussi, avec son sourire de musicien professionnel, un sourire en demi-teinte installé au coin des lèvres ; son frère, Baby Dodds, le *drummer* de l'orchestre, est épais comme un métayer, mais on dirait un prince, quand il prend place derrière sa panoplie de caisses et de cymbales...

La musique de l'orchestre ressemble aux mouvements désordonnés d'une équipe de base-ball. Chacun va où il veut, mais le résultat finit par se révéler d'une cohérence achevée. Les phrases s'entrecroisent dans un contrepoint compliqué. Si un musicologue était là pour écouter cette musique, il pointerait immédiatement le paradoxe : ce contrepoint se réalise dans l'instant, il est à la fois spontané et savant. Emmett Hardy ne comprend pas comment toutes ces phrases musicales parviennent à rendre quelque chose d'harmonieux. Non seulement la clarinette de Johnny Dodds ne gêne pas le trombone de Kid Ory, mais les deux instruments se rencontrent et se répondent, autour de la trompette de Joe Oliver.

Nul doute, se dit Emmett Hardy, que pour arriver à sortir de tels sons de son cornet, Louis Armstrong possède un instrument hors pair. Un cornet doté d'un procédé qui lui permette de monter, sans effort, vers les aigus de l'instrument... Il profite d'une pause pour s'approcher. Le cornet est un Tonk Bross, vieux de quarante ans. C'est avec ce machin tout faussé, au pavillon bosselé comme un épi de maïs, que Louis Armstrong joue.

L'orchestre était celui d'Edward Ory, mais Joe Oliver l'avait rapidement dépossédé de la direction des opérations. « Kid » Ory n'était pas un chef. Il lui paraissait insurmontable de gifler un musicien saoul, ou de montrer ses incisives à un patron de cabaret.

Joe Oliver est entré dans le bar irrité à l'idée qu'il se trouvera des clients assez distraits pour ne pas se retourner sur son passage. Palpitations mauvaises, quand le regard des autres glisse sur lui sans s'arrêter. Il est mécontent. Ça ne va pas, et il le dit. Qu'est-ce qui ne va pas? Rien ne va. Il injurie « Kid » Ory, chef d'orchestre au teint clair et aux épaules trop frêles. « Va te faire foutre, tu n'es bon qu'à soigner des poulets. »

Il se colle devant lui, joue quelques notes pour capter l'attention d'une petite serveuse, puis il se dirige vers la cuisine, histoire de se sustenter un peu. Il avale tout net un poulet rôti de cinq à six livres, qu'il fait suivre des restes d'une énorme tarte aux pommes, accompagnée de petits verres de whisky à la menthe.

Joe « King » Oliver. Les dévots du jazz diront et répéteront qu'il fut le meilleur de tous. Dans les cœurs des gamins néo-orléanais, Joe « King » Oliver occupera pendant de longues années la place de roi laissée vacante par les déchéances de Buddy Bolden et de Freddie Keppard.

Un teigneux. Une silhouette épaisse et méfiante, surmontée d'un béret acheté dans un magasin français de la rue Bienville. Une allure de bagnard. Un visage large et étrange, déformé par une taie sur l'œil gauche. Mais que cet œil se perdît dans le vague ne donnait aucune poésie à un visage bardé de certitudes. Il n'y avait rien en Joe Oliver qui laissât place à une attitude indécise.

Joe Oliver reprend sa place au milieu de l'orchestre. A le voir régenter son petit monde, on pourrait croire qu'il occupe la scène du Metropolitan de New York.

– King Oliver est le meilleur musicien du monde, a dit Armstrong à Emmett.

Face à celui qu'il considère comme son maître, Louis Armstrong témoigne une infinie dévotion... A peine ose-t-il le regarder. Il va jusqu'à consacrer une partie de ses après-midi à faire les courses de la femme de son mentor.

Si déjà, se dit Emmett Hardy, Louis Armstrong jouait comme l'ange Gabriel, alors, King Oliver ne pouvait être moins que Dieu.

Alors que l'orchestre attaque son deuxième set, un petit Noir à l'allure de télégraphiste entre en gigotant comme une toupie dans le Kid's Brown pour dire que l'orchestre de Joe Oliver est invité à se rendre au Ranch 101.

– Je vous porte l'étui de votre cornet? demande Emmett Hardy à Joe Oliver.

Les bordels de Tony

Lorsque Tony Battistina sort de son sommeil, la première pensée qui lui vient – joie profonde, réussite d'une vie – c'est que la famille possède des parts dans près de la moitié des bordels de Basin street. L'autre moitié appartient à Abraham et Isidore Shapira, à la famille Provenzano et à Tom Anderson, le politicien le plus corrompu du conseil municipal. Et la satisfaction de se transformer en une interrogation lancinante : comment faire pour que l'autre moitié de Basin street tombe au plus tôt dans l'escarcelle de la famille Matranga? L'ensemble de ses maisons (toutes affaires confondues : les filles de Galveston, d'Atlanta, de Memphis, les réseaux serrés de *cribs*, dans les quartiers terribles de Perdido ou de Gravier's, les *parlor houses* de Basin street) fait, en pleine saison, dans les 40 000 dollars la semaine. Rien qu'en femmes et en boissons. Ajoutez à cela les bénéfices secondaires de ce genre d'exploitation : une grande maison de Basin street, et vous avez à demeure les politiciens les plus influents de l'État de Louisiane.

Le Haut Conseil de la Famille a toujours su prendre les décisions qui s'imposaient.

En entrant dans le Ranch 101, Tony Battistina jette un œil vague sur les toiles de maître suspendues sur les murs. Superstitieux comme il l'est, il ne manque jamais de baiser les poignées en argent du salon d'accueil de la plus belle de ses maisons. Il pense à Charles Matranga, revoit son cadavre, plus petit que ceux des autres Siciliens assassinés à la Parish Prison. Neuf Siciliens, pendus aux lampadaires de St. Ann Street, quinze années plus tôt. Un petit matin, à La Nouvelle-Orléans. Et Tony qui regarde les cadavres. Mêlés au chagrin, une exaltation, une confiance. On va continuer, Charles... Agrandir les maisons, en faire des endroits de luxe, avec les meilleurs musiciens, et les plus belles filles du pays. Je te le promets.

L'ascension avait été difficile mais finalement tout s'était bien passé. Parce qu'il avait compris, bien avant les autres membres de la famille, qu'il y avait une différence entre Taormina en Sicile et les États-Unis. Il fallait certes continuer à sanctionner les commerçants qui faisaient l'erreur de cotiser au fonds de soutien des Provenzano. Mais le rackett ne pouvait être qu'un fonds de roulement. Tony misa sur des investissements qui se révélèrent rentables : les jeux, les loteries clandestines, l'alcool. Sous son impulsion, la famille s'intéressa à tous ces produits qui se fumaient, s'aspiraient, s'inhalaient.

La grande réussite de Tony Battistina, ce qui devait en faire l'un des grands entrepreneurs de La Nouvelle-Orléans, ce furent les bordels. Et la stratégie par laquelle Tony Battistina, Sicilien analphabète et borné, fit la conquête des maisons de plaisir de La Nouvelle-Orléans mériterait de figurer dans une anthologie. Il commença par inonder les quartiers pauvres de la ville de *brothels,* petits bordels avec chambre à un lit. Stratégie concertée et prudente. Pour cinquante pour cent, l'argent des *brothels* allait dans une entreprise portuaire qui faisait dans le commerce international de fruits exotiques. Puis il s'attaqua au *whore house* (la taille au-dessus, question claque, les *whore houses* étaient de vraies maisons, gérées par des maquerelles). Et toujours, cinquante pour cent dans les fruits exotiques. Juste avant d'investir Basin street, la famille Matranga créa et lança les *sporting houses.* Du sexe, certes, mais accompagné par quelques adjuvants : stimulants pour les clients, tableaux vivants en tous genres, et aphrodisiaques compliqués servis par de vieux pédérastes.

La seule chose que Tony Battistina n'ait jamais pu imposer au conseil de la famille fut de faire jouer des musiciens noirs dans les bordels pour Blancs. C'était interdit par la loi.

« N'ai rien à foutre des lois raciales, pensait Tony Battistina, s'adressant en pensée à ce pauvre Charles. L'important, tu seras d'accord avec moi, c'est le client. Il vient chez nous pour voir remuer le cul des filles. Mais s'il n'y a que le cul, cela ne marche pas. Il faut aussi qu'elles aient les yeux qui brillent. De ton temps Charles, les clients venaient seulement voir des culs. Aujourd'hui, ils veulent voir des filles heureuses. Tu comprends, Charles? C'est pour cela que je voudrais qu'il y ait des Nègres chez nous. Pour que les filles soient contentes. Vois-tu, il n'y a que les Nègres qui savent faire de la musique. »

Ce soir, Tony Battistina ne s'est pas frotté le corps contre les revêtements en marbre du hall du Ranch 101. Isidore et Abraham Shapira, terrible engeance de gangsters, lui causent souci. Installés à La Nouvelle-Orléans depuis quatre ans, ils sont dotés d'une surcharge nerveuse qui se manifeste par un bouillonnement perpétuel d'idées en matière de commerce et de gangstérisme. Des idées qui n'attirent à tous que des ennuis. Leur dernier truc : envoyer des colporteurs hébraïsants sillonner les comtés de l'État de Louisiane. Des représentants, en quelque sorte, qui écument les campagnes avec des mallettes bourrées de réclames pour la marchandise des Shapira : vraies vierges à quinze dollars pièce, fausses vierges à dix dollars, Françaises à cinq dollars... Le catalogue des Shapira tient dans un livre et, dans les bayous, les paysans s'excitent sur des portraits au fusain et des photographies sépia accompagnées de légendes affriolantes. Quand ils viennent à La Nouvelle-Orléans, ils rendent visite aux modèles originaux. Les Matranga font de même et, en moins de deux ans, la guerre des pourvoyeurs de catalogues de putes des Matranga et des Shapira a déjà laissé plus de soixante-dix morts en rase campagne.

Soucis, soucis...

Plus grave. Tony Battistina se rend bien compte que l'on ne pourra bientôt plus compter sur les seuls bordels pour asseoir une trésorerie. Des vierges consommables, il commence à s'en promener des lots, dans les rues de La Nouvelle-Orléans. La nouveauté, c'est que ces vierges sont capables de faire le coup de la virginité une dizaine de fois chacune et que, en plus, elles sont gratuites, propres et bien élevées.

Sans compter Lulu White, qui offre à ses clients, dans son Mohagany Hall, des scènes de genre auprès desquelles *les Mille et Une Nuits* ressemblent à des accords de guitare égrenés dans le crépitement de feu de bois, dans les futurs camps scouts...

Soucis...

Tony Battistina entre dans la grande salle de la Rotonde qui sert de dancing. Papa Laine dirige un orchestre encore plus mauvais que tous ceux qu'il lui a infligés, toutes les années passées. Il souffle dans une vieille trompette, les yeux fermés comme un vieux bébé satisfait, sa bedaine de fossoyeur posée comme un bouclier devant lui.

Tony rabat ses bretelles sur son pantalon, et il s'empare de la première fille venue.

– Hé l'orchestre, ne tarde-t-il pas à dire. La musique heu..., j' te dis, joue kèque chose, d'un peu heu...

Tony veut simplement sentir remuer contre lui cette fille aux bras nus qui virevolte de manière mécanique entre ses bras (au fur et à mesure qu'il prenait de l'âge, les filles sont devenues fines, elles vont bientôt se transformer en petites crevettes transparentes). Il veut sentir la pression de son bas-ventre contre le sien. Irrépressible, ce besoin. Il presse cette fille contre lui, c'est pour qu'elle remue qu'il la paye, il veut sentir le baume des ondoiements de la vie contre son ventre. Mais la gamine se contente de mimer. Rien que des mouvements appris. Une horloge soumise et désireuse de bien faire, agitée de petits tressaillements en angles droits.

Ce n'est pas de sa faute, la malheureuse. Comment pourrait-elle bouger avec grâce sur une musique à la fois si raide et si molle? Ça commence à faire un bail que Tony Battistina supporte l'orchestre de Papa Laine, pour la seule et unique raison que le papa et la maman, la Tontina et son épicier de mari sont nés dans le même village que lui.

– C'est mou, ton truc. Catastrophique, Papa... Tu bombes ton gros torse, et c'est terrible l'air que tu as quand tu joues. Moi je te regarde, et j'ai envie de m'enfuir, pour ne plus te voir, tellement t'es crispé.

Tony Battistina n'en peut plus. Ça lui fait mal de partout, cette musique, il faut qu'il détruise cela, il y a trop de laideur sur terre pour qu'en plus il supporte cela, cette fille entre ses bras qui danse mal parce que cette musique pue comme de la mauvaise gale.

– Mais Tonio, bredouille Papa Laine.

– Tu t'entends jouer, mon pauvre Vitelle? Tu t'es déjà entendu jouer?

Plus personne ne danse. Papa Laine, sur son estrade, tient sa trompette contre lui, pour se persuader qu'elle seule peut le protéger. Mais il n'existe plus. Son sang le quitte. Il sent qu'il se ratatine comme une vieille pomme de pin. Il n'ose pas regarder ses musiciens. Il a l'impression, tout à fait fondée, que personne ne viendrait à son aide, et que les musiciens ressentent comme un soulagement, parce qu'on dit enfin, d'une voix haute et ferme, qu'il joue comme une patate. C'est fini, pense-t-il.

– On peut jouer autrement, si tu veux, essaie-t-il.

– Tu dois avoir de la farce de crabe dans les oreilles, pour ne pas entendre ce que tu joues. Mon petit Vitelle, tu prends tes affaires, et tu laisses jouer les grandes personnes.

Les « grandes personnes » viennent d'arriver. Cinq Noirs, avec un Blanc sur leurs talons.

L'orchestre est placé en contrebas, dans le parloir où Madame accueille les clients et, au-dessus, dans les galeries, toutes les filles hurlent et trépignent, lorsque Baby Dodds, entre deux roulements, souffle dans ses trompes et ses sifflets.

Tony Battistina écoute... Il remarque que les musiciens prennent un malin plaisir à poser, à enfoncer leurs notes au fond des pulsations du tempo, sauf le petit gros à la trompette, qui souligne le rythme de la musique, et en même temps, qui semble flotter au-dessus d'elle. Comme s'il rebondissait...

« C'est le premier gangster que je rencontre », note Emmett Hardy.

Tony Battistina, l'homme le plus caricaturé de La Nouvelle-Orléans, est un nain (il mesure cinq pieds, quatre pouces), sa tête est difforme, envahie par le poil. Il vient de se débarrasser de sa cavalière. Comment décrire ce geste ? se demande Emmett Hardy.

Il y a de plus en plus de bruit dans les galeries.

Allez-y, les filles. Chauffées par les musiciens noirs, les filles se sont mises à danser. La maquerelle du premier étage a donné la permission. Madame Lily connaît son métier. Elle lit dans les yeux des hommes. Elle perce leurs attentes, leurs hésitations, leurs craintes. Une attention maternelle liée à une poigne de contremaître. Elle se fait fort de faire monter n'importe quel type avec une fille, fût-il entré dans la maison dans la seule intention de boire un verre. Un métier. Pas si simple qu'il y paraît, quoiqu'il s'appuie sur un rapport évident entre le sexe et la soif. Les petites Négresses dansent, les autres filles dansent aussi. Les clients s'approchent, des mains tripotent les filles.

On dirait des frelons, note Emmett qui se dit qu'un jour il écrira un roman.

Au milieu de cette cohue déhanchante, devant l'orchestre, Tony Battistina fait face aux musiciens. Il n'a pas la moindre envie de danser. Il écoute la musique.

Emmett Hardy se souviendra de cette vision, et il notera dans son petit carnet ce qu'elle lui a évoqué : un condottiere comme ceux de la Renaissance. Un de ces conquérants dépravés, brutaux et cyniques, que Dieu avait dotés, mystère de la Providence, d'un goût esthétique sans défaut.

Tony Battistina n'a plus peur de mourir, tout d'un coup. Il n'imaginait pas qu'il pût exister une musique qui lui donnerait encore envie de rire. Une musique qui décoincerait le rictus accroché à ses lèvres. Il n'imaginait pas qu'il pût ainsi se laisser conduire, à travers une pluie lustrale, vers un pays sans fausses vierges et sans politiciens, un pays où les filles danseraient comme il fallait qu'elles dansent, un pays de vie, un pays où, plutôt que de l'emmerder avec ses innovations commerciales à la noix, Isidore Shapira ne ferait que jouer du violon, un pays où Papa Laine se contenterait d'écouter la musique – ailée, irréelle – qui sort de la trompette de l'un des musiciens de cet orchestre.

Les premiers des Mohicans

Léon Rappolo et Emmett Hardy sont des météores, des précurseurs, les premiers porteurs d'une maladie qui sera bientôt disséminée sur l'ensemble du globe. Terrain de prédilection : les sujets jeunes. Mais cette maladie peut s'installer ou même apparaître, de manière émouvante ou ridicule, chez des individus plus âgés. Elle se manifeste alors par des symptômes reconnaissables entre mille : petits cris, chaleurs soudaines, démangeaisons inavouées, tremblements des membres inférieurs, habitudes maniaques, fixations langagières à la limite de la névrose obsessionnelle. Maladie au virus non encore identifié en 1919. Son nom : l'amour du jazz.

Jazz, le mot commence alors à se répandre. Que désigne-t-il ? Des chansons à la mode, des vieux airs de *minstrels*, des clowneries en tous genres, des morceaux de ragtime, des hurlements d'instruments à vent, des blues, des spectacles de variétés. En 1919, dans l'esprit du public, le mot « jazz » recouvre une quincaillerie, un théâtre, une irruption, mais pas une musique, et encore moins un art.

Armstrong a dix-huit ans ; Duke Ellington entame sa vingtième année. Sidney Bechet aurait vingt-deux ou vingt-huit ans, on ne sait. Idem pour Jelly Roll Morton qui aurait, selon les jours, vingt-neuf ans ou trente-quatre ans. King Oliver nage dans les mêmes eaux.

Le 21 septembre 1919, Jack Vitelle Laine, dit « Papa »,

fête ses quarante-cinq ans, seul dans son échoppe d'entrepreneur de pompes funèbres (aucun des musiciens avec
lesquels il a vécu les meilleures années de sa vie ne se
déplace pour son anniversaire).

Armstrong, Ellington, Morton, Keppard, Oliver, Laine,
Rappolo... En 1919, ces noms ne veulent rien dire.

En 1919, les premiers amateurs de jazz, comme Léon
Rappolo, Emmett Hardy ou Tony Battistina ne doivent
leur passion qu'à eux-mêmes. Ils aiment une musique qui
n'a pas encore trouvé ses commentateurs et ses critiques.
Aucun poète n'a encore écrit que le jazz était le grand *Te
Deum* du siècle. Aucun philosophe ne s'est encore aperçu
que dans les suraigus de trompette ou dans la voix des
chanteuses de blues coulait la sève entravée du peuple
noir. A une expression près, aucun critique musical n'a
encore remarqué que la musique qui se cachait derrière ce
mot « jazz » était la plus savante des musiques populaires, et la plus populaire des musiques savantes. En
revanche, le jazz ou le ragtime ont inspiré quelques
œuvres à des compositeurs. Claude Debussy (*Golliwogg's
Cake Walk*, en 1906), Igor Stravinsky (*Ragtime* pour
onze instruments à vent) ; bientôt, dans les années vingt,
Darius Milhaud et Maurice Ravel écriront des œuvres à
la manière nègre. Cette musique a tout pour leur plaire :
elle est bouillonnante, pittoresque, bourrée d'images,
débridée.

« C'était surtout en entendant Keppard et Bechet que je
tombais sur le cul. Le cornet de Freddie était puissant et
net ; à la façon dont il menait les ensembles, respirant toujours au bon endroit, il n'y avait jamais de défaillances...
Bechet me montra son saxo soprano recourbé et je le tins
dans mes mains comme le Saint-Sacrement. Je faillis
m'évanouir quand il m'invita à suivre les musiciens au
Lincoln Gardens (qui devint plus tard le Royal Gardens).
Je passai toute ma nuit à les écouter jouer les morceaux
tirés du *Red-Book* de Scott Joplin, une collection d'arrangements qui révolutionnèrent le monde du jazz. J'entendis pour la première fois ces airs célèbres animés d'un
souffle nouveau qu'on ne trouvait ni dans les ragtimes ni

dans le répertoire courant, morceaux où se reflétait vraiment l'âme du musicien noir, tel que *Gold Dust Skeleton Jungle*. Ce fut là ma grande nuit, celle où je commençai réellement à vivre. Je compris que j'avais trouvé quelque chose d'autrement plus valable que toutes les poules et tout le pognon du monde [8]. »

En 1919, rien ne distingue les musiciens de La Nouvelle-Orléans de leurs semblables, noirs ou métis, prolétaires errants pris dans le flux de ce que les historiens américains appelleront la Grande Migration, qui conduit, par dizaines de milliers, les Noirs du Sud vers les grandes métropoles industrielles du Nord des États-Unis.

Ces musiciens de La Nouvelle-Orléans immigrés à Chicago ou à New York ont des manières de provinciaux, ils jouent dans des bordels (pas souvent, les bordels de luxe accueillent plus volontiers les pianistes que les orchestres où les autres instrumentistes), dans des bars, des dancings, des soirées privées. Ce sont des gens ordinaires. Tout juste pourrait-on dire d'eux qu'ils sont dotés d'un savoir-faire technique exceptionnel (c'est vrai pour certains d'entre eux). Ils jouent une musique folklorique, qui capte les dernières musiques à la mode.

Les musiciens de La Nouvelle-Orléans ne se contentent plus de lire les notes écrites sur les partitions. Ces messieurs se refusent à n'être que des interprètes qui jouent une musique écrite par d'autres. Ils font des broderies, ils improvisent des lignes mélodiques autour des notes.

Ils pourraient dire : jazz. Ils ne le disent pas. Les musiciens de La Nouvelle-Orléans n'aiment pas ce mot, inventé, disent-ils, par les musiciens du Nord pour les discréditer (*to jazz* veut dire baiser ; comment utiliser un mot comme celui-là pour désigner une musique en laquelle ils voient un don de Dieu ?). Quand ils viendront jouer en Europe, Sidney Bechet et Louis Armstrong réprimeront toujours un haut-le-cœur lorsqu'on les présentera comme des musiciens de jazz. Ils disent *ragtime music* ; plus tard, les musiciens de jazz noirs américains diront de la musique qu'ils jouent qu'elle est de la « *black music* ». Rien d'autre. Mais pas du jazz.

La folie de Rap

Personne ne sait à quel moment Léon Rappolo s'est mis à débloquer. A débloquer *vraiment*. Chacun a des anecdotes à raconter, chacun y va de ses interprétations. « C'est parce qu'il a commencé à fumer de la marijuana », dit ce corniaud de Weav.

Rap est fou, et s'il est fou, c'est parce que... Il est facile d'être intarissable sur la folie. Rien de plus *cosy* que la folie d'autrui. Quand on la regarde de l'extérieur, derrière les doubles vitrages de ses blindages personnels. Camaraderie, curiosité, sympathie, compassion. L'homme tranquille aime recueillir ou se voir rapporter les propos du dingue.

D'après Buck Weaver, donc, Rap serait devenu fou quand il s'est mis en tête de vouloir improviser du jazz. Preuves avancées par Buck : sous l'influence de musiciens nègres qu'il vénérait, Rap n'hésitait pas à porter des chemises de couleur avec un smoking; quand il improvisait, sa santé mentale devenait encore plus fragile (un soir, après avoir joué le blues, yeux éperdus, comme s'il était possédé, Rap a quitté la salle de répétition pour s'en aller regarder la lune et en revenir avec des commentaires confus sur le mouvement des astres). Autre chose : plus Rap jouait du jazz, moins il supportait les batteurs. Tout l'agaçait, chez eux : leur air de contentement quand ils se mettaient à couvrir l'orchestre avec leurs roulements, et tous ces ustensiles, appeaux de chasse, trompes d'incendie, sifflets de clowns, klaxons d'automobiles, qu'ils se croient maintenant obligés d'ajouter au vacarme de leurs caisses.

Et puis, Rap fume de la marijuana, il en fume toute la journée, et ça n'arrange pas les choses. Un jour, il a commencé à arriver en retard aux répétitions, systématiquement.

Le monde du jazz raffole de ces histoires, qui plongent dans les abords gelés de ce désastre sans nom qu'est la folie d'un homme.

Si tant est qu'il soit fou, ou qu'il passe pour tel aux yeux de ses collègues musiciens, il n'en demeure pas moins qu'en 1920 Léon Rappolo est l'un des rares Blancs de La Nouvelle-Orléans qui soit capable de broder autour d'une mélodie. Rap a pigé le petit truc musical, l'improvisation, qui fait la différence entre les orchestres de défilé, de baloche, et les orchestres de jazz. Il est capable d'aller au chorus. Rap est l'un des rares musiciens blancs de La Nouvelle-Orléans, dont le jeu pourrait passer pour celui d'un Noir. Il dépasse tous les musiciens blancs du moment.

Et voilà même qu'il se remue. Lui qui ne bouge jamais le petit doigt, il est allé frapper à la porte des bureaux de la compagnie Streckfus. Rap veut jouer sur les bateaux à aube du Mississippi, avec les New Orleans Rhythm Kings, l'orchestre qu'il couronne de ses fulgurances de clarinettiste. Cet orchestre vaut à peine mieux que l'orchestre de Papa Laine, et c'est un vrai mystère, que Rap joue dans cet orchestre de gamins.

Les New Orleans Rhythm Kings auditionnent devant Fate Marable, directeur musical des bateaux de la compagnie Streckfus. A cette occasion, Rap joue de la clarinette comme jamais. Avant même que Fate Marable ne donne sa réponse, Rap lui lance :

– Nous ne voulons pas jouer sur n'importe quel bateau, M. Marable. Nous voulons naviguer sur le *Riverboat S.S. Majestic*.

En 1920, Louis Armstrong, qui vient d'être engagé comme musicien sur le *S.S. Majestic*, n'a jamais quitté La

Nouvelle-Orléans, il n'a jamais été au-delà de vingt kilomètres autour de la ville. Il n'a aucune envie de quitter sa
maison, sa femme, sa mère, sa ville. Cet emploi obtenu
sur un *riverboat* est la première entaille dans ses peurs, ses
inhibitions.

— Tu choisis, n'arrête pas de dire Fate Marable. Tu
joues de la musique, ou tu joues du jazz? Si c'est pour
jouer du jazz, j'ai pas besoin de toi. Tu descends à la prochaine escale.

Il en bave, le petit Armstrong.

Fate Marable connaît son boulot.

— Aucun métier, ces Nègres, hurle-t-il.

S'il a la peau presque aussi claire que celle de Dave
Perkins, Fate Marable n'essaiera pas de se faire passer
pour un Blanc. La seule ambition que nourrit Fate
Marable est d'être un musicien professionnel. L'essentiel
de sa carrière se déroule sur les bateaux à aube de la
famille Streckfus. Fate Marable n'a qu'un mot à la
bouche : le métier. Rien n'éverve plus Fate Marable que
ces Nègres qui pensent pouvoir se passer de savoir lire la
musique.

— Des trompettistes comme toi, répète-t-il à Louis
Armstrong, j'en trouve treize à la douzaine, sous les
feuilles fibrées des bananiers.

En 1907, Joe Streckfus a confié à Fate Marable la responsabilité de la musique sur sa flotille du Mississippi.
Fate Marable et Joe Streckfus ont à peu près le même âge,
ils se ressemblent comme deux gouttes d'eau, à ceci près
que Fate Marable est noir alors que Joe Streckfus est
blanc. Joe raconte partout qu'il a pris contact avec Fate à
Saint-Louis, par l'intermédiaire du Syndicat des musiciens noirs de la ville. A La Nouvelle-Orléans, personne
n'est dupe. Il s'agit encore de l'un de ces arrangements
raciaux habituels dans le Sud. Fate est le fils putatif de
John Streckfus, père de Joe, et Joe Streckfus a fait venir
son frère auprès de lui, quand il a hérité des bateaux de
marchandise de son père. Quand Joe Streckfus a pris la

direction de la flottille paternelle, les bateaux étaient spé-cialisés dans le transport de marchandises. Mais Joe s'est vite rendu compte que le commerce fluvial, sur le Mississippi, ne pouvait aller qu'en dégringolant. Il a transformé une partie de la flotte commerciale en bateaux d'excursion.

Louis Armstrong insupporte Fate Marable. Cette manière de jouer, avec les pistons de sa trompette à demi baissés. Cette manière d'avaler son assiette de riz et de haricots rouges, tête baissée comme un joueur de polo. Cette manière de se fringuer, un vrai paysan, avec ces grosses chaussures de flic. Cette manière de sourire, uni-quement avec les yeux, et la gravité théâtrale avec laquelle il l'écoute quand Fate lui montre comment il faut jouer de la trompette. Cette manière de rire (quand Louis Armstrong rit, sa tête se rejette en arrière, et il braque son regard droit devant lui. A tous les coups, Fate Marable se laisse prendre). Cette manière d'observer les autres, l'air de ne pas y toucher. Cette manière de jouer. S'il joue si fort, c'est parce qu'il est gros et qu'il ne sait pas contrôler sa sonorité, pense Fate Marable.

Louis Armstrong n'a pas intérêt à rôder autour des pas-sagères.

Fate Marable est hors de lui, indigné. Ces musiciens noirs font tout de travers. Ils ne savent pas lire la musique. Ils cognent sur des instruments à percussions, comme des singes en colère. Ces prétendus musiciens jouent du jazz. Musique à la mode, depuis le succès de l'Original Dixieland Jazz Band. Les jeunes gens de race blanche, surtout ceux de la haute, raffolent de cette musique.

Monsieur Joe, c'est ainsi que Fate Marable appelle son frère, ne connaît rien à la musique. C'est pour cela qu'il a fait engager cet orchestre noir sur ce bateau. Pour la pre-mière et la seule fois de son existence, Fate Marable est entré sans frapper dans le bureau de Joe Streckfus. Il est venu le supplier de se débarrasser de Louis Armstrong. Monsieur Joe ne l'a pas écouté.

Fate Marable va montrer aux musiciens noirs, et surtout à ce petit trompettiste, ce que signifie être musicien.
Musicien, c'est savoir et pouvoir tout jouer. Ça n'existe
pas, un type qui voudrait faire le métier de musicien en
ne jouant que du jazz.

Voyez les New Orleans Rhythm Kings.

Eux, ils savent lire la musique. Ils jouent *Livery Stable
blues*, et tous les succès de Paul Whiteman ou de Fletcher
Henderson. Ce n'est pas parce que l'on joue du jazz que
l'on ne doit pas savoir lire la musique.

Les New Orleans Rhythm Kings de Léon Rappolo et le
Kentucky Jazz Band de Louis Armstrong se produisent
sept jours sur sept, répètent deux après-midi par semaine.
Quatorze morceaux par soir et, tous les quinze jours, nouveau répertoire à apprendre.

Fate Marable apprend le solfège à Louis Armstrong.
Lire tout ce qui est écrit sur la partition, lire *uniquement*
ce qui est écrit. Quand Fate manque du temps nécessaire,
il demande à son assistant, David Jones, joueur de mello-
phone, de s'en occuper.

– Hey Fate. C'est pas la Bible, cette musique. On peut
ajouter quelque chose ?

– Louis, quand tu improvises, tu respires quand tu
veux, tu te promènes où tu veux. Moi, j'ai la musique
sous les yeux. Je veux que toutes les notes y soient.

Tempo, seigneur. Fate Marable se promène devant
l'orchestre, et il s'installe devant une table sur laquelle
trône un métronome. Dès qu'un morceau n'est pas joué
au même tempo que la veille, il fait arrêter l'orchestre
et on reprend. Une... Deux... Trois... Quatre...
Recommence. Et le tempo, encore. Je veux les notes, les
garçons. Il n'arrête pas de dire cela. Il veut que les notes
y soient.

Louis Armstrong ne dit rien. Il subit et il sourit. Il
essaie de comprendre ce que demande Fate Marable. Le
responsable musical de la flottille Streckfus ne pourra
jamais venir à bout de Louis Armstrong qui fait scrupu-
leusement tout ce qu'il lui dit. Tel un buvard, Louis

apprend à lire les notes, juste les notes, rien que les notes. Au bout d'un an de ce régime, Louis Armstrong, de plus en plus maître de sa technique, joue avec une assurance exceptionnelle dans tous les registres de la trompette.

– Un bon point pour Satchmo, lance-t-il un jour à Fate. Je monte maintenant, et sans difficulté, jusqu'au contre-*mi*. Rude épreuve pour les lèvres...

– Travaille, Louis. Bientôt, cela ne sera plus possible, car tu n'en n'auras plus le temps. Un musicien doit soigner ses défauts quand il est encore temps. Regarde-toi. Tu vas finir par déchirer tes lèvres, si tu continues à placer ton embouchure à l'intérieur.

Outre ce conseil (il souffrira mille morts de ne pas l'avoir écouté), Louis Armstrong doit à Fate Marable d'être devenu un vrai musicien.

En un jour pluvieux du mois de janvier 1921, pendant le set des New Orleans Rhythm Kings, Rap regarde fixement le métronome de Fate Marable.

Juste avant de jouer, comme tous les soirs, il a rangé sa petite mallette à pharmacie. Une mallette en tous points identique à celle de Louis Armstrong : à l'intérieur, des onguents divers, des laxatifs, des pommades... Toute la pharmacopée qui accompagne la vie d'un grand superstitieux. Rap n'hésite pas à se régaler, avec joie, du Swiss Kriss, un gargarisme à base d'herbes, une invention due à une voisine de Mayann. Une invention atroce, inavouable. Satchmo tient absolument à ce que tout le monde, autour de lui, essaie le Swiss Kriss. Tout le monde se défile. Sauf Rap. Qui imite Satchmo en tout. Il se pince la peau, sous le menton, dans le cou, pour que le liquide rejoigne les parties les plus reculées de la gorge. Lorsqu'il décide que l'opération est terminée, il rejette le liquide et il lance, bras étendus comme sur scène, un caverneux « Oh Yeah ».

Léon Rappolo joue de la clarinette depuis l'âge de sept ans, il sait ce qu'il vaut, mais chacune des notes de Satchmo le sidère. Il n'a déjà plus envie de jouer ce qu'il sait jouer, et il lui semble qu'il n'arrivera jamais à jouer comme Armstrong, dût-il travailler comme un fou, ce dont il est proprement incapable. L'année qu'il passe sur le *Riverboat Majestic* restera la plus belle de sa vie. Pendant que Fate Marable s'efforce de dompter Louis Armstrong, Rap prendra, auprès du même Armstrong, ses vraies leçons de musique, les leçons invisibles et décisives qui vous transforment un faiseur de notes en musicien.

Ça va plutôt bien, ce soir. L'ambiance chez les musiciens est au beau fixe, depuis que Fate le morose, Fate le colle-au-mur, s'est mis au jazz. Il tient à diriger l'orchestre noir, il compte les temps, bat la mesure, avec un air polisson, comme s'il glissait un poivron entre les fesses d'un archevêque. Outre Louis Armstrong, l'orchestre comprend Johnny Dodds (clarinette), Pops Foster (basse) et Baby Dodds (batterie).

Sans qu'il s'en rende compte, Fate Marable s'est laissé grignoter par Louis Armstrong. Maintenant, il bougonne, et il aimerait bien jouer comme le trompettiste. Il vient de donner une interview à un journal *coloured* de Davenport : « J'ai le jazz dans la peau. Dommage que tous les musiciens de jazz ne savent pas lire la musique. Mais quand ils se mettent à improviser, tout est là. »

C'est ce soir-là que la chose arriva. Qu'est-ce qui s'est passé ? Ça a été trop vite pour que les gens puissent le raconter avec précision. Les différentes versions de l'incident s'accordent sur un point : alors que les New Orleans Rhythm Kings jouaient un *fox trot*, Rappolo est descendu sans raison aucune du petit pratiquable en bois où se tenait l'orchestre (premier motif de renvoi), il a bousculé des danseurs (deuxième motif de renvoi), il a pris Marable par le cou, et il s'est mis à hurler qu'il allait l'enculer avec son métronome. Puis il a déboutonné son pantalon, il tenait absolument à lui chier sur le visage...

– Je vais t'apprendre, disait-il, quelle couleur de peau il faut avoir, pour prétendre jouer du jazz.

Extrait du carnet de Emmett Hardy (sur la première page de ce carnet, il a écrit son adresse, et, soulignée au crayon rouge, sa nouvelle profession : docker).

« 8 janvier 1921 : à la pointe du jour, je décharge des caisses sur la *levée*, et j'entends soudain le son lointain d'une trompette. Je ne voyais rien, sauf un bateau d'excursion qui, dans le brouillard, glissait lentement vers le port. Puis la mélodie m'arriva plus distinctement, bien que le bateau fût encore loin, pas assez loin pourtant pour m'empêcher de distinguer, à l'avant, mon ami Armstrong, sa trompette pointée vers le ciel. J'entendis alors les plus belles notes de musique de ma vie entière. Je ne me souviens plus si c'était *Tiger Rag* ou *Panama*. A côté de Louis Armstrong, qui était là comme une figure de proue, Fate Marable jouait du calliope.

« Le bateau aborda ou, plutôt, le quai sembla attiré par le son merveilleux de cette trompette.

« J'étais cloué sur place, écoutant, immobile, jusqu'à ce que le bateau fût à quai. Scène troublante, à l'arrivée. Avant que les passagers ne quittent le *Majestic*, il y eut un grand bruit. Les marins descendirent un type. " Fate, t'es un Nègre, hurlait-il. J' vais te colorer ta putain de gueule avec de la merde. " Sur le bastinguage, les passagers regardaient la scène en riant.

« J'ai reconnu le dément que l'on devait conduire par la suite au service psychiatrique du *Charity Hospital*. C'était le petit Italien aux allures de maquereau, le garçon qui n'arrêtait pas de tourner autour de Louis Armstrong. »

CHICAGO
1922

Black beauty

Chicago, sur le lac Michigan. Droit vers le Sud : le Mississippi, l'Ohio, l'Illinois... Un courant d'eau, un serpent de fleuves réunit La Nouvelle-Orléans et Chicago. Entre ces deux villes, situées à la verticale l'une de l'autre, Memphis (le blues), Saint-Louis (le ragtime), Davenport (ville natale de Bix Beiderbecke).

Né à La Nouvelle-Orléans, le jazz, via les grands fleuves, est en passe de conquérir l'Amérique.

Chicago. La ville, comme un chantier inachevé, compact, imprévisible. Des buildings, espèces de grands thermomètres, dont le nez pointe dru vers le ciel. Des pointes d'immeubles, hautes et frénétiques. Les architectes qui édifièrent les *skycrappers*, l'élan du génie humain, voulurent en faire la version américaine des clochers gothiques de la vieille Europe.

Lilian Hardin.

Un mètre cinquante, silhouette de petite chevrette, pétulance au creux des reins, pétillance au fond des yeux, des seins minuscules. Quelques kilos d'existence fraîche et libre. Couleur de la peau : noir foncé.

Lil passe, indifférente, sous les faîtes surplombés de croix et de lumière. Temple Building, Chicago Tribune Building... Ces buildings sont démesurés. Existences rangées, dans cette termitière, d'entrepreneurs, de bureaucrates. Lil n'y prête guère attention. Qu'y ferait-elle ? Sa vie se profile à un mètre cinquante au-dessus du niveau du sol. A hauteur de femme. Où son nez mignon, finement retroussé, enregistre, plein pot, les émanations des établissements Swift, Armour et Morris.

Dieu les bénisse. Dans la seule maison Swift, à Chicago (sans compter ses succursales de Kansas City, Saint-Louis, Omaha, Saint-Joseph et Saint-Paul), on a abattu, en cette année 1921, quelque seize millions de porcs, un million et demi de bœufs et trois millions de moutons. De dix secondes en dix secondes, du haut des *stockyards* de Chicago jusqu'aux *packing houses* et aux propylées, le cochon est attaché par une patte de derrière et conduit d'étape en étape devant le tueur, puis devant une série d'hommes qui, sans changer de place, accomplissent sur la carcasse, agitée des derniers soubresauts, des opérations minutieusement définies à l'avance et réglées par un synchronisme rigoureux.

Chicago, ville modèle. Santé, santé, ça pulse, parce que tout est réuni, tout afflue ici, autour des Grands Lacs : la pierre, le verre, les hommes, par dizaines de milliers ; par-dessus tout ça, l'odeur tenace, infinie et ancestrale, de la viande. Ou de poisson avarié, selon la direction des vents.

Il n'est pas de jour où Mrs. Jennie Jones ne se félicite d'avoir engagé Lil Hardin dans son magasin de musique. Ça donne le tournis aux clients, de voir remuer la petite étudiante en musique. En principe, Lil ne devrait pas quitter le box de démonstration, elle devrait être collée à son piano. Mais elle ne tient pas en place. Une démarche de femme, greffée sur des maladresses d'adolescente. Une *black beauty*, trop belle, trop émouvante, trop cruelle. Bouge Lil, bouge. Rengorgement de Mrs. Jones. Ça vous met de la joie dans un magasin, une oiselle de ce genre. Adorable petite femme noire, une dégaine... Petit chapeau sur la tête, lèvres pincées. Avec des sourcils en accent circonflexe, de l'innocence plein les yeux, les commissures des lèvres qui se libèrent en une guirlande de joie, quand elle se cabre, à chaque fois qu'elle rit.

Un visage de paroissienne au-dessus d'un corps de

femme. Mine renfrognée, tout d'un coup. Elle boude? Fausse alerte. Elle sourit. Ouf. Elle rit. Aïe... Pire encore, elle écoute les conversations. Ses mains qui soutiennent son petit menton, ses yeux joliment dessinés, en amande, qui s'efforcent de comprendre ce qu'on lui dit, et les hommes autour d'elle, s'appliquent, avec beaucoup de patience, à lui expliquer ce qu'ils ont voulu dire.

« C'est vrai qu'elle est pas mal, cette petite tête », se dit Lilian Hardin. Réflexion habituelle, émise d'une voix chantante, à chaque fois que Lil Hardin vérifie l'état de sa frimousse sur le piano, devant lequel elle devrait passer dix heures par jour, à jouer ce que les clients lui demandent.

Ils ont les yeux qui s'affolent, c'est une nouveauté, ce qu'ils entrevoient sous le chemisier, ça s'appelle un soutien-gorge, ça remplace un corset, et ça dessine des figures de cauchemar. Saloperies de bretelles, on dirait un exercice géométrique placé là par hasard. Mais qu'y peut-elle, la malheureuse Lil, si les clients s'étranglent quand elle s'assoit devant son piano?

Mrs. Jones veille. Gare au client qui se montrerait trop pressant. Qu'elle dit. Car le chiffre d'affaires du magasin a grimpé, un vrai *glissando* de trombone, depuis que Lil est démonstratrice dans son magasin. Les clients regardent le soutien-gorge de Lil, pendant qu'elle s'applique à leur jouer les dernières chansons d'Al Jolson. Et ils ressortent avec des sacs remplis de musique, sur lesquels il est écrit : Mrs. Jennie Jones, magasin de musique, 3409 State street.

Salaire hebdomadaire de la petite démonstratrice de piano : huit dollars.

En ce début de printemps 1921, Chicago exhale ses odeurs les plus vilaines, les plus rances, après un hiver viandeux et froid. Après sa journée de travail, Lil retrouve sa maman, qui a quitté Memphis afin de ne pas laisser la petite seule à Chicago.

Maman Hardin lave le linge, les chaussettes et les soutiens-gorge de Lil qui a eu vingt-trois ans cette année.

L'avenir : pétillant et simple. Comment se fait-il qu'il y ait des grincheux, des amers, des peureux?

Un nommé Sugar John Smith, trompettiste souriant, du genre coquet, disert et flatteur, lui a demandé de venir jouer du piano dans un orchestre appelé le Creole Jazz Band. De cet orchestre, Lil Hardin ne connaît rien, pas même le nom. D'ailleurs, l'eût-elle connu, il ne reste de l'orchestre légendaire, qui quitta en 1909 La Nouvelle-Orléans sous la houlette de Freddie Keppard, que le bassiste, Bill Johnson. Voyant que la musique que le Creole Jazz Band avait étrennée dans l'indifférence redevenait à la mode, il a remonté l'orchestre et en a confié la direction à Sugar John Smith.

Lil est heureuse. Elle va pouvoir abandonner cette grande bécasse à bouche puante de Mrs. Jones et gagner de l'argent.

Rien qu'une petite appréhension. Qu'il n'arrive surtout pas aux oreilles de Maman Hardin que Lil joue maintenant du jazz. Ou du blues, ce qui serait pire. Pour Maman Hardin, coiffeuse de métier et croyante de conviction, le blues est une déjection. Une musique jouée par des paresseux et des incultes, la vulgarité même, l'abjection.

Sugar John Smith est malin (la bonne idée, que d'engager une jeune pianiste classique dans un orchestre de jazz qui joue dans des bars à putes ?) et il est en train de mourir de la tuberculose.

On ne peut pas rêver mieux, quand on est une jeune fille. Je ne sais pas si tu imagines, mais Sugar, je suis à côté de lui, mais je n'entends pas ce qu'il joue. Je t'assure. Chaque soir au Pekin's, on croit que c'est la dernière fois qu'il est là, mais il revient le lendemain. Avec le même sourire d'enfant battu. Je ne comprends pas, ma petite Cherry. Tu ferais ça, toi ? Il n'a même plus la force de souffler dans sa trompette. Ce que je vois, c'est qu'il nous impose sa maladie.

Lil gagne 27 dollars, 50 cents par semaine. Une petite fortune. Le dimanche, elle remet les huit dollars à sa mère. Ses yeux disent la fatigue et le sentiment du devoir accompli. Pour justifier ses absences du soir, elle lui raconte qu'elle accompagne des cours de danse.

Décidément, la vie est une gigantesque rigolade. Ceux

qui ne comprennent pas cela sont vieux, malades, ou dégoûtants. Qu'ils s'effacent. C'est ce que fait Sugar John Smith. Il s'éloigne de la vie, à pas menus, sans cesser de sourire. Bye, Sugar.

Bonne idée, une femme, dans un orchestre de jazz, se dit Joe Oliver quand il débarque au Pekin Café, où il remplace Sugar John Smith, au sein du Creole Jazz Band.
– *You're fired!*
Viré. Joe Oliver passe une alliance avec Bill Johnson, et il vire tous les musiciens de l'orchestre. Puis c'est au tour de Bill Johnson de subir le même sort. *All fired.* A l'exception de Lil Hardin, petite oiselle effrayée.

Joe Oliver les remplace par des musiciens de La Nouvelle-Orléans. Roy Palmer au trombone, Sidney Bechet à la clarinette et au saxophone soprano; Jimmy Palao au violon; Bab Frank au piccolo et Wellman Braud à la contrebasse. Les frères Dodds, Johnny et Baby en seront, ainsi que Kid Ory, Honoré Dutrey, et ce gros banjoïste aux mains de plâtrier qui répond au doux nom créole de Johnny Saint-Cyr...

Lil Hardin regarde de haut ces nouveaux arrivés. Elle les rangera en deux catégories : les grossiers et les timides. Des types sans envergure, des éleveurs de poulets.

C'est surtout Baby Dodds qu'elle n'aime pas, avec le mauvais tabac qu'il chique, et ses grosses mains baladeuses. Pour qui se prend-il, ce batteur? Elle en parle à Joe Oliver. Le soir même, sur la piste de dance du Pekin Café, Joe lance une grosse brique sur le tibia de Baby Dodds.

Yeux de Lil, grands ouverts sur Joe Oliver. Le Roi domine les danseurs du Pekin Café, qui ressemblent à des nains en train de s'ébrouer sur ce qui avait été auparavant une piste de patin à roulettes. Tout lui obéit. Joe Oliver fait tourner plusieurs orchestres sous son nom. Sa réputation a été faite du jour où il a écrasé la tête d'un patron de club, pour récupérer l'argent qu'il lui devait. Quand il arrive quelque part, Joe Oliver se dirige infailliblement vers l'endroit où l'orchestre doit jouer. Il ne cherche pas à se faire aimer. C'est un chef. On l'appelle King Oliver. Son ensemble est en passe de devenir l'un des orchestres noirs les mieux payés des États-Unis.

Et le gros œil noir de Joe Oliver s'attarde sur Lil. Merci, Joe, mais tu es fou. Oh Dieu. Tu as deviné que j'avais besoin de ce manteau. Lil pouffe et se tord. Merci pour le manteau, mon gros fou de Joe, mais cette automobile, je n'en avais pas envie.

Yeux de Lil, sur Joe Oliver. Tu me plais Joe. Tu as une grosse tête de nègre, et la taie que tu as sur l'œil te fait ressembler à un boucher borgne, mais j'aime. Je t'ai réservé une surprise, pour ton anniversaire. Je me donne à toi. Cadeau.

« Un don de Dieu au pays. »

Le 17 janvier 1920, l'Amérique entre dans une nouvelle ère. Eau claire et vie propre. Bonne et heureuse année, Américains. La santé de vos corps et de vos âmes est désormais protégée par la Loi : « La fabrication, la vente, le transport de boissons inébriantes, leur importation, leur exportation, seront interdits aux États-Unis et sur tout le territoire soumis à leur juridiction. » A minuit, les militants favorables à la prohibition, épuisés par des mois passés en meetings et en agitations de toutes sortes, se réunissent, exultants, dans les églises et les salles de spectacle, de l'Atlantique au Pacifique. « L'Amérique sèche est née... », proclame la section new-yorkaise de la puissante Ligue anti-saloon. La nuit du 17 janvier 1920 se passe en pieuses veillées. « La prohibition est un don de Dieu au pays », lance Mrs. Christine Tilling, dirigeante de l'Union des femmes chrétiennes pour la tempérance, à des militantes apaisées par leur victoire. La confiance en Dieu est totale. Bientôt, se disent les dames, la planète tout entière deviendra sèche.

Autre événement discographique de cette année 1920. Le 10 août, Perry Bradford, un producteur noir qui vient de monter une revue appelée « Made in Harlem », fait enregistrer l'une des chanteuses de sa revue pour la marque Okeh. Mamie Smith chante *Crazy blues*. La voix d'une chanteuse de blues se trouve gravée dans la cire pour la première fois.

A la surprise générale, le succès est considérable. Les maisons de disques découvrent l'existence d'une clientèle noire. Les compagnies se mettent à produire des « *race records* ». La Columbia Gramophone Company plonge dans le créneau, et monte un catalogue à base de blues. Les deux chanteuses vedettes de la Columbia sont Bessie Smith et Clara Smith. Dans certains magasins, il va se vendre jusqu'à deux mille disques de blues par semaine, principalement à des Noirs. Bientôt, toutes les maisons de disques proposeront des « *race records* » à leur clientèle.

En 1921, l'orchestre de Isham Jones enregistre *Wabash blues* pour la maison Brunswick. Immense succès, pour cet orchestre dont le cornettiste utilise, semble-t-il pour la première fois, la sourdine wah-wah. Entre 1924 et 1929 la production de disques américaine multiplie son chiffre d'affaires par quatre. Considérés comme marginaux, quelques artistes noirs, présentés comme des musiciens de danse destinés à la « race » (noire) et au public des collèges tirent une petite épingle du jeu : King Oliver, Fletcher Henderson, Duke Ellington, tous trois en contrat avec la firme Victor. Rémunérés à l'enregistrement, ils ne percevront pas par la suite de royalties sur la vente de ces disques. Gratifiée du surnom d'impératrice du blues, Bessie Smith est rémunérée en moyenne deux cents dollars par la Columbia par morceau enregistré, un cachet que les dirigeants de la Columbia seraient enclins de considérer comme exorbitant, mais qui apparaît scandaleux aujourd'hui, si l'on considère le rapport entre le nombre de disques vendus et le « renoncement consenti » de Bessie à tous les droits et rémunérations subséquentes qui eussent dû être les siens.

King Oliver, l'homme à la taie noire

– Chauffez, les gars, hurle un adolescent au visage oblong.

Honoré Dutrey répond par une sorte de gloussement, avec son trombone. Putain, mais qu'elles sont belles, ces petites. Des Blanches, frère. Et qui lui font le carnaval, là, sous ses yeux. A qui, pourrait-il raconter cela, à La Nouvelle-Orléans? Il rêve, Honoré. La coulisse de son trombone, une fois tirée jusqu'au *do* grave, il pourrait aller lui faire toucher cette fille au teint rose, elle a l'air gentille, il voit la blancheur de la peau, il imagine la marque que laissera sa coulisse d'acier sur le cou laiteux, il se promène en plus sous les cheveux, sur le cou dénudé, les épaules lisses...

C'est un vrai coup de poing qu'il vient de recevoir. L'embouchure du trombone lui est entrée dans la bouche, dégueulasserie de vie. En plus, Fred le barman lui écrase le pied avec son talon :

– Tu joues les yeux baissés, Négro. Tu laisses tranquille la clientèle. Tu regardes pas, tu entends, tu regardes pas, hurle Fred.

Le Lincoln Garden est situé au 459 East street, en plein Cottage Groove avenue, à Chicago. La salle de danse de l'un des premiers grands lieux mythiques du jazz, on ne peut plus banale, occupe la longueur d'un rez-de-chaussée, et l'odorat des consommateurs y est taquiné dès l'entrée par un panachage classique de parfums musqués et de sueur.

Réservé aux Noirs jusqu'à minuit, le Lincoln Garden devient *black and tan* après cette heure-là, c'est-à-dire qu'il ouvre ses portes, de manière mixte, aux Blancs et aux Noirs. C'est l'un des endroits favoris de la jeunesse dorée de Chicago.

Honoré Dutrey est incapable de ne pas regarder les danseuses. Il préfère se faire tuer sur place, que respecter la consigne qui astreint les musiciens noirs à jouer, nez baissé sur leurs instruments. Mezz Mezzrow n'a rien dit. Noué. Cette fois-ci, tout comme toutes les autres fois où il a été témoin d'une agression raciste, il aurait pu intervenir. Pourquoi ne l'a-t-il pas fait? Le temps, tout simplement. Ça se joue toujours à quelques dixièmes de seconde près. Il a laissé filer le temps de la répartie, et ensuite, c'était trop tard.

Ce qui redouble son écœurement, c'est que l'injure sort de la bouche de Fred le barman. Que répondre? Fred pèse cent cinquante kilos, il est noir comme le jais, et c'est un brave type. Il ne manque jamais de vanner les musiciens blancs qui viennent écouter en catimini les musiciens de King Oliver. «Alors, les petits Blancs, leur dit-il. On vient prendre sa leçon de musique?»

Jambes en flanelle, mépris de soi, odeur âcre et amère au fond de la gorge ne le quitteront pas de la soirée. A en mourir.

Mezz a bousculé trois jeunes filles aux socquettes blanches, et il est allé pleurer sa rage et tenter de faire disparaître son impuissance dans les toilettes de l'établissement, où il croise deux autres jeunes gens qui, eux aussi, ont été à deux doigts de s'interposer.

Bernard H. Haggin et Otis Fergusson sont pigistes dans *The Nation* et *The New Republic*, deux journaux progressistes. Ils trifouillent leurs lunettes, comme si ces bouts de verre et de ferraille étaient la partie visible d'une antenne qui permettrait à leur petit cerveau de recevoir des ondes courtes imperceptibles au commun des mortels. Leurs neurones passent à travers la superficialité des choses.

Ces jeunes messieurs viennent de découvrir que le jazz est une musique prolétarienne.

Milton « Mezz » Mezzrow (son nom de famille, Mesirov, a été américanisé) n'a rien de commun avec ces doux étudiants ni avec les autres clients de race blanche du Lincoln Garden.

Certains d'entre eux sont étudiants. Quoique le journal de leur université le leur déconseille, ils trouvent du dernier chic d'aller prendre un verre avec leurs amis, dans les bars *black and tan* de la 35e rue, entre South park et Michigan boulevard. Les plus adroits d'entre eux auront le privilège d'être les premiers jeunes hommes du siècle à vivre leurs premières expériences sexuelles sur fond de jazz.

Les filles, à leurs côtés, ont les yeux cernés par le khôl, les cheveux ridiculement laqués et elles portent des socquettes blanches. Elles dansent le *fox trot*, le *two steps*, le *turkey trot*, en imitant les photos de mode de l'époque. Quand l'orchestre joue plus *hot* que de coutume, elles poussent des cris d'animaux effarouchés.

Qui sait, peut-être ces adolescents comptent-ils sur la musique pour monter à la tête des douces jeunes filles à la mise estudiantine? Pour séduire ces jeunes filles, aux cuisses si sottement encore crispées sur des habitudes musculaires intangibles, ils portent des souliers de chez Hannan et des chemises en soie de chez Capper and Capper...

Dans la clientèle blanche du Lincoln on trouve quelques musiciens professionnels. Ce soir, Mezz a noté, secrètement satisfait, comme une reddition tacite d'un ennemi, la présence du trompettiste Louis Pannico, des saxophonistes de l'orchestre de Don Bestor, de la section de cuivres – au grand complet – de Ted Fiorito (installé depuis six mois à l'Edgewater Beach). Les meilleurs de la place, question technique.

Mezz voit en eux de bons ouvriers. Des types estimables, des artisans habiles. Tout ce qu'on veut, mais pas des musiciens. Pour lui, c'est clair, les musiciens professionnels de race blanche sont des foutriquets. Mezz jubile

(c'est comme une revanche anticipée sur toutes les humi-
liations que les musiciens professionnels lui feront subir)
rien qu'à voir la difficulté avec laquelle ce prétentieux de
Louis Pannico compte les croches avec les doigts de la
main. Tous les musiciens présents essaient de
comprendre comment cette musique est faite.

Il n'est pas difficile de savoir ce qu'ils pensent. Leurs
mines, leur manière de se dandiner sur leur chaise, leurs
mains posées sur le zinc du bar, leurs doigts qui comptent
les croches disent : nous autres, musiciens blancs, on est
en train d'écouter des Négros.

Mezz les hait. Il hausse les épaules, quand Louis Pannico tombe de sa chaise. Il n'a pas compris comment Joe
Oliver se débrouille pour jouer tout seul pendant deux
mesures de silence de l'orchestre, et retomber sur le premier temps de la mesure.

Ça s'appelle un break, crétin. Lui, il sait. Car Mezz n'est
ni étudiant ni musicien. Il vit d'expédients (ce printemps
1922, il travaille dans une salle de billard du South Side),
il connaît des tas de types à la redresse, et cela lui donne
cet air de supériorité crâne sur les adolescents scolarisés
de son âge. D'autant qu'il a déjà passé un bout de temps
en prison, pour une histoire de voiture volée. Une
chance. C'est en prison qu'il a eu la révélation de sa vie.
Sur les paillasses en bourre de maïs de la cellule, il écoutait des blues venant de l'aile réservée aux Noirs.

> *If I had'nt drunk so much whisky*
> *Would'nt be layin' here on hard flo'*
> *Ooooooohhh, ain't gonna do it no mo-o*
> *Ooooooohhh, ain't'gonna do it no mo-o*

En tout cas, c'est ce qu'il prétend. Et c'est sans doute
vrai. Où, si ce n'est entre les murs d'une prison, aurait-il
pu acquérir cet accent traînant, qui semble venir tout
droit du Mississippi, et ces manières de gibier de potence
poussé dans une famille noire? C'est en prison que le
jeune Milton, né au sein d'une famille juive typique de
Chicago, une famille bardée de docteurs et d'avocats, se
prend d'une passion qui ne le quittera jamais pour les
Noirs et leur musique. Une folie, si l'on veut. Jusqu'à la

fin de ses jours (écœuré par le racisme sévissant aux États-Unis, Mezz émigrera en France, et il terminera sa vie, en turfiste ordinaire, entre l'avenue de Clichy et la place des Ternes), Mezz Mezzrow recherchera la compagnie des Noirs et fuira celle des Blancs. Il réussira même à se faire passer pour noir. A ses yeux, la grande réussite de sa vie aura été de se faire admettre dans les quartiers réservés aux prisonniers noirs dans les quelques pénitenciers où il aura séjourné.

De sa prison donc, allongé sur le lit, sottement grisé par la situation, il perçoit à travers le mur des bribes de blues, chanté par des détenus noirs.

« Ces litanies et ces appels rythmés ont toujours trouvé en moi une profonde résonance. Les inflexions vocales et l'histoire qu'elles racontent, la façon dont les mots se modifient pour cadrer avec la musique, tout cela me frappait comme la découverte d'une vérité frappe un philosophe. Ces quelques *riffs* tout simples m'ouvraient les yeux sur la philosophie des Noirs, bien plus que ne l'aurait fait un gros ouvrage sociologique. Ils me regonflaient d'emblée et me remplissaient de gratitude et d'admiration pour ces gars-là. Bien souvent, alors que j'étais allongé sur mon lit, le cœur lourd de cafard, un type se mettait à pousser un blues et ma poitrine s'allégeait. Voilà une race qui sait lutter contre le bourdon.

« Le Blanc est un enfant gâté, et quand le cafard le prend, il devient neurasthénique. Mais Le Noir n'a jamais rien possédé et il n'attend rien ; aussi, quand il a le blues, il en sort avec le sourire et sans rancœur [6]. »

Drapée dans des châles et des mantilles, la grosse dame noire a traversé comme une bombe la porte à double battant du Lincoln Garden. Le piano de Lil Hardin s'arrête, tout d'un coup.

– Maman, trouve-t-elle la force de dire.

Maman Hardin est venue la chercher. Déterminée comme un soldat du feu qui vient sauver un locataire d'un immeuble envahi par les flammes.

– Lil m'a parlé de vous !, intervient Joe Oliver, tout

sourire, en proposant une tasse de thé au bourbon à Maman.

Du bourbon, à elle, en pleine prohibition! Saint courroux. Oh, elle le giflerait, ce Joe Oliver...

Mezz aurait bien aimé assister à la fin de l'incident. Mais un de ses copains est arrivé au Lincoln, soufflant comme un phoque :

– Vite, amène-toi, mon vieux : on va aller voir un type qui y tâte vraiment, à la clarinette.

Ce type, c'est Léon Rappolo.

« Pigez-moi l'accoutrement : un complet à larges carreaux dont le pantalon s'arrêtait à un pouce de ses bottines, et si étroit qu'il devait l'enfiler avec un chausse-pied ; des chaussures de drap à bouton de perle et claque vernie ; des chaussettes de soie blanche, un melon noir et une canne jaune. Il était si bien sapé qu'à côté de lui Brummel aurait eu l'air d'un sac de pommes de terre. »

Les New Orleans Rhythm Kings étaient à Chicago. Jamais Mezz n'avaient entendu d'orchestre blanc jouer aussi près du style Nouvelle-Orléans.

« Ils avaient chipé, et fort bien ma foi, en vrais Robin des Bois, tous les *riffs* de Joe Oliver.

« Rap et moi, on était devenu copains comme cochons, et comme mon boulot à la salle de billard m'empêchait de vadrouiller à ma guise avec lui, je plaquai la salle de billard.

« Un soir, Rap m'emmène dans sa loge, tâtonne au creux d'une moulure et en tire une cigarette de papier maïs. Lorsqu'il l'allume, une bizarre odeur se répand, qui me rappelle les herbes que je fumais étant mioche. On aurait cru qu'il soupirait au lieu de fumer, car il aspirait en même temps de l'herbe et de la fumée avec une sorte de gargouillis, comme un vieux moujik sirotant son thé à même la soucoupe. Après avoir aspiré une bonne bouffée, il tint ses lèvres serrées jusqu'au moment où, sur le point d'étouffer, il ne put se retenir de tousser :

"Déjà fumé des *muggles*? il me demande. P'tit père, j'ai rapporté ces feuilles d'or de La Nouvelle-Orléans ; tire un coup de ça, tu vas te régaler... "

« Rap m'emmenait souvent chez lui et, là, on se payait des séances royales à jouer ensemble. Il allumait une cigarette de kif, s'envoyait en l'air et, une fois parti, il se mettait à jouer le blues sur une guitare amochée. J'entortillais mon peigne dans du papier hygiénique, je soufflais dedans et il m'accompagnait; Rap n'en revenait pas d'entendre un Yankee interpréter le blues comme je le faisais. Plus d'une fois, il me dit :

"Écoute, vieux, tu veux me faire croire que tu n'as jamais mis les pieds dans le Sud et tu joues le blues comme ça? Paie-toi donc un biniou, au lieu de faire le zouave avec ce peigne! "

« Son anniversaire approchait et j'avais tellement d'amitié pour lui que je voulus lui acheter une guitare. Je me rendis au ghetto de Maxwell street et fouillai dans les boutiques d'occasion. Un vieux Juif à longue barbouse, coiffé de son yomelkeh, se tenait sur le pas de sa porte et, tout d'un coup, j'entendis une musique qui me renversa. Un vieux phono posé par terre sur le trottoir jouait un disque, *Black Snake Man,* de Blind Lemon Jefferson, et le vieux Juif secouait tristement la tête, comme s'il le connaissait personnellement, ce maudit serpent!

Oh! oh! some black snake's been
Suckin' my rider's tongue. »

Mezz aimait bien Léon Rappolo, son copain. Plus tard, quelques années après, quand le beau Rap devint un pensionnaire à vie du *Charity Hospital,* il lui fit cette jolie oraison funéraire :

« C'est une triste histoire que celle de Rap. Deux ou trois ans plus tard, il fut atteint de parésie et toutes les piqûres du monde ne purent le guérir. Il devint fou et il fallut l'enfermer. Tout le temps qu'il fut à l'asile, il vécut dans l'attente d'un grand train chargé d'herbe réservé à son seul usage, et lorsqu'on le laissait sortir dans la cour, il descendait jusqu'à la voie du chemin de fer et faisait des signaux à tous les trains qui passaient, cherchant un colis de joie qui jamais n'arriva. Pauvre Rap! Il était musicien dans l'âme et un vrai fumeur de marijuana. J'espère qu'il a pu enfin prendre le " *Muggles* special " qui l'a mené tout droit dans l'autre monde, saoul de *muta* comme un bienheureux, festoyant en haut d'une tonne de *crakers* et grattant le blues sur sa guimauve. »

La nouvelle femme de Louis

L'aboyeur. Le gros chien. Joe Oliver la prend maintenant à partie devant les danseurs du Lincoln Garden. Il s'arrête de jouer, en plein milieu d'un chorus de trompette, et il fond sur elle.

– J'en ai assez de toutes tes fioritures. Laisse cela à la clarinette, dit-il.

Lil Hardin est affligée d'un défaut qu'elle traînera toute sa vie comme une casserole. Les musiciens l'aiment peu, et les critiques de jazz voueront le jeu de Lil Hardin aux gémonies. Parce que Lil, c'est l'anti-jazz. Elle sautille. Elle ne pourra jamais se départir de ce vice : son jeu de piano est sautillant. Au bout d'un moment, cela énerve tout le monde. C'est plus fort qu'elle. Elle n'a pas enfoncé ses doigts sur les touches du clavier que, déjà, elle les retire. Elle pique ses notes. Autre chose : elle est bavarde, exagérément bavarde. Son jeu de piano ploie sous la virtuosité gratuite, chacune de ses notes est accompagnée, morne litanie, de toutes sortes d'enjolivements, trilles en tous genres, appogiatures.

Et Lil se rend compte qu'elle n'arrive pas à jouer du jazz. Son éducation classique l'embrouille. Cette musique va trop vite pour elle. Ne parlons pas de l'improvisation. Improviser une mélodie, par définition non écrite, lui fiche une peur bleue. Lil la sérieuse prépare pourtant ses solos à la maison. Mais elle perd les pédales, quand c'est à elle de jouer. Comme elle aimerait, pourtant, jouer du jazz comme les autres.

Lil aurait pu être la première *jazzwoman* de l'histoire. D'une certaine manière elle l'est, mais elle aurait pu être la première musicienne de jazz respectée, estimée et célébrée, ce qu'elle n'est pas.

– Chacun sa mère, lance King Oliver, dès que l'orchestre part dans une improvisation collective.

A chacun de se débrouiller, c'est la loi de cette musique, et cela fait parfois une sacrée salade.

Lil Hardin se souvient de sa classe de musique de chambre, à l'université de Fisk, où elle a fait ses études musicales. La précision des indications musicales, la voix rassurante du chef d'orchestre, l'exactitude de ses gestes. Le chef transmettait ce qu'il avait appris, il savait où il allait. Il avait devant lui des musiciens confiants, sereins. Avant chaque répétition, chacun d'entre eux déposait un lot de crayons de couleur sur son pupitre, pour colorier les traits d'orchestre et être sûr de ne pas oublier les nuances.

La civilisation. King Oliver est venu de nulle part, il ne sait pas dire aux musiciens comment il faudrait qu'ils jouent. La seule chose qu'il dit et répète, c'est que chaque instrument doit jouer sa partie.

Même si elle la joue mal, Lil Hardin entend cette musique. Sans fascination. Il ne lui a pas fallu longtemps avant de s'apercevoir que les autres musiciens, eux non plus, n'improvisent pratiquement pas. Eux aussi, ils ressortent des phrases apprises à la maison. Ils ont tendance à tout jouer sur un sempiternel tempo médium. Individuellement, les musiciens du Creole Jazz Band sont moyens. Le seul qui trouve grâce à ses yeux est Johnny Dodds, le clarinettiste. Mais les autres... Honoré Dutrey, au trombone, est une calamité musicale. Il joue faux, ne respecte pas le tempo... Quant à la batterie, elle sonne comme une casserole.

De qui pourrait-elle encore médire?

Dans ce Creole Jazz Band, il y a peu de solos intéressants, et les huit musiciens de l'orchestre jouent un répertoire qui, somme toute, est celui de leur folklore. Sauf le dernier arrivé : Louis Armstrong.

Il joue une mélodie de cette manière balancée, avec une pulsation divisée en trois parties égales. Louis Armstrong et son vibrato bouleversant, reconnaissable entre mille. Qui emplit de stupeur tous les musiciens qui l'écoutent.

En 1923, Louis Armstrong est encore un musicien inégal, capable de jouer comme un prince, mais rongé de l'intérieur par une timidité qui le noue. Dans les enregistrements du Creole Jazz Band, Joe Oliver a demandé à Louis Armstrong de prendre place à l'autre bout du studio, à une dizaine de mètres derrière lui. Il ne s'est pas formalisé. Il ne lui viendrait jamais à l'idée de contredire King Oliver. Cela le rassure, de ne pas lancer un solo. Car s'il joue divinement quand il est dans son élément, il n'aime pas le faire en présence de King Oliver. Son maître l'inhibe.

En deux séances pour la Gennett Record Company, deux pour Okeh, une pour la Columbia Gramophone Company, une pour la Paramount, King Oliver et son Creole Jazz Band enregistrent quelques 78 tours à Chicago et à Richmond, entre juin et décembre 1923.

Disques tardifs. Six ans après les enregistrements de l'Original Dixieland Jazz Band, ce sont les premiers « vrais » disques de jazz, enregistrés par des musiciens importants, si l'on excepte les Louisiana Five ou les Memphis Five, orchestres bien oubliés aujourd'hui.

La musique de La Nouvelle-Orléans est enfin gravée sur cire. Mais cette « consécration » se fait loin de son lieu d'origine, et alors que, sous sa forme authentique, elle est déjà sur le déclin.

Regroupés autour d'un énorme entonnoir de près de deux mètres de diamètre, les musiciens de l'orchestre de King Oliver soufflent et tapent vers l'entonnoir d'enregistrement, qui transmet le son, via un cristal, à une aiguille qui grave directement dans la cire molle.

Ancien pianiste de bordel, chef d'orchestre (Joe Oliver a joué sous sa direction), auteur et compositeur de chansons, accompagnateur de chanteuses de blues, Richard

Myknee Jones, mari de Mrs. Jones, l'ancienne patronne de Lil Hardin, préside à la direction artistique de la séance. C'est un musicien reconverti dans l'enregistrement et la promotion de la musique noire. Il connaît aussi bien le milieu des musiciens noirs que celui des maisons de disques, et il sert d'intermédiaire entre les uns et les autres.

Il a imposé le répertoire qui sera enregistré, et il a choisi les musiciens. L'enregistrement a lieu en même temps que la gravure de la cire. Il est impossible de réécouter immédiatement ce que les musiciens viennent de jouer, sauf à détruire la cire. Richard Myknee Jones est maître à bord. C'est à lui qu'appartient la décision de garder l'enregistrement ou de le détruire.

Ce jour-là, il a décidé de prendre les choses comme elles viennent. Au cours de cette séance historique, il n'interrompt les musiciens que lorsqu'il entend le bruit qui annonce le passage du train de la ligne Richmond-Chicago. Le studio de la maison Gennett, situé dans un ancien magasin, n'est pas insonorisé.

Baby Dodds, le batteur, est au plus loin de l'entonnoir, isolé dans un endroit fermé, avec ses caisses recouvertes de lainages. Dans ces enregistrements, Baby Dodds sera le plus souvent inaudible, tout comme le second cornet : Parfois Louis Armstrong clôt les hostilités, notamment dans *Mabel*, enregistré en décembre 1923. Timide encore, mais déjà aérien. L'énergie transcende le folklore. Le brasier est en passe de s'enflammer.

Quand elle l'a vu la première fois au Lincoln Garden, Lil lui a trouvé, dit-elle, un merveilleux sourire et de belles dents blanches.

Sur le moment, elle est interloquée par son accoutrement. « Tous ses vêtements étaient trop petits pour lui. Une atroce cravate lui pendouillait sur l'estomac, qu'il avait particulièrement rebondi ; et pour couronner le tout, il était coiffé avec des franges ; je dis bien : des franges qui lui surplombaient le front comme une espèce de baldaquin effiloché. Tous les musiciens l'appelaient " Petit Louis ", et il pesait cent treize kilos. »

Toi, Lil, tu as compris tout de suite. Peut-être pas dès que tu l'as vu arriver, mais dès qu'il s'est mis à jouer du cornet, tu as pressenti quel genre de musicien se profilait derrière ces cent dix kilos de paysannerie néo-orléanaise.

Mais alors, Louis, pourquoi ce serpent qui déroule ses anneaux dans ton ventre, dès que tu te trouves en présence de Joe Oliver? Saloperie de serpent. Il s'installe, se love au creux de tes entrailles, et ça fait un trou, une zone toute froide au milieu de ton corps, une zone polaire, réfractée, marquée du froid du serpent, alors qu'en principe, quand tu joues, on ne devrait entendre rien d'autre que l'éclatement d'un soleil?

– Il te fait peur? demande Lil.

Lui un peu plus que les autres.

Incroyable, non? Quand on sait que par la suite, et c'est grâce à toi, Lil, Louis Armstrong deviendra l'un des plus grands extravertis du siècle. Mais les premiers mois qu'il passe à Chicago, il faut le supplier pour qu'il chante en public. Il se dandine d'une jambe sur l'autre. Sympathique, souriant, mais paralysé. A l'époque, son sourire est une grimace.

Toi, Lil, tu n'es pas une bonne pianiste, mais on ne peut faire mieux que toi, comme accoucheuse.

Lil chérie. Mon abominable. Ma souffrance. Ces messieurs de l'orchestre ont de jolies pompes et des sourires de maquereaux, et toi, pianiste invivable, modèle réduit de femme, tu vas de l'un à l'autre. Tu souris à Baby Dodds et, en une seconde, tu donnes à ce bûcheron l'impression qu'il est intelligent, et le voici qui s'enfle, démesurément, et qu'il lui vient la certitude que rien ne peut lui résister.

Dans les cuisines du Lincoln Garden, Baby Dodds, écrasant de toupet, se bagarre avec Louis Armstrong. Les deux hommes ont fini par se taper dessus à coup de pattes de porc. Pour toi, Lil. Tu ne veux pas que les hommes ressemblent à ce à quoi ils aspirent : être des tapirs repus et paisibles.

Continue Lil. Peu de difficultés, pour accrocher Johnny Dodds. Il est amoureux de toi, comme les autres, pauvre quille. Mais l'important n'est pas là. Tu en fais une arme de guerre contre King Oliver.

– Je veux mon fric, espèce d'enculé.

Grosse et belle bagarre, comme de juste.

« Jusqu'au départ des frères Dodds, Joe Oliver eut un pistolet chargé dans son étui à trompette, et Lil jouait toujours en ayant l'œil sur lui, prête à plonger au cas où ça commencerait à tirer [7]. »

C'est alors, ma petite Lil, que tu commenças sérieusement à t'occuper de Daniel Louis Armstrong. Tout d'abord, son poids. Satchmo perd vingt-cinq kilos en six mois. Dorénavant, c'est Lil qui choisit ses vêtements. Louis laisse faire. N'est-elle pas mignonne, l'agilité de cette souris qui fouine à gauche et à droite, pour lui faire une belle garde-robe? Louis dit oui à tout, mais il s'obstine à porter ses chaussures de policier.

En 1923 Louis Armstrong joue dans des orchestres de théâtre, dans des revues, il accompagne des chanteuses de blues. Mais il pense surtout à prendre du bon temps. Louis n'aime pas vivre seul. En octobre 1923, Mayann arrive à Chicago, pour lui remonter le moral. Louis prend un appartement avec elle.

Il faut faire vite, petite Lil. Il faut t'occuper de sa vie passée. La liquider. Sa mère, passe encore, mais il ne faut pas que la petite traînée qui se prétend sa femme rapplique ici. Tu ne peux prétendre jouer chez « King » Oliver, baiser la petite amie du chef, et rester marié à Mrs. Daisy Parker, pute de huitième zone à La Nouvelle-Orléans.

Louis Armstrong et Lil Hardin se marient le 5 février 1924.

– Je me suis mariée avec un homme. Pas avec un petit chien qui frétille de la queue devant son maître, à chaque fois que Joe Oliver entre dans une pièce.

– Beh... Que tu dis?

– Quand Joe vient à la maison, j'ai toujours peur que tu mouilles le tapis.

Ah là, mais elle est belle, la bouche de Lil Hardin, quand ses petites lèvres s'obscurcissent, qu'elles prennent cette teinte pourpre, qu'elles s'amincissent, et laissent passer tous ces chardons. Ne s'échappent, de ces lèvres, que du fiel, qui part droit et qui vise juste. Une ingéniosité confondante, bouleversante, dans cette manière charmante et doucereuse de mettre à jour le serpent de Louis, de le rendre odieux, insupportable. Dis donc, Louis, tu crois que tu vas l'héberger longtemps, ledit serpent? tu crois peut-être que je vais supporter cela?

D'abord, laisse tomber Joe Oliver. Il ne t'arrive pas au premier os de la cheville.

NEW YORK
1924

Monsieur Gershovitz

New York, Ellis Island, 1892

Morris Gershovitz a dix-sept ans, et il répond aux questions ordinaires des officiers de santé d'Ellis Island. Il déclare n'avoir ni tuberculose, ni trachome, ni syphilis, il n'est pas débile mental, il ne souffre ni de hernie ni de claudication, son cuir chevelu est propre.

Il laisse derrière lui, en son Europe natale, un père, une mère, des amis, un professeur de violon, et des souvenirs inutiles, se rapportant pour l'essentiel à une ville sans grâce, perdue dans les brumes de la sainte Russie.

Traversant le pont de Williamsburg, Morris Gershovitz se répète, étonné que ça lui fasse si peu d'effet, qu'il est devenu un citoyen américain.

La première matinée qu'il passe dans les rues de Brooklyn apprend à Morris Gershovitz qu'il lui sera plus facile de vendre des couteaux à dix lames, des chaussettes et des préservatifs à des gens du Sud, anciens Confédérés, qu'à des New-Yorkais. Le raisonnement peut se défendre. Les vendeurs de vêtements et d'objets divers encombrent les trottoirs, les New-Yorkais n'ont pas d'argent pour acheter, et lui, Morris Gershovitz, il est trop seul. Il se persuade que vers le Sud, les gens sont prêts à se faire refiler n'importe quoi.

– J'irai d'abord à Chicago, puis à Saint-Louis, Missouri. En 1892, Saint-Louis est la quatrième ville américaine. 575 000 habitants, elle s'étend sur 32 kilomètres, le long du Mississippi. J'essaierai de vendre ma marchandise sur les marchés ; je ferai, aussi, avec ma petite carriole, la sortie des usines. La grande spécialité de Saint-Louis, ce sont les brasseries. Habité par nombre d'émigrants de souche allemande, Saint-Louis produit une grande partie de la bière qu'éclusent près de quatre-vingt-quinze millions de gosiers américains.

J'écoulerai mes marchandises, je nouerai des relations cordiales avec mes fournisseurs et, fortune faite, je reviendrai à New York, m'achèterai un magasin, à Bast Harlem, un magasin avec mon nom écrit sur les stores.

Et tu espères faire ta vie avec les quelques préservatifs que tu arriveras à vendre aux ouvriers des brasseries de Saint-Louis ? C'est pas ça qui va résoudre tes problèmes, Morris. Il faut que tu deviennes un homme. Un être humain avec des soucis d'être humain : des clients qui t'angoissent, des fournisseurs qui te harcèlent, une épouse qui t'excède. Un homme avec un ventre gonflé et rassurant, un front plissé et des sourcils en bataille, un homme nerveux et solide, à la vie consolidée par les colères d'une femme et les chavirements d'une boutique. Prends vite femme, Morris, car Dieu seul pourrait suivre un Juif dans ses extrémités complexes, quand son esprit n'est pas bridé par les emmerdements dispensés conjointement par une femme et par une boutique.

L'angoisse reprend Morris Gershovitz. Que va-t-il pouvoir écrire à ses parents ? Que, arrivé à New York, surexcité qu'il était par la vision de Manhattan et de la statue de la Liberté, il a laissé tombé, c'est la honteuse vérité, son chapeau dans les eaux de l'Hudson, et que, dans son chapeau, il y avait l'adresse de l'oncle Greenstein, le frère de sa mère, oh maman, je suis pire qu'un enfant, à l'heure qu'il est, l'oncle Greenstein doit se demander ce que peut bien fabriquer son andouille de neveu ?

De 1881 à 1914, près de deux millions de Juifs russes ont transité ou se sont installés à New York. Allez retrouver un Greenstein, dans tout ça. Les rues sont sordides, encombrées de voitures à bras, une population composite et laide court en tous sens, le monde entier s'est donné rendez-vous à Brooklyn. Ça circule vite, en tous sens. Les immigrants passent les uns à côté des autres, pas de temps à perdre à se regarder ou à se parler. Une agitation d'insectes, chacun se cramponne à une idée fixe, un boulot à trouver, une livraison à faire, un rendez-vous, quelque chose, peu importe quoi, mais un travail qui donne un but et permette de voir venir, au moins jusqu'au lendemain.

Le premier gratte-ciel de New York, le Washington Building, va bientôt être construit. Le style des constructions de Soho s'allège. New York change. C'en est fini du « Cast Iron », et de son imitation du gothique vénitien. On a creusé les trottoirs pour y mettre des lampadaires, les horloges ornent les façades, l'électricité se répand dans la ville.

La seule chose que voit Morris Gershovitz, c'est qu'il ne pourra jamais retrouver son oncle, dans une telle fourmilière. Que va-t-il bien pouvoir raconter à ses parents?

Et à Rose? La petite Rose Bruskin, à dix-sept ans, possède une voix de patronne de grand magasin. Elle est aussi belle que débrouillarde. C'est pour la rejoindre que Morris vient d'immigrer à New York. Pour elle et, accessoirement, pour échapper au service militaire tsariste, qui voulait lui prendre dix années de sa vie. C'était aller en Amérique, ou se couper un doigt.

Dès que j'aurai de l'argent, j'écrirai à mes parents. « Je me trouve actuellement dans Forest Park, une étendue verdoyante, comme je n'imaginais pas qu'il pût en exister dans une ville américaine. Bien arrivé, bien installé. Je me lance dans un nouveau métier, la coutellerie. Je vous envoie un peu d'argent, pas tant que je voudrais, car il faut du *guelt* pour renouveler le stock. Demain, je pars vers Kansas City, droit sur la prairie. »

L'Ouest. J'irai, dans un wagon bâché, vers quelque village du Middle West. Là-bas, je deviendrai chercheur d'or, ou alors je m'achèterai des bêtes, dans un coin isolé de l'Ohio. J'essaie de m'imaginer, essuyant ma sueur après une journée de travail bien fournie et, le soir, au bras d'une épouse lointaine et poilue, j'irai rendre visite à des voisins fermiers membres d'une secte au nom obscur, du genre frères moraves ou Amish...

Non, pas pour moi.

Autant aller directement à La Nouvelle-Orléans. Il lui reste un peu d'argent, quelques cents, il les joue dans une machine à sous, gagne de quoi prendre le train et s'en va retrouver un autre oncle, installé à La Nouvelle-Orléans. L'oncle Plitnicks écrivait des lettres enthousiastes et cha-virées aux Gershovitz de Russie. « Le conservatoire de La Nouvelle-Orléans possède les meilleurs professeurs du monde. Je vous assure que le Gewandhaus de Leipzig ne lui arrive pas à la cheville. » L'oncle Plitnicks passait en revue les équipements et les monuments de La Nouvelle-Orléans (Morris s'apercevra plus tard qu'il utilisait, pour ses descriptions, la dernière version du guide Baedeker), il les notait, les comparait aux pauvres réalisations humaines de la planète, et, de Russie, La Nouvelle-Orléans avait fini par devenir une espèce de ville sainte et parfaite, une émanation divine perdue dans le désert du monde.

Je quitterai New York. Je n'aurai plus besoin de rien, ni de Rose ni de mon oncle new-yorkais, je n'aurai plus besoin d'envoyer une lettre à qui que ce soit, j'oublierai jusqu'à ma mère et mes études de médecine, bêtement interrompues par un de ces numérus clausus que la Rus-sie tsariste institue à l'encontre des Juifs.

Cap donc vers La Nouvelle-Orléans.

La dernière chance avant l'Ouest et ses wagons bâchés. Le dernier endroit civilisé des États-Unis. Trois opéras avec orchestre, des salles de concert, un conservatoire de musique, et même, pendant un temps, entre 1830 et 1840, une société philharmonique noire. Trois villes améri-caines peuvent rivaliser avec La Nouvelle-Orléans : New York, Boston, Philadelphie. Charleston, Caroline du Sud, avait une vie culturelle raffinée avant la sécession. Mais la guerre civile en a fait une bourgade de province.

Morris ignore tout de la Louisiane et de sa capitale. Ses mythes, son passé, ses rêves, son code de l'honneur, en aurait-il entendu parler que tout cela l'aurait laissé indifférent. Il prend le train à Saint-Louis, à l'Union Station, gare récemment construite, grosse bâtisse aux allures de château fort. « Elle a coûté plus de cinq millions de dollars », écrit-il à son père.

Dans le train de la Southern Express, il n'y a qu'une seule classe, comme partout ailleurs sur les chemins de fer américains. Il se met à la recherche du wagon *saloon* le moins cher. Il y en a un, ignoble, banquettes démolies, velours sali, crin arraché, avec, dans un angle, un vieux poêle défoncé avec un tuyau de tôle. Les Noirs qui l'ont vu entrer ont commencé par rire (Morris n'imaginait pas que l'on pût rire aussi bruyamment), puis, passant du rire à l'insulte, ils lui ont intimé l'ordre de foutre le camp de ce wagon. « *For Negroes only, man.* »

Ces Noirs étaient chez eux, dans ce wagon.Une découverte. Morris Gershovitz vient d'apprendre qu'il est blanc. Être de race blanche, dans un pays comme les États-Unis, c'est plutôt une bonne nouvelle. Mais cette information, malgré le cortège de privilèges qu'elle fait entrevoir, lui laisse un drôle de goût dans la bouche.

Arrivé dans les faubourgs de La Nouvelle-Orléans, à Kenner, le train commence à ralentir. Tout le monde s'agite, parle en même temps, des coups sont échangés. Chacun veut sa part de fenêtre, du côté gauche du train. Et c'est pareil dans les *coachs*, les *sleepers*, les *tourist cars*, les *state rooms*, les *club cars* de ce train de la Southern Express. Avant d'arriver à la gare, le train longe une rue assez large, bordée de riches habitations à trois étages. Coupoles, rotondes, escaliers en marbre... Derrière les fenêtres, aguichantes, des putes. Les prostituées sont le premier spectacle que le voyageur a sous les yeux quand il arrive à La Nouvelle-Orléans. Il y en a partout, prenant des poses incroyablement obscènes.

Cette rue, située à sept blocs des eaux fangeuses du Mississippi, Morris Gershovitz ignore qu'elle s'appelle Basin street.

L'oncle Plitnicks s'était mis en ménage avec une Sicilienne toute brune, avec laquelle il avait monté un petit commerce d'images pieuses. L'oncle Plitnicks me fera entrer dans l'association, et nous partirons tous les trois vendre des images pieuses et des préservatifs aux Cajuns du bayou Barataria. Pendant que l'oncle Plitnicks préparera la marchandise, je baguenauderai avec la petite Sicilienne. Nous accosterons dans des endroits dont la sauvagerie a de quoi faire frémir. Les gens qui peuplent les bayous ont une peau rouge et l'haleine rance, ils s'appellent Achille, Ulysse ou Télémaque, ils parlent une langue incompréhensible, ils pêchent l'écrevisse et la crevette à mains nues, ils ont de dix à dix-sept enfants, et mes préservatifs seront à peine bons à servir d'aquarium.

Finalement, après avoir longuement hésité, Morris Gershovitz n'ira pas à La Nouvelle-Orléans. Trop loin et trop dangereux. Il s'enfonce dans ce coin de New York appelé Bowery, « la cité du vice ».

Il ne sait pas que, dans ce quartier de New York, dans un hôtel qui ressemble à celui dans lequel il s'apprête à louer une chambre, un musicien a trouvé une mort tragique, quarante ans auparavant. Complètement ivre, il a glissé contre la cuvette de la chambre, et sa tête a éclaté. C'était un jour de janvier 1864. Déboires conjugaux répétés, dettes, alcoolisme. Une longue chute, un désaveu infini de lui-même, et Stephen Collins Foster terminait sa vie dans une dernière et fulminante dégringolade dans l'alcool.

On lui doit les plus belles chansons du folklore américain : *Oh Suzannah, Swanee river, Mi Old Kentucky Home, Old Black Joe...* Stephen Foster est le plus grand, le plus doué, le plus sensible des compositeurs de chansons populaires américaines. Ses chansons racontent des histoires de Nègres, elles sont écrites sur une mélodie nègre.

Stephen Foster s'est illustré dans le genre « éthiopien », qui était à la chanson ce que les spectacles de *minstrels* étaient au théâtre. « J'ai décidé de signer mes chansons », écrivit-il à son père, ulcéré à l'idée que le nom des Foster figure au bas d'une musique de plantation. « Je poursuivrai dans le genre éthiopien sans crainte ni honte, et j'y consacrerai toute mon énergie. »

En rupture avec sa famille et sa classe sociale, Stephen Foster mena une vie de nomade, et rares furent les moments où il connut la paix avec les autres et avec lui-même. Aujourd'hui, sur la place de l'hôtel de ville de Pittsburg, une statue représente la célébrité locale : Stephen le transfuge est coulé dans la pierre, une main fraternellement posée sur l'épaule d'un Noir assis, qui joue du banjo.

Morris part à la recherche de son oncle Greenstein. Ses pas le mènent à Brownsville, un quartier de Brooklyn où vivent de nombreux immigrants juifs. Il y voit des Juifs orthodoxes, taillés comme des bouchers, qui marchent dans la rue, les mains posées sur les yeux de leurs enfants, pour que leurs yeux ne se souillent pas au contact des prostituées.

En plein centre du Lower East Side, c'est la grand'rue du monde juif new yorkais : Hester Street.

« De chaque côté de la rue, du poisson et de la volaille, des vêtements et du soda au milieu d'un essaim de femmes en perruque qui se bousculent, interpellant les vendeurs dans toutes sortes de dialectes. Les marchands ambulants chargés de rubans, de lacets et d'attaches diverses, emplissent l'air de leurs cris. »

Qu'ai-je en commun avec eux? (Cette question, de nombreux Juifs européens se la posent, quand, au détour d'une rue de New York, ils découvrent la crasse, la grossièreté et les manières de butor des Juifs polonais.)

Trois heures après avoir traversé le Brooklyn Bridge, Morris retrouve son oncle. Il écrit à ses parents. Il leur apprend qu'il a changé de nom, il s'appelle maintenant Morris Gershvin, et qu'il part à la recherche de Rose.

Gershwin

New York, Brooklyn, 1919.

Morris a poussé les assiettes dans un coin de la table, et recouvert le coin restant d'une nappe verdâtre. Et il a lancé, de sa voix d'archevêque : « Faites vos jeux ! »

Les amis des Gershvin sont arrivés en hurlant et on n'en n'était pas encore arrivé aux plateaux de bœuf et de veau bouilli – une vraie cuisinière, cette Rose, je ne me souvenais pas que tu cuisinais si bien – que le bruit des conversations a déjà doublé de volume. De quoi rendre sourds les poissons de l'aquarium, héberlués par l'exploit réussi chaque samedi par ce petit groupe d'humains : arriver à émettre un volume sonore si élevé.

Les conversations (si l'on peut encore appeler cela des conversations, parce que personne ne désire communiquer avec quelqu'un ni être entendu de quiconque) atteindront un point critique au moment du dessert.

Samedi, jour de poker chez les Gershvin. Deux tables, l'une pour les hommes, l'autre pour les femmes. Repas vite expédié, les femmes débarrassent, on retire les vestes et on joue. L'appartement des Gershvin, 144ᵉ rue ouest, Washington Heights est noyé dans le halo de fumée des cigarettes.

Aujourd'hui, les flambeurs râlent. Ils ont du mal à se concentrer, ils n'arrivent même pas à faire leur mise. Et cela, à cause du fils de la maison. George se croit tout permis. Morris aurait dû être énergique avec lui. Un bandit.

Il n'avait pas dix ans qu'il appelait les filles des bars par leur prénom, et il faisait le coup de poing dans les arrière-cours d'immeubles. Il aurait fallu que quelqu'un s'occupât sérieusement de lui, mais ce n'était pas ce pauvre Morris...

George a dix ans, et il a mis sa main dans la poche du pardessus de son père, et ils sont des dizaines de milliers d'immigrants juifs, qui avancent d'un même pas, dans les rues de New York. En ce 8 février 1908, la foule est calme et digne; ce jour-là, la communauté juive de New York accompagne au cimetière la dépouille d'Abraham Gold-faden. C'est le plus grand des compositeurs juifs d'opé-rette, il a mis en musique des livrets qui disaient le désar-roi de gentilles fermières polonaises, les pleurs de familles séparées par le départ du frère aîné vers l'Amérique, les soucis d'un père de famille...

George a quatorze ans et il travaille mal en classe. Il deviendra fourreur, dit le père. Non, affirme Rose. Qu'est-ce qu'il va faire? s'inquiète son père. Comptable, tranche Rose.

George joue déjà du piano, à ce moment-là; un mon-sieur du quartier, il s'appelle Goldfarb, l'a pris sous sa coupe. Goldfarb, dont le prénom s'est perdu, ne joue pas très bien, loin s'en faut, mais il met une conviction extrême dans son jeu. Il apprend à George à jouer l'ouver-ture de *Guillaume Tell*, avec des gestes immenses. En cette année 1912, George la joue, au cours d'une audition, devant un nommé Charles Hambitzer, professeur de piano.

Charles Hambitzer est un vrai professeur de piano. Il écoute jouer le petit prodige, et il est furieux. Il lui conseille, après l'audition : « Débarrassez-vous de ce monsieur Goldfarb. Tirez-lui dessus, à la tête. »

George a quinze ans, il suit des études de comptabilité. Mais il n'exercera jamais le doux et pacifique métier de comptable. Il traîne dans les rues. Braillard, aventureux, admiré de ses camarades. Qui pourrait penser, à le voir courir ainsi d'un endroit à l'autre, que les musiques de la ville s'impriment en lui, sans qu'il ait besoin de les noter, sans qu'il se donne la peine d'y réfléchir. Il y a quelque chose en lui qui se nourrit de musique, qui ne laisse rien perdre de ce qu'il entend, et qui traite la musique, comme dans une usine souterraine. George est une vraie éponge. Charles Hambitzer ne sait que faire de cet élève, si doué, mais si peu académique. « Il avait une faculté extra-ordinaire, un génie pour digérer chaque chose et utiliser ce qu'il apprenait pour sa propre musique », dira-t-il.

George a seize ans, et il est devenu démonstrateur de chansons *(« song plugger »)* chez Remick's, un magasin de musique, une des « affaires » les plus prospères de Tin Pan Alley.

Mose Gumble, propriétaire de Remick's, a les pieds sur terre, un cœur fragile et des ulcères à l'estomac. Pendant trois ans, George passe quelque dix heures par jour, enfermé dans une sorte de cellule, à frapper sur un clavier les airs de piano édités par la maison Remick's.

Chaque jour, des chanteurs, en panne ou en vogue, des musiciens, des danseurs, des journalistes, entrent chez Remick's. Ils viennent voir s'il n'y aurait pas une musique, une chanson, qu'ils pourraient chanter. Chez Remick's, George, qui vient de changer son nom de famille en Gershwin, a fait la connaissance de Fred Astaire, de Sophie Tucker, d'Irving Caesar, etc. Il commence à enregistrer des rouleaux de musique, et se met à composer des dizaines, des centaines de chansons : *Drifting Along With the Tide, When you want'em, you can't get'em, When you got'em, you don't want'em.*

George Gershwin aimerait aussi composer de la musique classique. Il faudrait pour cela qu'il étudie l'harmonie, la fugue, le contrepoint. « Pour quoi on te paie ? », hurle Mose Gumble. « Pour jouer, ou pour écrire de la musique ? »

Aujourd'hui, 15 juillet 1919, George, quatrième fils de la maison, a décidé de faire toucher à terre les épaules des amis de ses parents. Les invités de Rose et de Morris gueulent encore, mais il sent qu'il va les avoir. S'il arrive à les faire taire, il sait qu'avant deux ans New York se traînera à ses pieds. Allez, Moshé Minkelstein, donne de ta voix tonitruante, hurle, et toi aussi, Feigé Pisselbrücker, avec tes faux airs de petite baronne juive, hurle. Tes cris de chouette chatouillée par son hibou, je les adore depuis toujours. J'ai survécu à votre bon sens, à votre lucidité, à votre réalisme. D'où croyez-vous que me vienne la musculature de mes doigts? Après avoir travaillé son piano dans un merdier pareil, on ne craint plus aucun public, aucune salle de concert, aucune ambiance de première.

Il accélère son Mendelssohn. Pour voir les réactions. Rien. Toujours le même bruit de fond. Il décide de transformer le *Concerto* en *sol* mineur en mazurka. Aucun effet. Il pourrait leur jouer n'importe quoi, une sonate de Beethoven à la manière nègre, ou sur une jambe, à la manière d'un flamand rose, ils continueraient de caqueter. C'est qu'ils sont solides. Pour rien au monde ils ne s'arrêteraient de gueuler.

Après Mendelssohn, qui les intéresse autant que la vie de Jésus, il va leur jouer un morceau qu'il vient de composer. Du George Gershwin. Histoire de mesurer sur ce public, auprès duquel les fermiers du Texas ont des manières de comtesses, l'effet d'une chanson qu'il a écrite avec son ami Irving Caesar. Cette chanson s'appelle *Swanee*. Dotée d'une ligne mélodique d'une simplicité biblique, *Swanee* possède ce qu'il faut d'entrain, de rythme et de solennité pour débuter ou clore une revue. Inspirée par une idée folklorique du *Deep Old South*, elle s'inscrit dans la même veine sudiste que *Swanee River*, charmante mélodie pastorale écrite autrefois par Stephen Foster.

Les flambeurs auraient pu se donner la peine de résister plus longtemps. Il ne s'en est pas fallu de plus de deux couplets pour que les hommes d'abord, puis les femmes, quittent leur table de jeu. Les ventres remuent au rythme de *Swanee*. Le cou orné des femmes tressaute au rythme de *Swanee*. George exulte. Il n'y a que le théâtre yiddish qui les mette dans cet état-là. Ces soirs-là, Morris, rasé de près, se tient droit et plastronne, et Rose disparaît sous la poudre, les pendentifs et les bijoux. Ces soirs-là, Morris et Rose crachent leurs pépites, ils battent des mains, ils pleurent, ils rigolent, ils prennent les comédiens à partie.

Ne pleurez pas, parents, ne pleurez pas.

Morris s'est fabriqué un *kazoo* avec un peigne et il souffle. Il n'a plus aucune envie de jouer au poker. Depuis son arrivée à New York, il a été tour à tour gérant de restaurants, surveillant de bains russes, boulanger, propriétaire d'un magasin de cigarettes, maître nageur dans une piscine de la 42e rue, *bookmaker* à l'hippodrome de Brighton Beach. Morris Gershvin, homme vertueux, continue à tirer des plans sur la comète. Il vit dans les nuages, Rose est excédée, elle aurait pu quitter cent fois ce bon à rien, mais Morris est un innocent protégé par Dieu. Il est gai. Tout le monde adore venir chez lui. Il semble immunisé contre les amertumes et des insatisfactions de l'existence. Qu'il n'ait réussi en rien ne l'affecte pas. Il a quatre beaux enfants, des amis avec lesquels il joue aux cartes, et sa silhouette a su rester digne. Viens, ma Rose. Danse avec moi. Notre fils, George, a été un mauvais élève, il n'a jamais su ce qu'il voulait, et il dit rarement bonjour aux amis de la famille. Mais George est un génie. Un vrai, un authentique génie américain.

Cette chanson, *Swanee*, George l'a composée pour une revue qui est donnée en août 1919, au Capitol Theatre, l'un des grands théâtres de Broadway. Il a été prévu qu'au moment où les soixante girls se mettront à chanter *Swanee*, l'obscurité se fera sur la scène, et les spectateurs applaudiront les évolutions de cent vingt chaussures lumineuses.

Bon anniversaire George, vingt et un ans cette année, le 26 septembre 1919. Constellation favorable au-dessus de la tête, les astres veillent sur toi, et ce sera comme cela jusqu'à ta mort. La revue Capitol est un demi-échec, mais

Al Jolson a accepté de chanter *Swanee*. Ce fils de rabbin, vieux routier des circuits de *minstrels*, est, en 1919, l'une des grandes stars de Broadway. Il enregistre *Swanee* le 8 janvier 1920. Cette chanson se vend à 2 250 000 exemplaires dans le monde entier. Et elle rapporte, rien que pour la première année, quelque 10 000 dollars en droits d'auteur.

Musique de George Gershwin... Ces mots magiques, qui font rêver les chalands ou crever de jalousie des centaines d'aspirants compositeurs, brillent l'année suivante au fronton de six théâtres à la fois. Broadway...

Comment survivre, comment travailler à Broadway, au milieu de ces personnalités dérisoires, directeurs de salles, éditeurs, commanditaires, scénaristes, artistes, capables de générosités infinies et, le jour suivant, la seconde suivante, de toutes les scélératesses? Broadway regorge de types fantastiques, Broadway regorge de minables, et, à un mois près, ce sont souvent les mêmes. Des types prêts à étriper leur semblable pour un dollar, et prêts à miser leur dernier dollar sur une idée, une lubie, une chimère. La force de Broadway, c'est d'être en avance sur l'univers. Broadway a accepté avant tout le monde l'idée que la vie n'était rien de plus qu'une cascade de leurres, de simulacres, de glissades, un music-hall, une suite de chutes et de renoncements. A Broadway, on apprend à posséder une limousine, à s'en séparer, et à en ouvrir la porte à son nouveau propriétaire, en uniforme de chasseur. Quand on sait faire cela, rien ne vous résiste. A Broadway, les menteurs inventent des vérités universelles, les vulgaires imposent leurs manières de vivre au monde entier, les cyniques deviennent les personnalités les plus émouvantes du siècle.

Broadway a ses gardes suisses et ses princes. Alex A. Aarons est un prince. En apparence, rien ne le distingue des autres producteurs de Broadway. Né en Allemagne, à vingt-deux ans il possède déjà une chaîne de magasins de vêtements. Alex s'est lancé dans le théâtre sans rien y connaître. Bourré d'idées, ne craignant aucune innovation, Alex A. Aarons crée la revue moderne, fondée sur un thème conducteur qui lie des chansons, des danseurs, et un orchestre. Il mélange aussi les personnages classiques du vaudeville américain. Chinois cracheurs de feu, Italiennes aux yeux noirs, Noirs chassant l'opossum à la lueur des torches, personnages de galants italiens ou de « hogs », Américains mal élevés, pieds posés sur leurs bureaux, avaleurs de pépites et buveurs d'eau glacée. Il veut que, sur la scène de son théâtre, on entende toutes les musiques de New York.

Il lui faut juste un compositeur. Alex a été l'un des premiers à pressentir que le petit Gershwin de Brooklyn était doté d'un appétit musical illimité, d'une audace à toute épreuve, d'un instinct aussi ferme que du silex, et d'une merveilleuse inconscience. Le producteur piqué de théâtre et le compositeur, vont donner à Broadway ses spectacles les plus populaires de la décennie : *Lady Be Good, 1924, Tip Toes, 1925, Funny Face, 1927, Pardon my English, 1933.*

George Gershwin est devenu prince archevêque de Broadway. Il n'en est plus à placer ses chansons, ici ou là. Ce n'est plus un pigiste musical, fût-il de luxe, mais un rédacteur en chef qui écrit la musique de revues, de comédies musicales, de spectacles. Entré dans la mince phalange des grands de Broadway, Jérôme Kern, son idole de toujours, Irving Berlin, Vernon Duke, il peut maintenant imposer ses conceptions musicales et déplacer les lois du genre.

Rien ne l'arrête. En 1919, il écrit un début d'opéra, *Blue Monday*, ébauche de ce que sera plus tard *Porgy and Bess*. Son producteur (un nommé George White), voulait un spectacle de *minstrels*, avec Al Jolson dans le rôle principal. Gershwin désirait une histoire qui sonnât vrai. Une vérité outrée, excessive, à la manière du vérisme italien. *Blue Monday* se passe dans un bar au coin de la 135e rue et de Lenox Avenue. Une femme tombe amoureuse d'un joueur de cartes professionnel... Pas de personnages grimés, Gershwin ne veut, pour son opéra, que des comédiens noirs.

La force de la musique noire, la force de vie qui arrive

de ce monde-là, tout cela cogne au cœur, aux tympans de
Gershwin. Depuis quatre-vingts ans, les compositeurs
américains de musique légère ont puisé dans la vie des
Noirs, pour en faire un sujet de comédie. George Gershwin pressent qu'il y a, dans la vie des Noirs et dans leur
musique, matière à écrire des œuvres durables. Les
Noirs, avec leur langage, leur manière d'exprimer leurs
passions sur un mode physique, sont modernes.
L'amour humain pourrait bien n'être qu'un appétit, une
chose physique, ne touchant l'âme que par accident.
Oui, si l'amour se réduisait à des rapprochements de
peau, à des élans, à des intérêts? Le langage musical
doit évoluer. Il faut une musique où ces choses soient
dites telles quelles, sans litotes, sans périphrases. A
amour moderne, musique moderne.

A-t-il fallu qu'il inhale l'ambiance de ces années, qu'il
plonge comme un ange dans son époque? Gershwin, *won-
der boy*. Cuisinier en chef de la musique américaine. Un
fumet de vulgarité, un parfum de mauvais goût, une
immense réserve d'innocence et de candeur, un fol amour
de la musique, un sens inégalable de la composition, c'est-
à-dire du mélange. Tu es un équilibriste, George, un
magicien, un hyper-sensible, un médium. Tes chansons,
comédies musicales, concertos, œuvres symphoniques,
opéras ne se contentent pas d'aller à la rencontre de
l'oreille américaine. Elles y sont chez elles, comme à la
maison.

En 1924, George Gershwin compose *Rhapsody in
Blue*. Plus tard encore, *Porgy and Bess*. Quoi qu'il
écrive, chanson ou opéra, il a compris qu'un musicien,
c'est peut-être avant tout un crieur, un type perdu dans
les rues... « Le jazz, c'est de la musique », écrit-il. Il utilise les mêmes notes que Bach. Quand on joue du jazz
ailleurs que chez nous, on parle de jazz américain. Dans
un autre pays, le jazz sonne faux. Il est le résultat d'une
énergie qui a été emmagasinée en Amérique. C'est une
musique très dynamique, bruyante, tumultueuse et
même vulgaire. »

A vingt-deux ans, George Gershwin est riche. Quand il n'écrit pas de la musique, il sort, il adore les mondanités, et il va ensuite se détendre en famille, chez Morris et Rose, ou alors dans un bordel. Il a toujours adoré ces endroits-là, les bordels sont l'un des seuls lieux où il sent, comme un poulpe, la vie qui bat en lui.

Fats Waller à Park avenue

Park Avenue, février 1924.

« Mon cher George, je vais te dire le fond de ma pensée, et surtout, ne te récrie pas. Ta modestie est maladive
et prétentieuse, et elle nous tape sur les nerfs. Ce que tu
viens de réussir, aucun romancier n'aurait pu le faire. Un
peu de silence, s'il vous plaît. Quelqu'un peut-il aller
demander à notre pianiste de couleur de s'arrêter de
jouer ? Je reviens à toi, mon petit. Pour simplement te
dire que dans ta musique, j'ai entendu la voix de l'Amérique. Toutes ces voix que Dieu a réunies ici, et qui font
(trémolos dans la voix de Mrs. Williams) que cette terre
est notre terre *(applaudissements des invités).* »

Quand on est une New-Yorkaise friande de voyages
en Europe, que l'on a su attraper au vol un époux dont le
Who's who s'épuise à relever les activités, que l'on est
doté d'une sensibilité irritante mais sympathique, et que
l'on est harcelé par la peur de mal faire et de ne pas être
au fait de ce qui sort (« Ce Stravinsky, mon cher George,
est-ce vraiment important ? »), on peut espérer prétendre
au rang d'amie des artistes.

Mrs. Harrisson Williams ne pouvait pas laisser George
tout seul, ce soir, après ce petit concert. Elle a invité quelques amis, rien qu'une petite fête intime, pour fêter la
première de *Rhapsody in Blue*, à l'Aeolian Hall.

Du beau monde ? oh non, ne dites pas ça, tous les gens
que Mrs. Harrisson Williams reçoit ce soir dans son éton-

nant appartement de Park avenue (l'un des premiers dans lequel il se trouva tout à la fois du chauffage, de l'éclairage électrique, de l'eau chaude dans les baignoires, des téléphones, des ascenseurs électriques et des closets) sont des êtres sympathiques, charmants et si enfantins.

De ce que l'on a entendu le soir même à l'Aeolian Hall, *Rhapsody in Blue*, musique de Gershwin, arrangement orchestral de Fred Grofé, Mrs. Harrisson ne pourrait pas ajouter grand chose à ce qu'elle disait tout à l'heure : la musique de *Rhapsody in Blue* était américaine et *up to date*. Elle n'oserait pas, devant tout ce monde, dire que, en l'écoutant, elle s'était sentie devenir intelligente et artiste.

Pour l'époux de Mrs. Williams, les choses sont plus simples. A ce concert, il lui a semblé qu'il s'ennuyait moins qu'habituellement. Il a applaudi, au milieu des autres invités, le discours de bienvenue que sa femme a adressé au héros de la soirée, un gentil garçon, ce M. Gershwin. Il se promène maintenant autour des serres ornées de marbre. Les bribes de conversations qu'il perçoit lui paraissent confuses et appliquées.

Toutes ces personnes autour de lui ressemblent à des coqs cherchant des graines sur un champ qu'ils viendraient de retourner. M. Williams n'aurait donné sa place pour rien au monde, et sa place est de vendre de l'électricité aux trois quarts des États américains.

– La musique de la *Rhapsody* est simple, comme tout ce que fait George, dit une voix. Quel incroyable coup de bluff, ce *glissando* qui ouvre l'œuvre, comment a-t-il pu avoir cette idée de commencer par un *glissando* de clarinette, qui s'étire, qui se déchire, sur toute la tessiture de l'instrument ?

– George est jazz, répond en écho une voix de grosse blonde. Cette clarinette, c'est une étoile filante, une entrée de jeu triomphante, adroite, tellement roublarde...

Pendant que ce beau monde pérore et « banquette », la main gauche du pianiste noir va et vient dans le bas du clavier, avec une régularité d'horloge et un singulier entêtement. Une voix acide, étonnamment grêle pour un corps si lourd, se fait entendre, au-dessus du grondement des basses de sa main gauche : « *Chinese, chinese* », hurle-t-il. Il s'en prend à un petit groupe d'invités. Sa cuisse gauche, une montagne de graisse secouée par le rire et le jazz, va d'avant en arrière, avec un curieux mouvement de guingois. Son pied, en même temps que la pulsation du morceau, semble dessiner un territoire invisible, juste en dessous du clavier. « Putain de musicien » n'aurait pas manqué de dire un amateur de jazz, s'il s'en était trouvé un dans cette soirée. Ces « putains de musiciens », les grands parmi les grands, les amateurs de jazz les reconnaîtraient rien qu'à la manière dont leur pied souligne le tempo.

George Gershwin, dans un coin de la pièce, parle avec un journaliste. Il lui ressort l'anecdote qu'il a préparée. « J'étais dans le train, avec son rythme d'acier, son bruit cliquetant, qui si souvent stimule les compositeurs, lorsque soudain j'entendis (je vis même sur le papier) la complète construction de la *Rhapsody* depuis le début jusqu'à la fin. Lorsque j'atteignis Boston, j'avais déjà un plan défini de la pièce, distinct de sa substance. »
Il essaie de pas prêter attention au pianiste noir, mais comment arrive-t-il, mon Dieu, à faire entendre autant de musique simplement avec deux mains ? Balancement de la main gauche. Précise, nerveuse, vivante. Au-dessus, la main droite : libre, indépendante. Elle joue avec la main gauche, décale le rythme, s'échappe. Un vrai orchestre. Le pianiste s'appelle Thomas « Fats » Waller.
Gershwin avait déniché « Fats » Waller dans un cabaret de Harlem. Fats a tenu à venir accompagné de deux autres pianistes noirs, James P. Johnson et de Willie Smith. Les trois pianistes noirs sont arrivés ensemble dans l'appartement de Mrs. Harrison Williams. « Le palais des Mille et Une Nuits », siffle Fats Waller, et son œil n'a quitté la collection de tapis orientaux, qui conduisait le visiteur du vestibule jusqu'au salon, que pour contempler les quatre-vingts kilos de langoustes qui attendaient l'attaque des invités, sur leur buffet. Jusqu'au

dernier moment, Mrs. Harrisson a eu peur qu'ils ne viennent pas. On ne sait jamais sur quel pied danser, avec les Noirs, depuis qu'ils sont devenus les coqueluches de New York.

« Que messieurs les flics et les avocats sortent un moment », lance Fats Waller, en déposant son arsenal de bouteilles de gin sur le piano.

Légèrement en retrait de lui, le plus maigre, et aussi celui qui semble le plus âgé des trois, regarde droit devant lui, comme pour montrer que les invités de Mrs. Williams lui sont indifférents. Autant Fats Waller va au-devant des gens, autant James P. Johnson est farouche. Il est le maître d'un style qu'il a créé et qui s'appelle le piano *stride*. James P. Johnson joue du piano avec une majesté innée et inimitable. Et il n'ignore pas que tous ceux qui sont là ce soir, d'Irving Berlin à Gershwin, sont à l'affût. Qu'il joue trois notes, qu'il explique comment il s'y prend, et ces gens du *show business* en feront une chanson. A eux la gloire et le fric. Que Fats soit jovial, ça le regarde. Lui, il est méfiant, attentif à ce qui lui arrive, toujours sur le qui-vive, maître de son temps et de ses œuvres. Et c'est comme cela que l'on fait une carrière. En travaillant sans à-coup. Et en se faisant payer pour son travail. A Harlem, James P. Johnson jouit d'un respect immense, parce que, dès 1920, il a obtenu des éditeurs de la QRS Piano Roll Company qu'ils lui donnent cinquante dollars d'avance, pour chaque rouleau de piano qu'il enregistrait.

Sérieux et obstiné, James P. Johnson écrira plus de deux cents thèmes et chansons dont l'une, *Charleston*, lui apportera fortune et célébrité. En 1925, il sera l'un des premiers musiciens noirs à écrire des comédies musicales. En 1930, il composera de la musique symphonique.

Chapeau melon sur la tête, énorme cigare aux lèvres, le troisième pianiste se taille un franc succès, en expliquant à tous ces gens pour quelle raison les musiciens l'appellent « The Lion » : « Mon prénom est Willie parce que mes parents m'ont appelé William, mon nom est

Smith, parce que les propriétaires de mes arrière-grands-parents n'avaient pas le temps de chercher des noms originaux pour leurs esclaves, et " The Lion ", parce que je suis hébreu, et que je porte les couleurs du Lion de Judée. »

Mrs. Harrisson anime ses « petites fêtes intimes » à la perfection. Mais quelle inquiétude, derrière sa maestria d'animatrice de camp scout...
– Qui se dévoue pour conduire notre George vers son piano ? Je sais, mon petit, tu détestes jouer en public. Gros timide. Mais tu n'as ici que des amis. George, tais-toi. Eh bien, que vas-tu nous jouer ? Chers amis, *The man I love*. Il vient de composer, comment dis-tu ? Une aria, une mélodie... Une chanson. Va pour chanson.
Beaucoup de monde, autour du piano. Paul Whiteman, Irving Berlin, Jerome Kern, Leopold Godowski, concertiste classique et beau-frère de Gershwin, et bien d'autres encore, auteurs de chansons et éditeurs, plus obscurs, mais tout aussi riches. Et puis, Fritz Kreisler, Serge Rachmaninov, Leopold Stokowski, Jascha Heifetz, John Philipp Sousa – compositeur de l'hymne national et de toutes les grandes marches des musiques régimentaires américaines – Fanny Hurst, Walter Damosh... Et des personnages indéterminés, que Fats Waller appelait tout à l'heure les Chinois. Ceux-là s'adonnent à leur activité de prédilection : ils parlent français. Bougeant peu, si ce n'est pour rectifier une position. Certains essaient de claquer dans leurs doigts, comme ils le voient faire des autres invités. Avec plus de maladresse encore que les autres.
George Gershwin n'a pas terminé les trente-deux mesures de *The man I love* que Willie Smith s'installe d'autorité à côté de lui. Et il lui lance : « Vire-toi, ma poule. »

Belle idée, ces petits Noirs, bons musiciens, sans doute, à voir la tête décomposée de George. Peut-être vont-ils jouer toute la nuit ? Tu es la plus inventive des maîtresses de maison, ma chère Harrisson (quelle bêtise, ces préjugés raciaux; on gagne sur toute la ligne quand on est capable de passer au-dessus).

Les professionnels du *show business* se sont précipités sur les trois musiciens noirs. Ils les assaillent de questions : « Savez-vous lire la musique ? Où donc êtes-vous nés ? Ces salauds de Sudistes vous persécutent-ils encore ? Comment faites-vous pour vous débrouiller dans la jungle du *show business* ? »

James P. Johnson dira plus tard : « Je me méfiais. A ces parties, on nous prenait pour des professeurs. Les célébrités du *show business* essayaient de nous tirer les vers du nez, ils voulaient comprendre d'où venaient nos idées et comment nous nous y prenions pour arranger nos morceaux. Moi, je ne disais rien... Quand Fats Waller se mettait à boire, il pouvait jouer pendant des heures, sans que rien d'intelligible ni de sensé sortît de sa bouche. Et Willie (" The Lion " Smith), c'était encore pire. Une vraie carpe. Rien ne l'indisposait autant que de parler. »

Fats Waller. Une furieuse joie de vivre, un rire énorme. Il s'empiffre, avec tout ce qu'il trouve. Il mange comme dix, boit comme personne. Il suffit qu'il entre dans une pièce pour que la bonne humeur s'y installe. Louis Armstrong : « Fats donnait du bonheur à tout le monde, mais il ne pensait pas à en donner à lui-même. »

En 1924, Fats est organiste au Lincoln Theatre de Harlem, accompagnateur de chanteurs de revues et de chanteuses de blues (Alberta Hunter, Hazel Meyers, Bessie Smith). Il compose, avec le parolier Andy Razaf, des chansons à succès qui deviendront des standards du jazz (*Ain't Misbehavin'*, *Honeysukle Rose*, deux des plus grands succès de l'histoire du jazz, qu'il laissera à un éditeur contre cinq cents dollars ; *Ain't Misbehavin'* et *Honeysukle Rose* auraient pu lui rapporter des centaines de milliers de dollars en droits d'auteur ; de ne pas toucher de royalties pour ces deux morceaux le rendit fou jusqu'à ses derniers jours).

En cette année 1924, la carrière de Fats Waller prend son envol. Pianiste et chef d'orchestre, Fats a enregistré des rouleaux de piano mécanique, puis une quantité industrielle de disques. Les tournées (il vint en Europe en 1932), les disques et la radio consacrèrent son succès auprès du grand public. Fats fut l'un des premiers musiciens de jazz à devenir une immense vedette populaire.

Le soir, il joue, mieux que quiconque, et il n'a pas vingt ans. Des femmes, certaines très belles, d'une beauté chaude, sensuelle, bougent, imperceptiblement.

— Je suis le meilleur pianiste du monde, dit Fats Waller, tout en jouant. Je suis le meilleur, je viens tout de suite après James P. Johnson, bien que, certains soirs, je sois vingt fois meilleur que lui.

Fats accentue les effets, s'attarde sur les syncopes, passe du *pianissimo* à un innommable *forte*. Il s'attarde sur une note, et toujours cette main gauche, portée par ce bras énorme, que rien n'arrête... Il sent que les mouvements de ces femmes se lisent à son rythme. Elles bougent, avec bonne volonté et douceur.

Il en rajoute, par petites touches. Elles accompagnent leurs mouvements de petits cris de mouettes. Il adore ça. Que les femmes bougent, pendant qu'il joue... Elles lui renvoient ce qu'il leur donne. Il les regarde, ses yeux passent de l'une à l'autre. Chacune a son rythme, sa manière à elle de dire son plaisir. Une sensualité tranquille émane de tout leur être. Peau diaphane, transparente. Le monde est *stride*, régulier, harmonieux, sec. Ces femmes se meuvent avec une infinie retenue. Mais ce sont leurs yeux, surtout, que Fats Waller regarde. Des yeux de femme riche... Il y a tant d'amour, dans les yeux d'une femme riche. Toutes ces femmes ne demandent qu'à se donner à lui. Il n'avait jamais senti avec autant de force à quel point la musique le lie aux femmes.

— Un petit peu de *thé*, jeune homme?
— C'est à ce Nègre que vous parlez?
— Vous êtes célèbre, Mr. Fats Waller, lui dit Mrs. Harrisson Williams.
— Je m'appelle bien Waller, Mrs. Williams, tout comme mon père. Mais Fats, non. Je suis à peine plus gros qu'hier.

– Mrs. Waller, lui chuchote Mrs. Williams, ce n'est pas du thé, mais du vieux scotch, puisé directement dans ma réserve personnelle. Grand Old Bourbon, Kentucky.

– Désolé, Mrs. Williams. Fats et moi ne buvons que de l'eau.

Fats Waller est ivre. Comme tous les soirs, comme tous les matins. Tous les jours depuis ses seize ans jusqu'à sa mort. Un instituteur a demandé un jour au fils de Fats Waller ce que faisait son père : « Musicien de jazz, répondit l'enfant : il ne fait rien et il boit du gin. » La seule fois où Fats Waller n'a pas bu, c'était dans un train, qui le menait avec ses musiciens vers un club, près de Kansas City. Un peu fatigué, Fats a refusé de prendre la bouteille qu'un musicien lui tendait. A ce moment-là, raconte-t-on, les musiciens de l'orchestre se sont mis à pleurer. Fats Waller devait mourir dans la journée. Cela se passait le 15 décembre 1943, et il avait trente-neuf ans.

Fats joue. Il parle et s'esclaffe. Vive le gin. *Grandfather*! C'est le nom que Fats a donné à sa bouteille de gin, qui ne le quitte jamais. Ne me laisse pas tomber, *Grandfather*. Je sais que je peux compter sur toi. Enflamme-moi. Ne me lâche pas. Ceins-moi. Donne-moi la force de parler, et de jouer, et rien d'autre, la force d'aller jusqu'au bout de la soirée, sans avoir à leur répondre. Hey *Grandfather*, vieil ancêtre, tu dois t'occuper, ce soir encore, de Fats Waller. Ne l'abandonne pas, Fats va te dire une chose, *Grandfather*, c'est que lui, il ne t'abandonnera jamais.

Harlem n'était pas encore un quartier habité par des Noirs quand Edward Martin Waller et sa femme Adeline Lockett vinrent s'installer à New York. La grande majorité des Noirs habitaient alors un coin appelé la South Fifth avenue, dans Greenwich Village.

Les Noirs étaient alors peu nombreux à New York, qui n'était alors pas tant la cité en plein essor que l'on imagine qu'une ville balbutiante, souillée par le vandalisme. On attaquait au canif des bancs des jardins publics, on arrachait les balustrades des hôtels, on lacérait les sièges des wagons du métro. Les bancs des jardins étaient enlevés pour en faire des battes de *base-ball*, on incendiait les maisons pour toucher une minuscule prime d'assurance, ou simplement par négligence, parce que l'on se servait n'importe comment des réchauds à gaz. L'Amérique possédait le record du monde par tête d'habitant des accidents ferroviaires et routiers. La presse venait de lancer une campagne pour combattre cet état d'esprit, connu à l'époque sous le nom de : *Let Joe do it* (Je m'en branle, Joe le fera à ma place).

Pour les habitants de l'État de New York, toute cette absence du plus élémentaire des sens civiques n'était pas imputée aux Noirs, mais aux *dagoes*, aux immigrants. Au début du siècle, à New York, mieux valait être un *Negro american* qu'un *Hungarian american*, qu'un *Irish american* ou qu'un *Italian american*. Si certains hôtels étaient interdits aux Juifs, il était encore rare qu'ils le fussent aux Noirs.

« *White trash.* » La racaille blanche. C'était le nom que l'on donnait aux Irlandais et aux Italiens, dans la famille Waller, une famille où l'on croyait que les Blancs n'étaient bons qu'à faire des gangs ou des voyous. Edwin Waller ne manquait jamais l'occasion de remarquer l'oisiveté des terrassiers italiens, quand il quittait son oratoire pour s'en retourner déjeuner chez lui. La manière dont ces Italiens engloutissaient leur repas, invariablement composé de fromage, d'oignons, d'une pomme et d'une banane, était un sujet de plaisanterie, à la table des Waller. Edward Martin Waller, père de Thomas, diacre de l'église abyssinienne de Harlem, était un vrai Américain. Pour son repas de midi, il ouvrait son thermos de café, mangeait sa tranche de pain mou, mal cuit, des morceaux de viande fraîche, des cornichons, et une tourte épaisse, accompagnée de pain d'épice et de concombres.

La famille Waller habitait alors un coin de Greenwich Village appelé San Juan Hill (où est né plus tard Thelonious Monk), qui fut le berceau du *stride* piano. Quand Mr. Waller père vit arriver en masse les immigrants italiens, puis les Irlandais, il sut que c'en était fini de la tranquillité. Et de fait, suivant en cela ses plus sombres prédictions, ce quartier devint vite impossible à vivre. C'est alors que les Waller vinrent s'installer à Harlem.

L'un des invités a sorti une pièce de cinquante cents, et il la dépose sur le piano, juste devant les yeux de Fats Waller. En proie à l'ébriété, il s'adresse à lui, avec un accent nègre du Sud profond.

— Pou' cte g'osse badoche de prop'iétai'e, dit-il, et toutes les personnes présentes ici, cherchent dans leur poche des pièces de cinquante cents.

Ils veulent jouer à la *rent party*. Comme à Harlem où, pour réunir la somme nécessaire au loyer, les locataires organisaient des petites fêtes, dans lesquelles, moyennant la somme de cinquante cents, les invités venaient se régaler, toute la nuit, avec des pieds de cochon et du poulet frit, en écoutant du piano *stride*. Cinquante cents, multipliés par le nombre d'invités, et l'instigateur de ces *parties* parait à l'angoisse du loyer à payer.

— *Hey Chineses,* lance Fats, avec l'impudeur de ses vingt ans. Je viens de vous jouer *Carolina Shout*, composé par Mr. James P. Johnson, ici présent. Croyez en l'ivrogne le plus jeune et le plus digne de foi de cette assemblée. C'est un exploit. Vous n'avez pas idée de la pétoche que ça fait, de jouer *Carolina Shout* devant James P. Johnson. Ce monsieur n'a donné des leçons de piano qu'à un seul élève : moi-même. Harlem s'incline devant lui ; allez Park avenue, *Hey Chineses*, chapeau bas, devant le grand James P. Johnson.

George Gershwin face à Fats Waller.
Gershwin : beau et grand jeune homme, élancé, ambitieux, tendu vers la réussite. Il a séduit les belles femmes de l'époque, de Simone Simon à Paulette Goddard. Ce musicien à qui tout réussit écoute jouer Fats Waller, lui aussi en passe de devenir une des grandes vedettes populaires issues du jazz.

Fats Waller, six ans de moins que Gershwin, a été initié par James P. Johnson à la tradition des *ticklers*, ces pianistes capables de jouer les mélodies à la mode, d'accompagner les chanteurs, de chanter leurs propres morceaux. Fats Waller sera bientôt une star de la chanson pesant quelque 72 000 dollars par an.

Fats Waller a commencé sa carrière en accompagnant des vaudevilles. Puis, il a été l'un de ces musiciens noirs qui ont plongé à fond dans l'industrie du disque. Il possède un répertoire immense, il sait lire la musique, et, avec ses 285 livres, ses joues rondes et son chapeau melon, il est le type même du musicien recherché par les producteurs de disques.

En ce temps-là, le producteur prenait contact avec un musicien, et celui-ci réunissait un ensemble. Eddie Condon, banjoïste né dans l'Indiana, a été l'un des premiers musiciens blancs à organiser des séances d'enregistrement pour les compagnies de disques. En 1929, il est allé chercher Fats Waller, pour la Victor Records.

– Ils veulent t'enregistrer, à deux conditions : que tu sois à l'heure et à jeun.

– C'est merveilleux, répondit Waller. Buvons un coup de gin et reparlons de ça.

Gershwin écoute jouer Fats Waller. Avec un sens critique aiguisé comme une pointe. Cette main gauche marmoréenne, des intervalles de dixième, des brisures, suspensions et décalages rythmiques, et un phrasé de main droite, tout en délicatesse, à la limite du précieux. Du piano pur, du piano pour le piano. Ébloui : impeccable. Avec cet amour de la performance physique propre aux Noirs, un désir naïf et désarmant d'épate et, aussi, une certaine complaisance devant les prouesses techniques vertigineuses qu'exige ce style.

Mais Gershwin ne peut pas ne pas entendre que, en plus de tout cela, derrière tout cela, il y a de la musique. *Carolina Shout*, qui avait fait dériver le ragtime vers le piano *stride*, est une merveille musicale, un morceau d'anthologie, un vrai joyau.

Et, alors qu'on le fête, que tous ici contemplent « le génie authentiquement américain », le génie en question, George Gershwin, l'un des musiciens les plus adulés du xxe siècle, sent s'installer en lui cette morsure qu'il connaît bien.

Belles dents de carnivore, George, mais au-dedans, une haleine douteuse. Qui es-tu? Quel est le véritable ressort de ton talent? Es-tu vraiment le grand musicien que tout le monde, ici, dévore des yeux? Chienne d'inquiétude, soudain... Comme un éclat. Le talent? Il est possible qu'il en ait, oui, ma chère Harrisson, j'écris de la musique qui plaît aux foules et dont quelques-uns des musiciens que tu as réunis ici ce soir reconnaissent et envient les qualités.

George Gershwin est aimé, ou respecté (on sait que Ravel, devant qui Gershwin se présenta pour prendre des leçons, l'éconduisit poliment, en lui disant que c'était à lui Ravel, d'apprendre à écrire une musique qui rapportait tant d'argent). Ils sont tous à ses genoux. Ils se demandent comment il s'y prend pour écrire des mélodies si charmantes. Ils aimeraient faire pareil, disent-ils. George Gershwin? Pourri de dons mais un peu facile, disent les grincheux. Mais peut-il se prévaloir longtemps de cette admiration? Qu'en restera-t-il? Nietzsche préférait Bizet à Wagner. Offenbach fut, lui aussi, un musicien adulé. Qu'est-ce que tu veux, George? Tout : la gloire et l'estime, la volupté des foules et le respect des maîtres, tu veux être à la fois superficiel et profond.

Comme on aimait Bizet et Offenbach... La musique de Fats Waller rouvre la plaie. Ce type joue de la vraie musique... Pourquoi te faire du mal, George? Parce que ton orgueil souffre de la comparaison? Ou parce que tu tiens à montrer qu'en plus de tous tes dons, tu possèdes la délicatesse et l'humilité qui te permettent de reconnaître les vrais maîtres?

Tu es riche, George. Riche, célèbre et aimé. Que tu préfères la compagnie des putes à celle des bourgeoises, on peut le comprendre. Tu écris de la musique merveilleuse. Plus précisément, tu possèdes une qualité inouïe, rarissime! tu es original. La musique que tu écris, personne, ni Ravel, ni Schönberg, ni Stravinsky, ne serait capable de la concevoir. Quelle est alors la raison de cette acidité qui ronge la paroi de tes intestins?

L'impression de ne pas aller au fond des choses. Trop

de facilité, tu te laisses glisser, happer par trop de miroirs. Il te faut les applaudissements, ils te rendent ivre, mais ils n'arrivent pas à étancher ta soif. Tu es insatisfait. A l'écoute de Fats Waller, tu fulmines de jalousie, tu es un enfant pris en faute. Le talent de Fats Waller pousse droit. Le tien est tordu, fait d'emprunts divers. Tu es la pieuvre la plus géniale de la musique du xxe siècle, mais tu sais qu'il n'y a pas de quoi être fier de la grandeur de tes tentacules. Écoutant Fats Waller, tu viens de te rendre compte que tu n'es pas un compositeur de jazz. Tu te sers du jazz, et tu te serviras de tout ce que tu trouveras sur ton chemin. Tu aurais peut-être voulu être un peu plus créateur, et un peu moins emprunteur...

Quels rapports ta lucidité, dont tout le monde s'accorde à dire qu'elle a partie liée avec ton intelligence, alors qu'elle aurait plutôt à voir avec ce qu'il y a de plus insaisissable dans ton instinct, entretiendrait-elle avec ta mélancolie?

Un artiste a généralement tendance à ne se croire jamais assez aimé. Mais le problème de Gershwin, c'est qu'il l'est trop; et mal. Les louanges qu'il recueille sont démesurées, il le sait. Elles renforcent quelque chose de profond en lui, dont il ne peut se débarrasser. Le ressort même de son mal est un incurable sentiment d'imposture. Pour s'en débarrasser, il n'a de cesse de chercher un maître. Oui, un maître. Un vrai professeur de musique, qui lui apprendrait les règles de l'écriture musicale, mais aussi auprès de qui – sens caché de sa démarche – il confesserait sa petitesse musicale. Gershwin a besoin d'avouer qu'il ne sait pas.

George Gershwin cogne aux murs. Sa singularité, que tout le monde admire, lui apparaît illégitime, venue de nulle part, et elle le conduit devant des maîtres auprès desquels il ne peut que se sentir déficitaire. Ces musiciens de jazz sont des maîtres. Capables d'improviser des mélodies qui valent mille fois *Lady be Good* ou *The man I love*.

Ou sans aller jusqu'à des maîtres, il lui faudrait aller voir quelques grands professeurs de musique. Des musiciens qui ont appris la musique dans les règles. Des musiciens qui ne bousculent rien, mais qui perpétuent, transmettent et prolongent. Avec, dans leurs armoires, des partitions, rangées et bien ordonnées, des cahiers de musique noircis à la main. Ils ont fait travailler leur oreille, ils ont aligné des kilomètres d'exercices d'harmonie et de contrepoint. Ils ont exploré un domaine, ils sont allés au bout du chemin.

Toute sa vie, George Gershwin a voulu prendre des leçons de musique. Il a collectionné les professeurs, comme d'autres des voitures de luxe. Non sans quelque désillusion, d'ailleurs. Ceux auprès de qui il aurait pu apprendre ne l'ont pas pris au sérieux. Outre Ravel, qui le renvoya à ses millions de dollars, Varèse le bouda, et Schönberg voulut à peine le recevoir.

Pour incroyable que cela paraisse, Gershwin n'arrive pas à se mettre dans la peau d'un professionnel de la musique. Il écrit *Rhapsody in Blue*, mais il confie à un arrangeur, Fred Grofé, le soin de l'orchestrer. Jusqu'à Paul Whiteman, chef d'un orchestre de variétés célèbre de l'époque, qui l'impressionne par sa compétence.

Les vrais professionnels de la musique? Pour Gershwin, ce sont tout autant les musiciens classiques que Schönberg et les musiciens de l'école de Vienne, pour lesquels il nourrit une profonde admiration. Ceux-là ne font pas de compromis, ils visent une cible claire et droite, inscrite dans l'histoire de la musique. Ces musiciens sont protégés par leur savoir-faire, purifiés par leur rigueur. L'idéalisme de leur recherche emporte l'amour d'une femme et le respect de leurs élèves. Ces musiciens-là n'ont jamais usé de coupe-file, ils n'ont jamais forcé les portes, ils ne mélangent pas les genres, ils ne concoctent de ces *milk shakes* musicaux qui séduisent les foules, qui en mettent plein la vue aux journalistes, mais qui font sourire ceux qui, dans le monde de la musique, croient en la force d'une idée et en la vertu d'un principe.

Peu importe, George, que tout le monde te prenne pour un génie. Tu n'en es pas un. Sous tes airs de romantique nocturne, de faux tragique et de vrai ambitieux, tu es agité, troublé, aux aguets. Tu as tellement peur que quelque chose t'échappe, alors, tu prends tout, et tu veux être partout.

Et pourtant... Qu'importent tes lacunes en harmonie ou en contrepoint. Il te suffit, pour les combler, de travailler l'écriture musicale avec Joseph Schillinger, compositeur et chef d'orchestre, et fondateur d'une école que les apprentis musiciens de jazz connaissent bien, la Berklee School of Music.

Parce que tu sais quelque chose que les autres musiciens ne savent pas. Quelque chose qui ne s'apprend pas : tu sais te mettre tout entier dans la musique que tu écris. Sans chichis, sans litotes, sans périphrases. Pas de procédés, pas de choses emberlificotées. Du diamant, de la pure transparence. Dans ta musique, tu es là, humain, hésitant, souriant. Direct. Ta plus grande qualité, tu n'y es pour rien et tu l'ignores, c'est de ressembler à ton père, Morris Gershovitz, ce rêveur, ce jovial petit bonhomme qui était tellement heureux quand il mettait la nappe verte sur la table du salon familial, parce qu'il savait que lui, les amis, Rose, les enfants, allaient être contents.

Et ce n'est pas donné à tout le monde d'avoir un père comme Morris Gershovitz.

Armstrong, solo

Bessie Smith ne marche pas sur le sol, elle écrase la terre, inonde de rage le studio de la Columbia. Tout le monde se tait. Elle possède une force sauvage, à l'état brut. Et elle boit. Alcoolique, imprévisible, elle peut se mettre à agonir d'injures n'importe qui. La semaine passée, elle s'est expliquée avec l'un de ses amants à coups de poing dans la gueule. Éclats de rire de Bessie, même le directeur artistique, qui a peur de ses réactions, trouve la force de rire. Elle chante : *You've been a good old wagon.* Mépris d'une femme envers un amant délaissé.

Bessie Smith méprise tout le monde, en premier lieu elle-même. Bessie Smith n'écoute pas les musiciens qui l'accompagnent. Pourquoi les écouterait-elle ? Le blues, c'est elle. Le blues n'a pas besoin d'accompagnement. Le blues, c'est la vie, la douleur au creux du ventre, quand la femme que vous aimez n'est plus là, quand vous êtes prêt à n'importe quoi pour ne pas vivre cela, quand votre corps exige la chaleur d'un sexe, pour que la douleur cesse, pour que vous puissiez vous assoupir, vous engourdir, ne serait-ce qu'un moment, le blues, c'est quand vous prenez le ciel à témoin, parce que vous n'avez pas l'argent qu'il faut pour prendre un verre, pour foutre le camp, ou pour vous acheter des sapes.

Bessie. Un prénom de petite fille, et cette voix, qui porte à l'autre bout de la ville, une voix si parfaite qu'elle pourrait tuer. Bessie, ou l'impératrice du blues. Bessie fait

pleurer quand elle chante le blues : cette voix surpuis-
sante, cette intonation parfaite, cette façon superbe de se
saisir des *blue notes* pour les infléchir et les tordre. Qu'elle
s'empare des paroles les plus stupides, elle leur insufflera
toute sa rage, son désespoir, sa fierté, son mépris.

Quand elle est entrée dans le studio de la Columbia,
Bessie Smith n'a pas jeté un regard à Louis Armstrong.
Elle a embrassé son amant du jour, s'est raclé la gorge, a
donné sa tonalité au type qui jouait ce jour-là de l'harmonium, et elle s'est mise à chanter *St. Louis Blues* de W.C.
Handy. Bessie le chante lentement. Et derrière, la trompette de Louis, sourdine sèche sur le pavillon. Armstrong
a déjà joué derrière d'autres chanteuses : Trixie Smith,
Ma Rainey, Clara Smith. Mais Bessie, c'est à mille kilomètres au-dessus de tout ça. Elle a eu un gros rire, juste
avant de s'approcher du micro : « J' suis qu'une jeune
femme qui ne sait rien de la vie. » Tu parles. Pour chanter
de cette manière, il faut avoir partagé le lit d'un scorpion,
avoir été mordu, mille fois, jusqu'à la moelle, et savoir
rendre la monnaie.

Bessie Smith, femme noire de trente ans et, derrière
elle, une vie qui ressemble à une buick accidentée. Elle est
belle. Encore belle, pourrait-on dire. Cheveux lisses, yeux
noirs et allongés. Le genre de femme noire mûre trop tôt.
Mais ce jour-là, ses petites boucles d'oreille, son collier,
lui donnent l'allure d'une gamine.

Sa voix : rauque ? profonde ? rocailleuse ? grave ? puissante ? granitique ? Il n'y a rien à dire. Rien d'autre à dire,
si ce n'est que Mezz Mezzrow, pour une fois, a raison, il
est même en dessous de la vérité. Mezz qui disait : « Bessie Smith est sans aucun doute l'une des plus grandes
chanteuses que la terre ait portées. »

Louis Armstrong est devenu trompettiste solo chez
Fletcher Henderson, au cours d'un engagement au Roseland Ballroom, à New York, en 1924. Il est installé à New
York. Lil Hardin est restée à Chicago, plus personne ne
lui dicte ses régimes alimentaires, ne le surveille, ne lui
fait des crises de jalousie. Ce n'est qu'un au revoir, petite

Lil, qui te croyais indispensable à la marche du monde, parce tu mettais en garde, fanatiquement, inlassablement, ce mari que tu croyais si naïf, contre tous les margoulins du monde de la musique.

La journée type d'Armstrong, à cette époque, est telle qu'elle sera toute sa vie. Il n'est pas couché avant sept ou huit heures du matin. Peut-être est-il rentré chez lui avant, mais il adore traîner. Il s'est mis à l'aise, a enfilé robe de chambre et pantoufles, et il a mangé. Quelques amis étaient chez lui, il s'est détendu en leur racontant des histoires drôles, a fumé de la marijuana, s'est passé de la crème sur les lèvres.

Il dort jusqu'au milieu de l'après-midi; du moins c'est ce qu'il aime faire, quand il le peut. Il se lève au ralenti, met deux heures pour faire sa toilette, s'habiller, se gargariser, prendre tous les soins minutieux nécessaires à sa santé.

Et puis il sort. Promenade, achats divers, enregistrements, accompagnements de chanteuses. Musique dans une fosse de théâtre. Mais l'essentiel de son activité, c'est l'orchestre de Fletcher Henderson.

Quel orchestre! Désordonné, brouillon, mais doté d'individualités brillantes. Quand Louis Armstrong le rejoint, l'orchestre de Fletcher Henderson commence à devenir à la mode. S'il n'a pas le succès des grands orchestres blancs de l'époque, ceux de Paul Whiteman ou de Jean Goldkette, l'orchestre de Fletcher Henderson est le premier grand orchestre noir (une quinzaine de musiciens) à recueillir une manière de célébrité aux États-Unis.

Fletcher Henderson, chef d'orchestre médiocre, se contente de battre la mesure devant ses musiciens, affublé d'un large sourire. Il ne ménage pas ses gestes aussi désordonnés qu'inutiles. Connaissant ses limites, il a l'intelligence de laisser la direction de l'orchestre à Don Redman, son conseiller musical et arrangeur, qui tire parti de l'incompétence de son patron. Tantôt Don Redman écrit des arrangements qui regroupent les saxophones et les trompettes, tantôt il les rassemble en sections instrumentales, l'une accompagnant l'autre. Comme les musiciens se voient livrés à eux-mêmes, Don Redman leur attribue de longs solos, où ils peuvent improviser, devant l'orchestre. Le grand orchestre de jazz, tous derrière et les solites devant, est né.

Chez Fletcher Henderson, Louis se retrouve aux côtés d'un musicien qui, lui aussi, fait avancer le jazz à grandes enjambées.

Coleman Hawkins est saxophoniste ténor dans l'orchestre de Fletcher. Né à Saint-Louis, Missouri, en 1901, il passe ses années de formation dans des troupes de *minstrels*, puis il accompagne des chanteuses de blues. Chez Fletcher Henderson, Coleman Hawkins, surnommé « *The Bean* », le haricot, prend les solos, après la trompette. Ah, ces deux-là... Côte à côte dans l'orchestre, Louis Armstrong et Coleman Hawkins. Coleman Hawkins, petit bonhomme râblé et souriant, est l'incarnation de la modestie. Mais derrière son allure bonhomme, Coleman Hawkins est un géant, l'inventeur d'un instrument de musique, le saxophone ténor.

Rien ne laissait supposer que cet instrument pour rire puisse devenir autre chose qu'une curiosité musicale, un accessoire pour après-midi orphéoniques ou pour musiques de cirque... Coleman Hawkins fait du saxophone ténor l'instrument qui occupera la place que l'on connaît dans le monde du jazz. Sa sonorité chaude, cuivrée, lyrique, donne la chair de poule à tout orchestre de Henderson et, pendant vingt ans au moins, les saxophonistes de jazz du monde entier s'ingénieront à avoir la sonorité de Coleman Hawkins.

Pour l'heure, alors que l'orchestre d'Henderson fait les beaux soirs de l'Alabama Club ou du Roseland Ballroom, à New York, les musiciens de pupitre attendent tous ces moments où Armstrong et Hawkins se rendent au-devant de l'orchestre pour improviser. Ces deux-là jouent chaque soir d'une manière différente. Les oreilles les plus exercées de l'orchestre peuvent remarquer que le phrasé des deux solistes s'éloigne progressivement du *staccato* originaire du style Nouvelle-Orléans.

A travers la trompette de Louis Armstrong, les musiciens de New York découvrent la verve embrouillée et irréelle des musiciens de La Nouvelle-Orléans. A entendre les trompettistes adopter la sonorité solaire de Louis, on imagine dans quel état de choc ils se trouvent. Duke Ellington s'en souvient : « Il y a eu l'orchestre de Fletcher Henderson, et Louis était là ; les gars de l'orchestre étaient sur le cul, ils n'avaient jamais entendu quelque chose comme cela. » A New York, la réputation de Louis grandit de jour en jour. Outre cet emploi chez Fletcher Henderson, il prête son concours à des enregistrements avec la chanteuse Bessie Smith. Il se fait les dents. Conforté par les marques d'admiration qu'il reçoit de toutes parts, il multiplie les occasions de jouer. Partout, avec n'importe qui, en toutes circonstances.

Le meilleur est à venir. Lors de son retour à Chicaco, à partir de 1925, Louis Armstrong se lie d'amitié avec deux musiciens. Le premier d'entre eux, Zutty Singleton se verra associé au développement du jeu de batterie du style new orleans. Le second marquera de sa patte les grands enregistrements *armstrongiens* de la fin des années vingt. Earl Hines a vu sa notoriété grandir parmi les musiciens de Chicago, après qu'un gangster, l'entendant jouer dans un bouge de Pittsburgh, lui a offert un pont d'or pour qu'il vienne tenir le piano de son club, l'Élite Inn, à Chicago.

Earl Hines s'est forgé concurremment une technique solide et un style original qui met en valeur la mélodie jouée par la main droite, comme s'il s'agissait d'un instrument à vent.

« Un géant ». De qui s'agit-il ? De Earl Hines, parlant de Louis. Qui pense la même chose de Earl Hines. Earl Hines, Zutty Singleton et Louis Armstrong, ces trois têtes brûlées vivent à New York une existence de Noirs pleins aux as. Même façon de se vêtir : costumes croisés gris Oxford, chemises de soie blanche, avec cols Barrymore pour être plus à l'aise pour jouer, avec d'énormes nœuds de cravate, pardessus croisés noirs à col de velours, foulards en soie blanche, chaussettes françaises à baguette en fil d'écosse, chaussures noires faites sur mesure à Londres, pochette de soie dépassant de la poche poitrine...

– Si l'on faisait un trio, ça nous permettrait de jouer ensemble, lança Zutty Singleton, un jour où ils se préparaient à partir en virée, dans la nouvelle Upmobile Eight de Louis, pour assister à des matchs de base-ball au Shea Stadium de New York.

– Quand l'un d'entre nous joue quelque part, il appelle les autres, promet Louis.

En ces années 1925, Louis Armstrong joua de la trompette avec les grands noms des premiers temps du jazz : Fletcher Henderson et son grand orchestre, Clarence Williams et son Blue Five, Bessie Smith... Louis Armstrong, de plus en plus confiant en lui-même, rassuré par les marques d'admiration qu'il reçoit de toutes parts, accompagne d'autres chanteuses, moins connues. Il a envie de jouer. Partout, avec n'importe qui, en toutes circonstances. Une fringale de jeu, d'argent, d'expériences. Le voici, souriant et avaleur de vie , qui s'installe, comme à la maison, dans des dizaines d'orchestres de théâtre, dans des orchestres de revues... Merci, Fate Marable. Louis sait lire la musique et, sur l'instrument, il a de l'endurance et du discernement.

Mais ce qui en fait un musicien supérieur aux autres, c'est le style. Louis est capable, à lui seul, de désembourber un orchestre qui se traîne, de raviver les enregistrements les plus pâles. Il arrive à ce jeune homme d'oublier de venir, de rouspéter, de tempêter. Les producteurs de disques, les directeurs de salle viennent maintenant le chercher à son domicile.

Trompette indispensable. Les professionnels prononcent maintenant son nom avec respect. Le public, s'il n'a pas l'oreille suffisamment développée pour mettre un nom sur cette trompette-là, retrouve avec plaisir, dans le brouillard d'une nappe musicale, cette couleur brillante, épanouie, fraternelle, que tout le monde, bientôt, affectera à Louis Armstrong.

CHICAGO
1925

Un fantôme disparaît

Pendant que Louis était à New York, Lil Hardin a acheté un restaurant, qu'elle a revendu peu de temps après pour acquérir un morceau de terrain à Idlewild, une station balnéaire réservée aux Noirs, au bord du lac Michigan. Elle habite maintenant, dans un beau quartier de Chicago, une maison de onze pièces, au 421 East de la 44ᵉ rue. Et son gros Louis commence à lui manquer.

Premier télégramme : « Tu vas revenir, Louis. » Pas de réponse, elle envoie un autre télégramme : « Qu'est-ce que tu fais ? J'ai trouvé un *gig* au Dreamland, 25 dollars par soir. »

Louis ne se décide pas à venir à Chicago. Il fait le sourd, ne répond pas aux appels de Lil, jusqu'au moment où elle lui envoie un ultimatum. Il s'incline, il a affaire à plus fort que lui.

Il retrouve à Chicago une Lil Hardin en pleine forme. Son œil est vif et gai, son sourire est encore plus goinfre, plus irrésistiblement vulgaire que lorsqu'il l'a quittée. Mais elle est sympathique, elle respire l'amour des choses les plus essentielles de la vie. Elle mène son monde à la baguette, parle fort, et se plaint qu'on la vole.

Elle joue toujours aussi mal.

Et elle, dont le visage commence à avoir les rondeurs d'une pastèque, recommence à emmerder ce mari, dont elle était vaguement séparée, avec un régime diététique sévère, à base de jus de fruits.

King Oliver lui rend visite, alors qu'il joue au Dreamland. Dès qu'il voit la silhouette d'Oliver au milieu des danseurs, Louis s'empresse de le faire acclamer par le public. Mais il lui semble que la terre vient de s'entrouvrir de nouveau, et qu'elle l'engloutit. Il se met à faire le pitre, en priant le ciel que King Oliver ait oublié sa trompette. La posture de justicier roide de King Oliver laisse augurer qu'il est venu rétablir un ordre originel dans lequel il est premier cornet à vie, roi sans partage, et Louis Armstrong, une béquille dans son ombre.

Mais le jazz ne connaît de royauté que saisonnière. Les phrases courtes de King Oliver ne sont pas des coups de poignard, par même des coups de griffe. En comparaison de celle de Louis Armstrong, sa sonorité semble terne, agressive. Ses phrases sont courtes, comme essoufflées. Louis Armstrong peut nourrir la certitude que King Oliver ne possède plus rien qui puisse le surprendre, le déstabiliser. Le dernier de ses fantômes s'estompe. Aucun musicien ne l'impressionnera plus. Louis Armstrong a hissé ses couleurs. A son tour de régner. C'est-à-dire d'être suivi, admiré, commenté et pillé.

New York l'a guéri. Chez Fletcher Henderson, Louis a appris à déjouer ce que les musiciens pensaient de lui, à survoler les quolibets, à prendre des solos tels qu'aucun des musiciens – qu'il surplombe au moment de jouer, sourire aux lèvres, éclatant de décontraction avec, mais au-dedans de lui, une rage, une lucidité, une espèce de morgue au creux des reins – ne puisse se dire qu'il pourrait en faire autant.

Désormais, il lui faut être seul. Seul devant l'orchestre, loin des autres musiciens. Louis ne veut plus, ne peut plus vivre avec le sentiment de perte de soi qu'il a connu, quand il fut satellisé, aspiré, comme vidé de sa substance par King Oliver. Il a maintenant les moyens de ne plus vivre cela. Il lui suffit, pour échapper à la promiscuité envahissante d'un autre musicien, d'être meilleur que lui.

Les seuls musiciens qu'il a admirés, dans ces années new-yorkaises, s'appellent Vic d'Ippolito et B.A. Rolfe. L'un joue avec l'orchestre Lanin, l'autre avec Vincent Lopez. Vous ne connaissez pas? Vic d'Ippolito et B.A. Rolfe sont des musiciens d'orchestre. Des hommes de métier, trompettistes bien éduqués, habiles techniciens, experts incollables de l'instrument, travailleurs acharnés, orfèvres du contre-*ut*, des musiciens pour musiciens : aigus faciles et intonation parfaite. Louis a pu aduler Vic d'Ippolito et B.A. Rolfe. Ils sont trop mineurs, trop petits, pour pouvoir l'inquiéter.

De son enfance, Louis a appris à rire de tout et à ne respecter que les forts.

Fini, les peurs? Pas encore. Louis Armstrong nourrit des peurs archaïques. Peur d'être volé, dépouillé, dépassé par d'autres. Mais cette peur, elle aussi, s'estompe. Pour quelles raisons? Mystère. Le travail, là encore, soigne les plaies, magnifie celui qui réussit, l'entoure d'un halo protecteur et chaleureux. A La Nouvelle-Orléans, Louis se serait couché sous King Oliver, pour éviter que son seigneur et maître n'endommageât ses chaussures. Cette peur se transforme. Elle laisse la place à de l'exubérance, à de l'enthousiasme, de l'effusion. Les manifestations d'amour de Louis sont irrésistibles. Un torrent d'eau chaude qui emporte tout sur son passage. Impossible de laisser ces rides sur votre front, Louis vient d'éclater de rire. Il faut imaginer Louis Armstrong, en robe de chambre tard dans l'après-midi, assis devant une garde-robe imposante, dans une chambre d'hôtel international, fumant des cigarettes de marijuana. Louis, c'est une sympathie débordante.

Mais derrière cet enthousiasme, bien souvent, de l'indifférence froide. Louis plaisante avec les autres musiciens. Il est prêt à partager des *muggles* avec eux, il est prêt aussi à les dépanner, à leur donner de l'argent. Dans les années trente, les anciens musiciens, faux amis, rencontres de hasard s'agglutinent devant la loge de Louis, à chaque concert. Il est le genre de type que l'on peut taper sans problème. Louis préfère donner de l'argent plutôt que des raisons de refuser d'en donner. Mais de vrais amis, on ne lui en connaîtra que très peu, pour ainsi dire pas. Comment expliquer que Louis Armstrong, très lié avec Zutty Singleton, ne lui demandera jamais, après 1927, de jouer dans les orchestres qu'il dirigera? Zutty, l'un des meilleurs batteurs de La Nouvelle-Orléans et, par ailleurs, homme très délicat, en restera très meurtri.

Pour le fond, la seule personne que Louis ait jamais aimée est sa mère, Mayann. A elle, il fait confiance. Rien qu'à elle. Pour Louis, toujours le même bonheur à voir se profiler cette silhouette chérie.

Bix Beiderbecke

Chicago, 1925.

Une police démoralisée, un appareil judiciaire qui s'effondre. La prohibition, les *bootleggers*... Les gangs organisés traitent leurs affaires avec un sens commercial sans défaut, aidés par une main-d'œuvre compétente, outillée et nombreuse (on estime à dix mille le nombre de criminels professionnels installés à Chicago dans les années 1920).

Ajoutez à cela le laxisme du patron de la police, Big Bill Thomson. Plus la ville s'enfonce dans l'illégalisme, la corruption et le crime, meilleure est la musique.

Et cela va être ainsi jusqu'à ce que ce pauvre Big Bill Thompson se fasse rétamer aux élections de 1928 par un politicien réformateur et moraliste du nom de Deneen.

Les musiciens parleront plus tard des années 1925 à Chicago comme d'une époque paradisiaque. Les casinos, les dancings, les bars, sont de plus en plus nombreux à s'ouvrir aux musiciens noirs. La mode est au spectacle nègre, et la ségrégation raciale, dans les lieux de spectacle, est en recul. Un des derniers bastions de la ségrégation saute en 1927, quand un orchestre noir, les McKinley Cotton Pickers, dirigé à l'époque par Don Redman, anime la soirée de gala annuel d'une fraternité d'étudiants blancs.

Lil Hardin épate Louis Armstrong, quand elle lui dit combien gagnent les musiciens dans les cabarets tenus par la pègre de Chicago. Dans un dancing moyen de Memphis, un musicien d'orchestre touche 2,60 dollars pour la nuit; au Dreamland ou au Pekin's Garden de Chicago, Lil est payée vingt-cinq dollars par soir. Sans compter les pourboires.

Les gangsters, suivant en cela la tradition de La Nouvelle-Orléans, ont leurs têtes. Les gangsters irlandais n'ont de goût que pour la musique irlandaise, mais les gangsters italiens et juifs aiment le jazz. « J'ai deux passions, écrit Al Capone dans ses souvenirs, la musique et les cartes. » Entre Al Capone et son ennemi Himmie Weiss, on retrouve ce qui se passait à La Nouvelle-Orléans, entre Tony Battistina et Abraham Shapira.

Pour peu que les musiciens aient du talent, qu'ils sachent se taire, rendre de petits services, et s'interdire toute relation avec les maîtresses de leur patron (un musicien du nom de Don Murray fut assassiné par un gangster qui le soupçonnait d'avoir une liaison avec sa petite amie), ils peuvent recevoir de somptueux cadeaux. Le gangster Arnold Rothstein offrit un banjo plaqué or, clouté de perles et de rubis, à Elmer Snowden. L'un de ses collègues, Ed Fox, fit livrer à Earl Hines, qui travaillait dans une comédie musicale dont il était le commanditaire, un piano Bechstein à trois mille dollars.

En 1925, nombre de musiciens de jazz se sont installés dans la Cité des Vents. Earl Hines est à Chicago, ainsi que Zutty Singleton qui les a rejoints. Bientôt, King Oliver, Buster Bailey, clarinettiste venu de New York, et aussi Kid Ory, Johnny Dodds, Bessie Smith, et tous les anciens de l'Original Creole Jazz Band se retrouvent à jouer dans les bars du South Side.

Autre sujet de surprise pour Louis Armstrong, le Dreamland et les clubs du South Side regorgent de jeunes Blancs du Mid West, qui ne jurent que par le jazz. Des gars sérieux comme des chantres de synagogue, et professionnels jusqu'au bout des ongles.

Jimmy Dorsey, clarinettiste, né en Pennsylvanie, en 1904, Franck Teschemacher, né à Kansas City, en 1906,

Benny Goodman, merveilleux clarinettiste, alors âgé de seize ans et qui, depuis trois ans, écume les clubs et les bateaux des Grands Lacs, carte du syndicat en poche. Sans oublier ce bavard sympathique, curieusement prénommé Mezz qui regarde Louis Armstrong comme s'il était le Bouddha réincarné, et qui, le jour de son arrivée, lui présente ses lettres de créance en se précipitant vers lui pour lui offrir des *muggles* de marijuana.

Mais le plus fascinant de tous ces musiciens porte un nom curieux : il s'appelle Leon Bix Beiderbecke. Mais musiciens et gens de la nuit lui ont donné un nom qui restera : Bix. Un silencieux. Un sauvage... Mezz : « Bix était un adolescent osseux, du genre paysan mal dégrossi, d'une taille légèrement au-dessus de la moyenne et encore en pleine croissance. Ses yeux de grenouille saillaient de son visage rougeaud et ses cheveux châtain foncé avaient toujours l'air de vouloir se débiner ailleurs. Il avait à cette époque-là un point de vue cynique, désabusé, sur la plupart des choses et se tenait tout le temps paresseusement assis, les jambes croisées et le corps un peu affaissé, l'air détaché. Mais chez lui, ce n'était pas une attitude. Sa réserve devant les choses indiquait simplement que ce qui mettait la plupart des gens sens dessus dessous le laissait, lui, complètement froid.

« Non pas qu'il fût terne ou indolent.

« Mais pour le secouer, il fallait quelque chose de bien, de vraiment costaud. En général, c'est la musique qui le réveillait. La musique était la seule chose qui le fît sortir de lui-même. Le whisky n'y parvenait pas, et pourtant Dieu sait qu'il lui donnait toutes ses chances ! Il avait dû naître avec une jambe creuse, à voir ce qu'il éclusait comme marchandise. »

Bix Beiderbecke, fils de commerçants aisés de souche allemande (son deuxième prénom, Bismarck, parce que son père admirait le grand homme), vient de Davenport, dans l'Iowa. L'enfant a grandi sous l'œil émerveillé de sa mère. Elle s'en est aperçue tout de suite, Léon est doué. Son regard fait briller tout ce qu'il touche. On l'exhibe, il sera un nouveau Mozart. A trois ans, il joue au piano le thème de la deuxième *Rhapsodie hongroise* de Liszt, et quand il s'approche du piano, c'est pour reproduire d'oreille toutes les mélodies qui passent à sa portée. Un *Wunderkind*. Son grand-père dirigeait l'Orchestre philharmonique de Davenport. Mme Beiderbecke mère raffole de musique et, que Dieu en soit remercié, c'est une merveille de musicalité qui est sortie de ses entrailles. Le père ne s'intéresse pas à son rejeton, mais il a l'œil qu'il faut pour repérer ce qui ne va pas.

— Qu'est-ce que tu lui trouves? dit la mère. Il est tout à fait bien. C'est un adorable petit garçon.

— Tu arrives à parler avec lui? Moi pas.

Il est vrai que le petit Léon jette sur le monde un regard de serpent. C'est un muet. Un renfrogné. A quinze ans, le père commence à s'inquiéter pour sa progéniture. Son fils vient de faire l'acquisition d'un cornet d'occasion, et quand il se met à en jouer, il en sort une musique très éloignée des chefs-d'œuvre du romantisme ou des airs populaires que l'on chante au cours des fêtes de la bière. Et plusieurs personnes ont rapporté à son père qu'ils ont vu la silhouette mal assurée de Léon errer sur les quais de l'Iowa, et là, comme un marin qui n'aurait jamais navigué, l'adolescent, narines au vent, hume l'air. Qui pourrait imaginer que Léon Beiderbecke se promène sur les quais de Davenport avec une seule idée en tête : écouter, chose incroyable, les orchestres de *riverboats*?

Il s'appelle encore Léon Beiderbecke quand son père, indifférent aux lamentations éplorées de la mère, lui trouve un avenir, en l'envoyant étudier à l'Académie militaire de Lake Forest, près de Chicago. Quand il en est exclu, un an après, en 1922, pour avoir formé avec un batteur un orchestre de jazz, il se rend à Chicago.

Bix a vingt ans, et il se produit dans les casinos, les dancings, avec déjà l'expérience d'un vieux baroudeur d'orchestre. Il a écouté Nick La Rocca, Léon Rappolo, les New Orleans Rhythmn Kings. Il joue indifféremment du cornet ou du piano. A vingt et un ans, il grave ses premiers enregistrements pour la marque Gennett. Une légende vivante.

Mezz Mezzrow : « Quand je connus Bix, il était vedette des Wolverines, et ce petit groupement blanc avait déjà enregistré des disques qui font baver les collectionneurs d'aujourd'hui. Grâce aux arrangements de Bix, leur musique était en avance de dix ans sur son temps, et deux de ces enregistrements, *Copenhagen* et *Riverboat Shuffle*, étaient déjà en passe de devenir des classiques du jazz. Le travail de Bix au cornet dans ces deux faces constitue une performance hallucinante pour un gamin de son âge.

« Ce soir-là, après avoir fini d'accompagner la chanteuse, j'attaquai *Royal Garden*, un des succès de notre répertoire. Ce fameux soir, en l'honneur de Bix, tout l'orchestre se donna à fond. Il était assis là, comme une statue, sans remuer un muscle. Et soudain, à la fin du premier *break*, il sauta sur ses pieds, le visage épanoui, attrapa son cornet et bondit sur l'estrade.

« Bix portait toujours son instrument argenté, court et bosselé, qui avait l'air de provenir d'un tas de ferraille qu'il n'aurait jamais dû quitter. Il se tenait face à moi en jouant, et les relents d'alcool qui sortaient de son vieux cornet faillirent m'asphyxier. La musique, macérée dans le whisky, me frappa plus rudement encore. Je remarquai combien certaines des inflexions ressemblaient à celles de King Oliver et de Freddie Keppard.

« Je n'ai jamais entendu une sonorité pareille, ni avant ni depuis. Il jouait presque toujours ouvert, et chaque note sortait pleine, ample, riche et ronde, et se détachait comme une perle éclatante, forte, jamais irritante ni suspecte, avec une puissance et un allant que peu de musiciens blancs possédaient en ce temps-là.

« Une fois la série de morceaux terminée, nous entourâmes Bix et commençâmes à l'assaillir de questions sur ses enregistrements.

– Oh! Dis donc! C' que j'aimerais apprendre à jouer *Riverboat Shuffle*, lui dis-je.

« Sans un mot, Bix alla s'asseoir au piano et se mit à le jouer, tandis que nous nous tenions autour de lui, bouche bée. Son jeu nous stupéfia, tant il était, comme son jeu de cornet, admirablement découpé. Du coup, nous oubliâmes que nous étions des employés. Le patron, les clients, rien de tout ça n'existait plus pour nous.

– Prends ton biniou », me dit Bix en s'emparant du sien. Et il entama l'introduction de *Riverboat Shuffle*. « Joue cette note et fais ça » continua-t-il en s'emparant du sien.

« Je la rejouai note pour note, et il se mit à crier : « C'est ça ! Tu y es. »

Dans le monde des musiciens de Chicago, Bix est une étoile filante, un représentant d'un autre monde. Il est tellement évident qu'il se situe au-dessus de tout le monde. Bix joue du cornet (*et non* de la trompette), et c'est un miracle de le voir, de l'entendre jouer. Mezz Mezzrow n'entendra jamais les sons qu'il sort de cet instrument sans frissonner. Le cornettiste Bix a tout assimilé de la tradition. « Son attaque, dit Mezz, a quelque chose de militaire. Elle a en même temps la sûreté de pied d'une chèvre de montagne. Toutes les notes claquent sec comme des coups de fusil, incisives comme des morsures. » Bix joue également du piano, et les jazzmen blancs, tous des autodidactes, à l'exception de Benny Goodman, le regardent comme s'il venait d'une autre planète. Que cherche Bix ? Mezz Mezzrow s'en agace, lui qui restera attaché à la révélation qu'il a eu du jazz de La Nouvelle-Orléans. Oui, quelle région intime de l'âme Bix explore-t-il lorsque, de son piano, sortent ces accords étranges (*in a mist*, 1927), ces tempos brisés, ces climats musicaux fort éloignés de l'image heureuse de La Nouvelle-Orléans ?

Hot Five

Soixante disques, connus sous le titre *Louis and the Hot Five*, répartis en quatre groupes. Tout d'abord, un premier lot de vingt-six morceaux, réalisé entre le 12 novembre 1925 et le 27 novembre 1926; deux d'entre eux sont publiés sous le nom de Lil Hardin. Puis un groupe de onze *Hot Seven*, enregistrés en huit jours au mois de mai 1927 : aux cinq musiciens originaires, s'ajoutent un tuba et une batterie. Ensuite, un second *Hot Five*, avec les mêmes interprètes qu'au départ, enregistré entre le 2 septembre et le 13 décembre 1927. Interruption de six mois, puis, de nouveau, une série de 19 thèmes, avec Earl Hines au piano, enregistrée entre le 27 juin et le 7 décembre 1928 [7]. Certains de ces thèmes comptent parmi les chefs-d'œuvre du jazz.

A la fin de l'année 1925, Louis est un monsieur très occupé. Enregistrer des disques? A quoi bon? Il ne sait même pas ce qu'il en adviendra. Qui va les acheter? Les Noirs? Le public noir n'aime que les chanteuses de blues.

Pas de chanteuse dans l'orchestre, a dit Lil. Sinon, je pars et, sans moi, Louis ne jouera pas. Les patrons de la compagnie Okey ne peuvent que s'incliner. Sans doute ont-ils en mémoire que, en 1923, Bessie Smith, découverte par Frank Walker, directeur artistique des disques Columbia, alors en difficulté, vendit 750 000 exemplaires de *Down Hearted blues* en six mois.

Tiraillé entre de nombreux engagements professionnels et une propension grandissante au farniente et aux plaisirs de la vie, Louis se décide finalement à franchir le pas. Il faut dire que Lil Hardin s'agite. Depuis le jour où elle a entendu jouer Louis Armstrong, elle s'est mis en tête de lui faire enregistrer un disque. Un disque à lui, sous son nom.

Une muse. Ou, plutôt, une femme de musicien. De celles qui s'affairent auprès de leur homme. Elle ne lâchera jamais le morceau. Même après que son ménage avec Armstrong battra de l'aile, jusqu'à verser dans la fosse tragiquement commune des divorces.

Elle a tout organisé. Sous quel nom de chef d'orchestre vont être enregistrés ces disques? Louis Armstrong est peut-être le plus connu, mais Lil Hardin, diligente, obstinée, débrouillarde, s'est occupée de tout, et, bien qu'il soit très clair qu'elle ne voit que l'intérêt de Louis dans cette affaire, il est normal que ces disques paraissent sous son nom de jeune fille (ce sera le cas pour sept d'entre eux).

Lil Armstrong, redevenue Hardin, ne sait trop pourquoi elle se démène tant. Pour renouer un lien affectif? Elle est un jour tombée amoureuse d'une comète, et il lui apparaît scandaleux de ne pas y rester attachée.

Louis n'a pas la moindre idée des musiciens avec lesquels il pourrait enregistrer. Il s'intéresse si peu à la question qu'il laisse au directeur artistique de la maison Okeh le soin de sélectionner les musiciens qui joueront dans ces *Hot Five*. Durant toute sa carrière, ce sera toujours son manager du moment qui choisira les musiciens. Louis n'a qu'un souci en tête : plaire au public. Il sait qu'il n'a pas besoin du soutien de bons musiciens pour cela. Égoïsme d'artiste. En levant un sourcil, en épongeant sa sueur, ou en y allant de son rire rauque, il se fait fort de ce qu'aucune assemblée humaine ne puisse lui résister. Et il lui reste sa botte secrète : quelques suraigus de trompette, avec lesquels il pourrait séduire des chaises vides, des commis voyageurs ou des bœufs.

Et que les musiciens qui sont autour de lui ne s'avisent

pas de lui voler les applaudissements qui lui reviennent. Zutty Singleton, son ami d'enfance, né dans le même quartier que lui, à La Nouvelle-Orléans, en fera l'amère expérience. Louis ne veut plus jouer avec lui. Caprice d'artiste. « On peut tout me voler, dira Louis Armstrong, sauf les compliments que le public m'adresse. »

A partir des années trente, Louis devient totalement indifférent aux musiciens qui l'entourent.

Auparavant, pour notre bonheur, il aura enregistré avec des musiciens néo-orléanais qui avaient l'avantage, selon le plan de Lil, de le mettre en confiance. Ainsi, en ce petit matin du 12 novembre 1925, pénètrent dans le studio de la maison Okeh des musiciens que Louis connaît bien : Johnny Dodds, Kid Ory, Johnny Saint-Cyr.

Disques enregistrés en passant, comme une pièce prise aux échecs, dans la marche naturelle d'un pion. Une grande désinvolture transpire de ces enregistrements. Lorsque George Avakian, directeur artistique de la Columbia, rachètera le catalogue d'Okeh, en 1940, il retrouvera des cires inédites des *Hot Five* dans les combles de la maison de disques. Personne, chez Okeh, ne s'est jamais occupé sérieusement des enregistrements des *Hot Five* ni de leur diffusion. Il faut attendre que Louis Armstrong connaisse un début de succès public, avec *Heebies-Jeebies*, pour que Okeh s'y intéresse un peu, sur un plan commercial. De même pour les musiciens.

Les disques des *Hot Five* n'ont représenté qu'un pour cent des activités de Louis Armstrong [8].

Cinq musiciens qui s'en vont, au petit matin, enregistrer un disque dans un hangar. Ils ont joué toute la nuit dans un cabaret, et ils arrivent, fatigués et encore à peine dessaoulés. Cette séance d'enregistrement est bien payée (deux cents dollars pour l'orchestre).

– Je suis crevé, répète Johnny Dodds.

Les musiciens aiment bien dire qu'ils sont fatigués.

– Qu'est-ce qu'on joue ?

Cette phrase a bien dû être prononcée par l'un d'entre eux. Le *Hot Five* est le type même de ces faux orchestres

qui ne connaîtront pas d'autre existence hors de cette rencontre discographique. Pour ce qui est des premières
cires, le 12 novembre 1925, Louis Armstrong et Lil Hardin ont gribouillé, en s'engueulant, quelques notes de
musique sur un coin de table. Le directeur artistique
Myknee Jones a imposé ses morceaux ; les musiciens
étaient si distraits qu'il a fallu leur répéter plusieurs fois
l'ordre des solos et des *breaks*. Deux ou trois faces de 78
tours ont été enregistrées. Lil s'est démenée pour occuper
la place au piano, ce qui a rappelé à son vieil ennemi,
Johnny Dodds, qu'il y avait mille pianistes bien meilleurs
qu'elle à Chicago.

Sitôt la séance d'enregistrement terminée, les musiciens
sont repartis vers leurs activités habituelles.

Il était prévu, en cette séance enregistrée en 1926, que
Armstrong chantât *Hebbies-Jeebies*. Une niaiserie, signée
par Myknee Jones, qui était par ailleurs un plagiat à peine
déguisé d'un morceau de Scott Joplin. Louis a posé les
paroles de la chanson sur le pupitre.

> Vous parlez d'une danse, le *heebie-jeebie*,
> Vous verrez les filles et les garçons
> Le visage épanoui... Si vous ne connaissez pas ça
> Vous devriez l'apprendre, ne soyez pas triste
> Quelqu'un vous l'enseignera
> Allez, venez danser le *heebie-jeebie*
> etc.

Et la partition est tombée du pupitre alors que le disque
était en train de se graver. Armstrong s'est souvenu de
quelques bribes de phrases puis il a enchaîné : Rip, bip
bee dee, Shoupap, Roo-dee-doot, duh-dee-dut duh dut,
dee dut dee, skip, skam, doop-dum-dee. Pour la première
fois quelqu'un chante sans paroles le *scat*, cette manière
de chanter en onomatopées, vient de naître.

Mezz Mezzrow : « Dès sa sortie, le disque balaya
Chicago comme un ouragan. Lorsque j'apportai mon
exemplaire au siège du syndicat, ce fut une ruée vers la
maison Okeh et, en moins d'une semaine, le stock fut
liquidé. Des mois après, les types s'abordaient encore
dans la rue en se saluant avec des *riffs* de Louis : *« I got*

the heebies », disait l'un, « *I got the jeebies* » répondait l'autre et, l'instant d'après, on les voyait se scattant nez à nez. Ce disque de Louis faillit éliminer une fois pour toutes la langue anglaise de la Cité du Vent.

« Je ramenai le disque chez moi pour le jouer aux copains et ils en restèrent sur le cul. Dave et Tech manquèrent l'user jusqu'à la trame à le jouer et à le rejouer jusqu'à ce que tout le monde l'ait appris par cœur. Brusquement, vers deux heures du matin, Tesch se leva d'un bond, sa bouille d'enterrement pour une fois tout épanouie et se mit à brailler :

– He ! Écoutez les gars, j'ai une idée ! Il faut que Bix entende ce disque, et tout de suite. Allons à Hudson Lake lui donner l'émotion de sa vie !

« Parlez d'une mêlée ! Bix habitait à cinquante milles de là, mais Tesch n'avait pas refermé son clapet que nous étions à mi-chemin de l'escalier. Et nous voilà partis, complètement déchaînés, pour Hudson Lake, une station estivale où Bix, Pee Wee Russell et Franckie Trumbauer jouaient dans l'orchestre de Jean Goldkette.

« Il était trois heures du matin quand nous fîmes irruption dans la niche qui servait de cottage à Bix et Pee Wee.

« Dans leur vaste living-room, Bix et Pee Wee avaient assemblé un tas de meubles qui dataient du déluge et que Noé avait dû balancer sans regrets – des chaises archibancales, un divan dont tous les ressorts avaient percé la toile et d'où le kapok giclait comme de la pâte dentifrice, une table qui gisait sur le flanc faute de pouvoir se tenir debout. Pas de trace de drap sur les lits, dans cette partie de l'étable.

« Pee Wee et Bix se partageaient une petite chambre derrière la cuisine où une truie n'aurait pas voulu faire ses petits. Ils dormaient le plus souvent tout habillés en compagnie de King Kong (whisky de maïs de basse qualité). Chaque jour, à peine ils s'étaient décollé les quinquets qu'ils happaient la cruche et se tapaient le rince-cochon.

« Bref ce matin-là, nous les sortons du pucier et nous leur jouons *Heebies-Jeebies*, et les voilà qui sont pris de convulsions : " Ha! ha! ha! " faisait Bix en repassant le disque sans arrêt, et ses grands bras osseux battaient la mesure, fendant l'air comme les lames d'une faucheuse. Il ne se remit jamais complètement du chef-d'œuvre de Louis. La séance terminée, il arracha le disque du phono et s'en alla au galop réveiller tous les gars qu'il connaissait à Hudson Lake pour le leur faire entendre. »

Quand le premier *Hot Five* est enregistré, on se trouve encore devant un orchestre de La Nouvelle-Orléans s'exprimant dans l'idiome traditionnel. Les ensembles collectifs dominent, et laissent peu de place aux solos. Au fur et à mesure des enregistrements, on assiste à la mutation d'un style : « Les ensembles improvisés y sont moins, écrit André Hodeir, de vraies improvisations que des solos de cornet accompagnés de contrechants interrompus. »

Le jeu d'Armstrong, autrefois quelque peu hésitant, a gagné une sûreté, une évidence définitive. Louis Armstrong vient de faire faire un pas de géant au jazz. Il n'improvise plus en suivant la ligne mélodique d'un thème, mais sur des accords.

Après *Heebies-Jeebies*, Louis Armstrong est devenu une manière de héros. Il est le premier musicien de couleur de l'histoire des États-Unis à connaître la gloire. Pour les Noirs américains, il a le punch d'un Joe Louis. Pour les Américains, toutes couleurs et toutes confessions confondues, c'est un amuseur exemplaire, doublé d'un tendre. Pour le public, il reste un type qui joue une musique enthousiasmante, de la plus formidable des manières : le plus grand des musiciens de jazz.

Les gens du jazz tutoient leurs princes. Joue-leur, à tous, avec cet air que tu as de les sortir pour la première fois, ces longues notes dans l'aigu, en suspens au-dessus du *riff* d'accompagnement. Le public adore. Pendant cinquante ans, quel que soit l'endroit de la planète où tu les joueras, tu le feras avec la naïveté splendide et feinte de celui qui découvre quelque chose, et le public hurlera. Il hurlera toujours, quand il entendra ces notes suspendues.

Comme si ces notes, éclatantes de confiance, s'adressaient à chaque spectateur. Un hurlement de fierté, la joie de faire partie du groupe, un appel sacré, un cri serein de victoire. Chacun de se dire qu'il pourrait être ton frère, toi, le frère de tous, le frère africain mythique. Il est irrésistible, le visage que tu présentes alors. Il ne ruisselle pas seulement de sueur, mais de bonté, de ferveur, de misère surpassée; et il dit aussi que tout cela est bien trop sérieux, que ça n'a aucune importance, que tout peut s'effacer. Le rire qui décompose ton visage, tout d'un coup, si vite, a la magie du coup de balai du petit matin qui efface les blessures de la nuit.

Mille fois écoutés, ô combien humblement écoutés, le plaisir de ces enregistrements demeure inépuisable. Sur quelques faces, Louis Armstrong et Earl Hines (qui remplacera Lil Hardin, après les premières séances) entrent dans la petite phalange des artistes capables de nous apprendre quelque chose sur nous-même.

Quelques-unes des pièces qu'ils enregistrent sont sidérantes. Des pièces de collection. Des suites musicales où l'on se dit que ça ne peut pas durer, que c'est trop beau pour que ça continue, mais où Louis Armstrong, miraculeusement, sort de sa botte les réponses musicales qu'il faut... Et tout ce qu'il joue est simple, dépourvu de malice, sans préméditation.

N'allez pas croire non plus que c'est aisé à jouer. Des milliers de trompettistes se casseront les dents à essayer de reproduire cela. Sur le plan de la pure technique de trompette, certaines phrases, comme l'introduction de *West End blues*, ont quelque chose d'indépassable. Ses phrases musicales sont lumineuses. Sans crispations. Nécessaires. Comme si cette musique était préexistante, et que Louis, tel un enfant pourri par une baraka qui ne se dément jamais, venait, non pas de les inventer, mais de découvrir des mélodies qui préexistaient dans notre inconscient. Si ce n'est peut-être dans ce monument de tendresse et de générosité qu'est le disque de *negro spirituals* appelé le *Good Book*, Louis ne retrouvera jamais ces moments de grâce. De *Fireworks* à l'immense *West End blues*, en passant par *Heebies-Jeebies* et *Tight like this*, Armstrong grave les solos les plus prenants et les plus éclatants de sa carrière. Les chefs-d'œuvre du jazz classique.

Zutty Singleton : « Nous avons répété chez Lil, dans la salle de séjour, où elle avait un quart de queue flambant neuf, Papa Hines adorait jouer sur ce piano. »

Earl Hines : « Nous ne savions pas comment finir *West End blues*. Quand nous sommes arrivés à la fin du morceau, Louis m'a jeté un coup d'œil, et j'ai fait la première chose qui m'est passée par l'esprit, un petit truc classique que je faisais autrefois ; à la fin, j'ai tenu l'accord, et Louis m'a donné le signal d'un hochement de tête, et tout le monde a repris l'accord final. A la fin de la première prise, Louis et moi on est resté là pendant pratiquement une heure et demie ou deux ; on était tout simplement KO tous les deux ; on ne pensait vraiment pas que ça allait donner quelque chose d'aussi bien. »

Ferveur expressive, virtuosité confondante, sophistication de la construction de certains solos de trompette, émotion... En cette fin des années vingt, il pourrait devenir patent que la musique née à La Nouvelle-Orléans est beaucoup plus qu'une mode, qu'elle est devenue suffisamment épaisse, jubilatoire et intelligente pour évoluer et devenir une musique savante.

Avec Louis Armstrong, le jazz devient tel que, en 1930 ou soixante-dix ans après, des musiciens du monde entier trouveront en lui un univers de connaissances et de mythes devant lequel ils se sentiront toujours un peu trop petits, un peu mal à l'aise, jamais tout à fait bons. Pour pallier vos insuffisances, travaillez les grilles, les passages d'accords, la clarté d'exécution de vos phrases, la mise en place, le swing. Travaillez petits, non pas qu'il soit agréable de travailler indéfiniment une musique comme le jazz, mais parce qu'il n'y a que cela à faire, pour oublier que l'on n'arrivera jamais à vraiment comprendre comment fonctionne cette machine.

Après ces enregistrements de Louis Armstrong, les conditions d'une adoration maximale et mythologique du jazz sont réunies. Le jazz, pour les générations à venir d'adolescents, ne sera pas un simple chiffon de papier, trempé dans la sueur de l'excitation universelle, mais un monde chiffré, complexe, crypté, auquel on peut confier sa vie, pendant quelques années au moins, et qui rend la monnaie.

– Fais des grimaces. Louis, oublie tous ces damnés critiques, et les musiciens. Joue pour le public. Chante, joue et souris. Souris, bon sang, souris. Donne-leur cela. »
Joe Glaser n'arrête pas de lui répéter ce conseil. Joe est le troisième imprésario de Louis, celui qui va l'accompagner durant toute sa carrière. Un type dur, grossier. Il sait ce que veut le public. Le jazz ? Il n'est pas sûr que Glaser sache ce que ce mot veut dire. Armstrong, à ses yeux, est un artiste, voilà tout. Physiquement agressif, impitoyable en affaires, sûr de lui, mal embouché, autoritaire, Joe Glaser ressemble trait pour trait à Tom Rockwell, l'imprésario précédent de Louis Armstrong. S'il ne supporte plus les individualités fortes sur une scène, Louis Armstrong a encore besoin de ce type d'individus dans la vie. Surtout quand ils se débrouillent bien, et lui permettent de jouer devant des salles pleines. Rien n'est plus important, pour lui, que de jouer devant des salles pleines.
Une salle de spectacle remplie de gens heureux vaut toutes les critiques, hurleraient-elles au génie. Louis Armstrong n'a vraisemblablement pas lu celle-ci, écrite en 1932, par un critique américain : « Avec les rhapsodies fantastiques de sa trompette, les *glissandi* en gratte-ciel et les extraordinaires feux d'artifice d'un Eulenspiegel noir de La Nouvelle-Orléans, le jazz immortalise un art vivant et annonce la musique de l'avenir, toute de facilité aérienne. Louis Armstrong, roi du jazz, a apporté à la musique un humour et une allégresse barbare qu'elle n'avait jamais connue auparavant. Son jeu, d'une virtuosité folle, libère la trompette par rapport aux limites établies par Berlioz, Rimsky-Korsakov et Strauss [8]. »

A trente ans, Louis Armstrong a atteint la célébrité. Pour le journal *The Chicago Defender*, il est l'une des vedettes de la communauté noire, même si le chroniqueur musical du *Defender* se plaint que son orchestre joue parfois « mille fois trop fort, à vous arracher les oreilles, et en soit venu à jouer des choses aussi vulgaires que des blues ».

La presse noire parle de ses prochaines vacances avec Lil. Trop tard. Il convole peu de temps après avec une dénommée Alpha. Pas pour très longtemps. « Alpha était très bien, mais elle pensait surtout aux fourrures, aux bijoux et aux trucs de luxe, et pas assez à moi et à mon bonheur. C'était surtout mon argent qui l'intéressait, et on a eu de sérieuses prises de bec [9]. »

PARIS

Paris by jazz

Le premier décembre 1917, un cortège nuptial pose devant un appareil photographique, sur le parvis d'une église en ruines, tout près de Lunéville, en Lorraine. Le mariage a été arrangé, de Paris. Sinon, par quelle voie mystérieuse cette photographie serait-elle arrivée au service de la propagande au ministère de l'Intérieur? Toujours est-il qu'elle est envoyée à toutes les agences de presse, pour être finalement publiée dans *l'Illustration*, accompagnée d'un commentaire qui précise que le mari, qui bombe le torse devant le photographe, est le général de Buyer, commandant le deuxième corps de cavalerie de l'armée française. La mariée s'appelle Mrs. Daisy Polk, elle est de nationalité américaine.

Les mariés ne regardent pas l'objectif. Les lecteurs de *l'Illustration* comprendront que, dans les circonstances de l'heure, leurs regards ne pouvaient se détacher de la ligne bleue des combats.

Le message est clair. Il dit aux civils, à l'arrière, et aux Boches que, malgré les canons de M. Krupp, la vie continue. Et, plus précisément encore, cette photographie raconte que le destin de la guerre vient de se sceller : les États-Unis d'Amérique ont épousé la cause des Alliés. Mariage célébré dans la zone des combats. En Lorraine.

'*Wake up America!* En mars 1917, le président Woodrow Wilson a appelé les Américains en âge de combattre à sacrifier leur vie, leur fortune, tout ce qu'ils possèdent, au devoir d'accepter la guerre avec l'ennemi naturel de la liberté. L'Amérique entre en guerre en avril 1917. En novembre 1918, à l'heure de la signature de l'armistice, deux millions de jeunes Américains seront en Europe.

– Vous allez toujours rouler comme ça?
– Toujours rouler. Toujours. *No arret!*

Ils courent, les Américains. Le nouveau monde est en Europe. Des gaillards. Tout pareils que nous, mais avec quelque chose en plus. Dans la taille, dans la largeur des épaules, dans l'éclat des regards, dans leur manière de siffler les filles. Ils sont plus grands, moins empêtrés que nous. Toujours de bonne humeur, avec leur figure insolente, cet air d'éternelle alacrité juvénile. Ils sont tels qu'on les verra bientôt sur les écrans des cinématographes. Mais aujourd'hui, ils traversent nos villages. En chair et en os.

Il n'y a pas que des visages pâles, dans cette armée américaine. 240 000 soldats de couleur ont revêtu l'uniforme kaki, ils portent des jambières de toile grise et ils ont la tête recouverte de chapeaux cabossés par l'empreinte des trois doigts et du pouce. Ils sont hommes de peine, brancardiers, dockers. Peu de combattants... Des infirmières de couleur suivent les corps d'armée « noirs ». Les infirmières blanches n'auront pas à soigner des soldats noirs blessés.

Une musique militaire rend les honneurs. Celle du 15e régiment de mitrailleurs du corps expéditionnaire qui, en France, est devenu le 369e régiment d'infanterie. Un orchestre militaire, dirigé par le lieutenant James Reese Europe, composé uniquement de musiciens noirs. Le 369e est l'orchestre fétiche des troupes américaines en Europe. Une fois la guerre terminée, cet orchestre donnera chaque jour un concert dans un kiosque, à l'intention des populations civiles. On y trouve beaucoup de musiciens du Clef Club. Noble Sissle, jeune chanteur noir d'Indianapolis, qui jouait de la trompette dans cet orchestre régimentaire, raconte : « Dans un village du nord de la France, nous jouions un jour le refrain favori de notre colonel, *Army blues.* Nous étions les premières troupes américaines à venir là. Dans la foule se trouvait une petite vieille d'environ soixante ans qui, à la surprise générale, se mit à esquisser un pas qui ressemblait à notre danse *Walking the dog.* J'eus alors la certitude que la musique américaine deviendrait la musique du monde entier [10]. »

Les soldats américains en Europe : mille paysages, mille couleurs qui déboulent. Toute la richesse du monde. Avant 1917, l'Europe trottine. Allure de vieille dame. Le monde ? L'Europe connaît, mais de loin. A travers les jumelles de ses explorateurs, les maladies rapportées par ses militaires, les récits de ses administrateurs coloniaux, les interdits de ses missionnaires. Ce sont les marchandises qui circulent, pas les hommes. L'Europe vend au reste du monde ses produits manufacturés, et elle lui achète des matières premières. Le monde ? Avec ses odeurs, ses souffrances, ses couleurs, le monde arrive en Europe à la vitesse de distillation d'un alambic perclus d'arthrose.

L'Europe : un chapelet de paroisses, de communes, de comtés, de länder, pelotonnés les uns contre les autres.

Le monde : une idée neuve, en Europe.

Paris, 1917.

Une grande revue de music-hall est montée au théâtre Marigny à l'intention des troupes américaines stationnées en France. Sur scène, onze pianos à queue et, sur chaque piano, une Américaine qui fait quelques pas de danse. Chaque costume de scène de ces demoiselles porte une lettre différente. MISSISSIPPI.

Il y a deux orchestres dans la fosse. Un orchestre noir et l'orchestre habituel du théâtre. La plupart des musiciens de cet orchestre ont un âge respectable, beaucoup d'entre eux ont repris du service, depuis la déclaration de guerre. Les musiciens en âge d'être mobilisés sont au front. Dans la fosse, un jeune garçon, Léo Vauchant. Il joue des timbales, et il a quinze ans. C'est son père, lui aussi musicien, qui lui a trouvé une place dans l'orchestre.

Les musiciens de fosse du théâtre Marigny pensaient avoir tout vu. Mais non. Voilà qu'on les fait jouer derrière un orchestre de bamboula. Au milieu de ces professionnels amers, âgés, fatigués, rigolards, récriminants, hostiles à eux-mêmes et à l'humanité entière, il y a le petit Léo. Un garçon éveillé. Curieux de tout. Il tourne autour du batteur, des danseuses, des musiciens. Mais c'est surtout le batteur, Louis Mitchell, qui l'intéresse. A cause des sifflets, des trompes, des accessoires.

— Eh Léo, qu'est-ce que tu fabriques à traîner dans les pattes de ces moricauds?

— Je m'amuse, papa.

« Je n'étais qu'un gamin à l'époque, mais je me suis mis à imiter le batteur noir. Ensuite, j'ai analysé le style du trompettiste qui alternait les syncopes sur le même morceau, les faisant quelquefois reposer sur le premier temps, quelquefois sur le deuxième, le troisième ou le quatrième... Ces Noirs jouaient tous les soirs les mêmes morceaux d'une façon différente [11]. »

Allez expliquer la contagion. L'autre arrive. Plus libre, plus fier. Vous enregistrez l'apparition. Ça va très vite. En vous, une piqûre qui ressemble à du dépit, une flamèche. L'admiration. Il bouge bien.

« Les Américains m'épataient, se souvient Léo. Pas nécessairement à cause de la musique. Je les voyais, ils rapportaient six costumes de chez le teinturier. Ils mangeaient de la soupe aux petits pois avec du pain et du porc dedans. Ils savaient se faire payer. J'étais sidéré par leur façon de vivre. »

Les *sammies* montrent à l'Europe ce que bouger veut dire. Une Europe conquise. Par les jambes. Puis par le corps tout entier, tel qu'il est porté et rêvé par les jambes. En 1917, une partie du monde entre en révolution, mais la vraie révolution n'est pas celle d'Octobre. C'est celle qui promeut, dans la vie quotidienne de millions d'Européens, le règne de la vitesse, de l'éphémère, du jetable, le règne des premiers parfums chimiques, des premières voitures Ford, des premiers rasoirs Gillette.

L'Europe vient d'entrer dans l'univers du rapide, du saccadé, du fugitif. Le monde n'est plus à ses portes. Il s'est introduit, nuitamment, dans nos villes.

Robert Goffin, un poète : « Période merveilleuse. Les kilts rouges et verts du 72ᵉ régiment écossais canadien de Vancouver jaspent encore mes souvenirs. Je fus nommé interprète civil et je passais mes jours entre le mess et la cantine.

« C'est vous qui m'avez chanté mes premiers airs de jazz, O. Mac Fajden, qui haïssiez le *bolly-beef* avec tant de conviction. Je vous revois encore, roux et désossé; depuis lors, vous êtes retourné à Oregon, vous avez ouvert une charcuterie...

« Je me souviens encore de vos chants tordus comme des fils de fer barbelés, de leurs syncopes haletantes, de leur poésie lourde d'une impartiale banalité; des relents de nègrerie traînaient dans leurs accents poivrés; certains mots amers accoudés à des contretemps tricoteurs allumaient en moi de beaux météores.

« J'avais lu *le Transsibérien*, digéré Archipenko, je rêvais de cueillir des pommes en Californie et je venais d'apprendre *Tipperary* qui me semblait un empiètement décisif sur les valses viennoises [12]. »

La danse. L'overdanse. Les danses américaines déferlent en Europe dès 1917. De plus en plus complexes. La première d'entre elles a pour nom le *onestep*. Un pas, un simple pas par temps, pour chaque danseur. Ce qui va déjà très vite. Bientôt, le *two steps* double la mise. Deux pas par temps. Épatant! Et voilà que le *fox trot*, ce mot bizarre que les jeunes gens ne prononcent pas sans rire, arrive dans la foulée. Trois figures. La marche (encore convenable), les pas courus (quelle rigolade), les pas glissés (les jeunes filles cavalent...). Et d'ici peu de temps : le *slow*, le *black bottom*, le charleston.

Bye bye, bals blancs et valses lentes. Les mains des danseurs se dégantent. Affolement des mères de famille. Elles ont de bonnes raisons de s'inquiéter. Déferlement des danses rapprochées et trépidantes, alors que s'éteignent, de mort naturelle, les danses nobles et courtoises : mazur-kas, polkas, valses, quadrilles... Rassurez-vous, quelques-unes de ces danses ont le poil dur. Elles reviendront. Mais pour ce qui est des ronds de jambe et des courbettes, c'en est définitivement terminé. Les bustes européens ne se figeront plus en de raides inclinaisons. Les musiques de danse venues d'Amérique arrondiront tout cela.

Les hommes sont revenus du front. Ils retrouvent leurs femmes, méconnaissables. Transformées. Pendant que les messieurs s'envoyaient des balles dans les tranchées, la mode a changé. Les corsets qui comprimèrent les côtes de générations successives de chrétiennes, les superpositions de jupons qui recouvraient leurs jambes, les inter-minables cascades de tissus, tout ce feuilletage s'en est allé rejoindre les vieilleries de la famille, là-haut, au grenier.

Après quatre années de guerre, c'est la collision. Les dancings envahissent l'asphalte, des centaines d'apparte-ments privés s'ouvrent à des soirées dansantes.

Les sexes se cherchent.

Le fond de l'air, dans cet immédiat après-guerre, est comme neuf. Rincé, bienveillant, permissif. Les hommes sont libres. Les dieux eurent soif, et maintenant, ils cuvent. Les hommes sont libres. D'une liberté électrique, écervelée. Et réapparaissent des images : l'insouciance des foules au moment de Noël, les silhouettes de femmes moulées dans la soie, emmitouflées dans la fourrure, et ces étalages...

En ce début des années vingt en Europe, voici que l'art devient nègre : pendant quelques années, le public cultivé se grise de rhapsodies (Francis Poulenc), d'anthologies nègres (Blaise Cendrars), de revues nègres, de romans nègres (*Batouala*, roman nègre de René Maran, obtient le prix Goncourt, en 1921).

De jeunes artistes, écrivains ou musiciens, mènent la danse. Jean Cocteau, Michel Leiris, Blaise Cendrars, Pierre Mac Orlan, Darius Milhaud, Maurice Ravel... Des artistes reconnus, ou prêts à le devenir. Pendant un temps, ils se passionnent pour ces expressions brutes, excentrées.

La nuit, on les retrouve au Bœuf sur le toit, cabaret jazz de la rue Boissy d'Anglas ou dans les cabarets américains de Montmartre. Ils regardent Vance Lowry, banjoïste noir et figure de la vie parisienne, ils remarquent, pour eux-mêmes, la lourdeur de son visage, son sérieux, les perles de sueur qui le couronnent. L'Afrique. La rencontre d'une énergie sacrée. Les pulsions lourdes et éprouvées du monde nègre.

Le jazz, le mot est à peine prononcé... Mais cette musique a tout d'une manière de vivre. Elle réunit une errance géographique et historique d'une ampleur jamais vue auparavant. Chicago, New York, Mississippi, Afrique de l'Ouest. Les pitons les plus extrêmes de la modernité, les temps bousculés des civilisations immobiles. Du jazz, nos jeunes artistes entendent un courant, un camouflet envoyé à un monde de raseurs, une revanche de l'instinct, une exaltation de la vie.
Si de jeunes et créatifs compositeurs vont vers le jazz, la majorité des compositeurs de formation classique ne se risquent pas à goûter cette musique, une fumisterie, en somme, une déchéance qu'ils estiment promue par des pervers, et appréciée par des incultes. Camille Mauclair, essayiste : « Je ne crois pas que la musique de jazz-band soit autre chose que le barritus des mercenaires barbares qui mugissaient dans leurs boucliers et frappaient le bord de leur épée en hurlant quand ils réclamaient leur solde aux préteurs romains de la décadence. »
Tout le monde, défenseurs et pourfendeurs, voit dans le jazz une musique de Nègres. Il faut être Michel Leiris, avec sa lucidité critique, pour noter que le jazz, ce n'est pas tant la musique du sauvage, qu'il soit loué pour les qualités que l'on a perdues, ou abhorré pour les vices qu'il nous apporte. Michel Leiris s'est rendu compte de l'incroyable proximité qui existe entre le jazz et nous. « Le jazz nous venait d'un autre pas tout à fait autre, écrit-il. Dans cette musique, il y avait des relents de civilisation finie, d'humanité se soumettant à la machine [13]. »

Au printemps de l'année 1918, dans un Paris traversé par les éclairs de feu des canons allemands, Jean Cocteau retouche les épreuves d'un petit texte qu'il appelle *le Coq et l'Arlequin*. Il relit. Brillant, un peu trop brillant, peut-être, mais cette manière d'écrire épouse son propos. Des phrases courtes, péremptoires, inquiètes... Les images fusent sous sa plume, c'est un livre léger qu'il a écrit, un livre moderne, un livre qui pèse le poids du vent. En même temps, *le Coq et l'Arlequin* est un manifeste, un livre destiné à promouvoir la musique de ses amis. Les barbons de la musique classique en prendront pour leur grade.

Jean Cocteau sort tous les soirs, l'important étant qu'il y ait du monde. Ce soir, il est au Casino de Paris, où se joue, montée par Léon Volterra, une revue qui a pour nom *Laissez-les tomber*. Pour agrémenter le spectacle, où brillent les numéros de danse de Gaby Deslys et d'Harry Pilcer, Léon Volterra, directeur du Casino de Paris, a fait venir de Londres un orchestre nègre américain.

Dans le hall du casino, une clientèle cosmopolite. Des aviateurs anglais en uniforme, des permissionnaires, et aussi des civils. Jean Cocteau a la poignée de main facile, il distribue les mots d'esprit comme d'autres donnent aux pauvres. Il se dirige vers le bar. Il jette des coups d'œil rapides autour de lui, s'exclame, apostrophe, converse, s'énerve, se fâche, tourne les talons, revient à son inter-locuteur abandonné, commente les événements de la semaine. Ce qui l'insupporte, c'est que l'on parle de la guerre. Dès que la conversation aborde ce sujet, il fuit. Comment se fait-il que les gens aient encore tant à dire sur cette chose-là? Pourquoi l'horreur suscite-t-elle tant de commentaires?

La salle s'éteint. Puis la scène. Cocteau parle encore, il ne s'arrête pas de parler. Sur la scène, la lumière s'est allu-mée. Une douche de six projecteurs, une densité d'éclai-rage incroyable, dont Cocteau dira qu'elle laisse « ivre et myope ». La première chose que l'on voit, installée à un mètre de l'orchestre, c'est la batterie. Elle est lardée de sirènes et de klaxons. Louis Mitchell, le *drummer* de

l'orchestre nègre, se lance dans un assourdissant roulement, puis il se lève, roule des yeux ronds et jette ses
baguettes en l'air.

On n'avait jamais entendu ça à Paris, autant de bruit.
Cocteau écrit : « un riche orphéon de cuivre et de bois ».
Ce mot – orphéon – renvoie aux musiques de village, et
c'est pour cela que Cocteau l'a choisi. Il veut signifier que
cette musique est vivante, qu'elle plonge dans les racines
de la vie. Une musique qui ne s'écoute pas la tête entre les
mains.

Il ressemble tout à coup à un poisson que l'on vient de
sortir de l'eau. Il a moins envie de parler. Comme un
tarissement. Il écoute. Lui qui se flatte d'un incessant
commerce avec le langage et la pensée, il en vient à se dire
que son agitation mentale pourrait bien n'être, en définitive, qu'une puissance occupante. La musique lui ôte
l'envie de parler.

Les arlequins nègres fabriquent une musique aux couleurs du monde qui s'annonce. Une musique dont il
écrira qu'elle est « excitante comme le bruit, les machines,
les animaux, le paysage, le danger ». Quand l'orchestre en
a terminé avec l'ouverture, Cocteau se lève. Il trépigne et
applaudit le « numéro qui est à la folie d'Offenbach ce
que le tank peut être à une calèche de 1870 [14] ».

En 1919, Ernest Ansermet a trente-six ans. A la fin de
l'année, il est à Londres pour diriger l'orchestre des Ballets russes, qui viennent de présenter l'une de leurs chorégraphies, le Tricorne.

Les mélomanes parisiens ont remarqué son œil noir,
son nez droit légèrement épaté du bas, les lobes de ses
oreilles qui ressemblent à une queue de croche. Lorsqu'il
a dirigé la musique des Ballets russes, à Paris, en 1908, ce
fut alors la multirévolution. Chorégraphique, scéno-
graphique, musicale.

Alors même que les répétitions du Tricorne se précipitent, sur une autre scène londonienne, au Philharmonic
Hall, les trente-cinq musiciens et vingt-cinq choristes du

Southern Syncopated Orchestra, l'orchestre de Will
Marion Cook, donnent une série de spectacles.

Né dans une famille de la bourgeoisie noire, Will
Marion Cook a fait ses études au conservatoire de Berlin.
De retour aux États-Unis, en 1898, il connaît le succès à
Broadway, en composant des comédies musicales inspirées des *minstrels shows* : *la Vie au Dahomey, les Origines
du cake walk.* En 1918, Will Marion Cook, comme s'il ne
voulait pas être en reste avec James Reese Europe, son
vieux complice du Clef Club, réunit une centaine de
musiciens noirs de New York, et part avec eux donner
une série de concerts en Angleterre.

Si James Reese Europe fait entendre la musique noire
en France, Will Marion Cook réalise la même chose en
Angleterre. Au programme de ces concerts : Tchaïkovsky,
Rachmaninov arrangés en ragtime, des ragtimes écrits par
des Noirs américains. Avant de venir à Londres, Ernest
Ansermet a entendu chanter des Noirs américains, un
jour, dans un compartiment de train, entre Genève et
Lausanne. Guidé par la curiosité, il se rend au Philharmonic Hall où l'affiche annonce du ragtime, joué par
un authentique orchestre de race nègre.

Ernest Ansermet passe bientôt ses après-midi au Philharmonic Hall. Il se rue dans la fosse d'orchestre. Devant
cette musique, il commence par avoir une réaction
d'ethno-musicologue. Puis, il écoute. Il se laisse entraîner
par un musicien : le clarinettiste soliste de l'orchestre. Il
s'approche, lui pose quelques questions. Le clarinettiste
n'a pas l'air commode :

– Depuis qu'on est arrivé en Europe, lui dit-il, tous les
musiciens me posent les mêmes questions. Il y en a un,
l'autre soir, qui est venu me demander si je ne me servais
pas d'un instrument truqué.

Ernest Ansermet sort un petit carnet. Questions encou-
rageantes :

– Quelles sont ces notes bizarres, entre le majeur et le
mineur ? Comment s'organisent les voix des instruments
dans les ensembles collectifs ? Qu'est-ce que c'est que le
blues ?

Réponses décourageantes :
– Je fais mon truc, répond en substance le clarinettiste.
Ernest Ansermet assiste à tous les concerts de Will Marion Cook. A côté du mot blues, sur son petit carnet, Ernest Ansermet écrit : « Il semble qu'un grand vent passe sur une forêt ou que les portes se soient brusquement ouvertes sur une immense orgie. »
De retour en Suisse, il rédige un article qui commence ainsi : « Il y a, au Southern Syncopated Orchestra, un extraordinaire virtuose clarinettiste qui est, paraît-il, le premier de sa race à avoir composé des blues d'une forme achevée. J'en ai entendu deux... Ils donnaient déjà l'impression d'un style, et la forme était saisissante... avec un fin brusque et impitoyable comme celle du *Deuxième Concerto brandebourgeois* de Bach. Je veux dire le nom de cet artiste de génie, car pour ma part je ne l'oublierai jamais : c'est Sidney Bechet. »
L'article d'Ernest Ansermet « Sur un orchestre nègre » paraît dans une revue savante suisse, *la Revue romande*. Il s'agit du premier article jamais écrit sur le jazz. La première fois, dans une revue de ce genre, qu'est notée l'originalité de la musique nègre américaine. Ernest Ansermet remarque : « Les musiciens nègres jouent généralement sans notes. » Il remarque : « Même lorsqu'ils en ont [des notes], elles ne doivent que leur indiquer une ligne générale car il y a très peu de leurs morceaux que j'ai entendu exécuter deux fois avec les mêmes effets. » Il s'étonne : « Un vieil instinct pousse le Nègre à chercher son plaisir hors des intervalles orthodoxes : il réalise des tierces ni majeures ni mineures, de fausses secondes, et tombe souvent d'instinct sur les sons harmoniques d'une note donnée. » Il constate : « La musique nègre n'est pas matière, elle est esprit. » Il décide : « Le jazz est la vraie musique nationale américaine [15]. »

New York, aéroport principal, mai 1922.

Journalistes et officiels encombrent le salon d'honneur. Darius Milhaud va arriver d'un instant à l'autre. L'Amérique musicale s'apprête à fêter la nouvelle musique française. L'avion se pose. Darius Milhaud descend de la passerelle. Mlle Bogue, son agent pour les États-Unis, le conduit vers le salon d'honneur.

Une conférence de presse a été prévue. Rapide. Le compositeur s'asseoit à la table qui lui a été réservée. Remerciements d'usage : l'ambassade qui a tant fait pour..., les universités sans lesquelles...

Questions ? Elles ne sont pas très nombreuses aujourd'hui. Darius Milhaud s'adresse directement aux journalistes :

– Savez-vous, leur lance-t-il, que la musique européenne subit fortement l'influence de la musique américaine ?

– Quels musiciens ? renvoie un petit brun à l'air décidé. Mac Dowell ? Carpenter ?

Milhaud marque un temps. Un large sourire, et il enchaîne :

– Je pensais au jazz. Pour moi, il n'existe qu'une musique américaine, et c'est le jazz.

C'est le petit brun à l'air décidé qui a lancé le signal du fou rire. Un rire nerveux. Grotesque, la réponse. Le jazz... Impensable. L'école nationale américaine existe, elle n'a rien à voir avec ce que font nos musiciens nègres. Mais que voulez-vous dire ? Qu'êtes-vous venu nous dire ?

Pourquoi Darius Milhaud tient-il tant à aller à Harlem ? Ses amis américains tentent de l'en dissuader, que se passe-t-il à Harlem ? De plus en plus de Noirs y habitent, les loyers grimpent, mais il y a, dans la partie blanche du quartier, quelques agréables « rathskellers », des tavernes tenues par des immigrants allemands où l'on vient boire de la bière.

Harlem est alors bien plus pittoresque que dangereux. Il ne faut pas provoquer, bien sûr. Ne pas inviter de femmes noires à danser, lui répètent ses amis, sans quoi, c'est l'émeute.

Veux-tu toujours y aller ? Quelle question ! Darius Milhaud est curieux de tout. Il adore les voyages, se passionne pour l'architecture, prend des notes sur les chansons populaires, les recettes de cuisine, les vêtements.

La grande majorité des New-Yorkais se fiche de Harlem. C'est tout juste si l'homme de la rue a entendu parler de Marcus Garvey, un hurluberlu, un illuminé, qui a créé un mouvement dont le but est de ramener les Noirs en Afrique.

Darius Milhaud se retrouve dans un endroit enfumé, où coulent des flots de mauvais whisky, dans un brouhaha de conversations et d'éclats de rire. Dans ce cabaret, les chaises sont dépareillées, les tables recouvertes de nappes de lin et les planchers lisses comme le velours. Une chanteuse de blues, accompagnée au piano, essaie vainement de couvrir le vacarme.

« La musique que j'entendis à Harlem, absolument différente de celle que je connaissais, fut une véritable révélation... Cette musique prenait racine dans les éléments les plus obscurs de l'âme nègre. Je ne pouvais m'en détacher, tant elle me bouleversait [16]. »

De retour à Paris, Darius Milhaud écrit la musique de *la Création du Monde,* un ballet chorégraphié par Rolf de Maré sur un argument de Blaise Cendrars. La première a lieu le 25 octobre 1923. Les spectateurs y entendent quelques *blue notes* et beaucoup de syncopes. Avouez-le, monsieur Milhaud, n'est-ce pas qu'elles sont excitantes, les petites syncopes du jazz. Pouffantes, énervées, inquiètes, manœuvrières.

Le soir de la première, au théâtre des Champs-Élysées, tout se passe bien, si ce n'est que Darius Milhaud a quelques problèmes avec les musiciens de l'orchestre, qui ne veulent – ou ne peuvent – lui jouer ce qu'il a demandé. Attention... A la première croche, prenez votre élan. Ne faites pas cette tête, messieurs, on dirait que l'on vous oblige à plonger dans l'eau froide. La noire suivante, les pieds de ceux des musiciens qui battaient le tempo ne peuvent s'empêcher de se précipiter sur la syncope. Perdu! Regardez vos pieds! Mais quoi nos pieds?... Ils sont en l'air, vos pieds. Ils ne bougent pas. Vous savez comment sont vos pieds? Hésitants. Coupables. Bêtes.

Mezz, un Américain à Paris

Demandez l'*Intran*... L'*Intran* dernière... La spéciale de huit heures...

Il a bien cru le retrouver, dans la cour de l'immeuble du *Populaire*, rue du faubourg Poissonnière. Hurlant le nom de son journal, excité comme une puce, avec, de dos, une tronche de hérisson. Pourquoi pas lui, après tout? Beaucoup de musiciens étaient devenus marchands de journaux, éleveurs de poulets, cireurs de pompes ou animateurs de comités de chômeurs. Mais comment Dave aurait-il pu glapir le français, langue incompréhensible, long halètement morne, entrecoupé de borborygmes? Deux jours que Mezz est à Paris, à la recherche de son ami Dave Tough.

– Please... You Vike Tor Machi?

Il a remonté le faubourg Poissonnière, croisé la sortie des ateliers, s'est arrêté pour regarder de vieilles femmes édentées, accroupies aux bouches de métro, clochardes que la faim venait de chasser des quais de la Seine. Il se dit, en remontant la rue Pigalle, que Paris est rempli de pauvres, de prostituées et de vieux. De vieux mauvais comme des teignes, et de putes imbues de leurs droits. A Paris, pense-t-il, tout le monde a une mentalité de propriétaire, qu'il possède un métier, un pas de porte, une idée, ou une occupation du dimanche.

– Please... You Vike Tor Machi?

Mezz réussit finalement à dénicher la rue Victor-

Massé. il dépose sa valise et sa clarinette dans un hôtel terriblement *frenchy*, avec ses grilles en fer forgé et ses roses trémières. Un bonheur n'arrive jamais seul, et il voit écrits ces mots, sur la devanture d'un magasin de musique : la Maison du Jazz. Au même moment, ses yeux rencontrent ceux d'une fille. Les Français ont d'innombrables défauts, mais il y a plus de joie de vivre dans un regard de Française que dans trois kilomètres de jambes de majorettes américaines. Le soleil a alors la bonne idée de passer à travers les nuages et, après une semaine de traversée transatlantique où le père Neptune lui en fait voir de toutes les couleurs, après cette descente de train dans une gare Saint-Lazare, concentré glacial de tout ce qu'il y a de gris et de moche sur terre, il lui semble que le monde, tout d'un coup, recommence à tourner droit.

— Hé Poppa, d'où tu sors?
Le jeune Noir qui lui adresse la parole tape au piano un vieux ragtime. Il a cet accent traînant, cette voix détendue et amicale, l'inflexion aisée et insouciante des Noirs américains. Une manière de parler et de vivre qui n'existe que dans quelques endroits bien choisis de la planète. A Harlem, dans le South Side de Chicago... Des lieux où l'on ne se salue pas avec cet air triste, ces épaules tombantes et cette voix vide, comme si l'on s'annonçait une mauvaise nouvelle.
Mezz changerait volontiers de race (à plusieurs reprises dans sa vie, il s'est fait passer pour noir, notamment en prison). Dès que Mezz Mezzrow entre en contact avec un Noir américain, il éprouve peu ou prou la sensation que lui procure la marijuana et l'opium. Les choses se remettent en place. Une bouffée d'air chaud, et il a envie de dormir, tant il se sent en sécurité, et que tout en lui s'apaise, se radoucit, se rafraîchit.

— *Hey man*, explose-t-il.
Rencontrer un Noir, même pour un transracial de la trempe de Mezz, demande un certain entraînement. En huit jours, il a beaucoup perdu de ses réflexes. Il doit se

remettre en forme. Faire monter le niveau sonore de sa voix, écarter ses maxillaires, déployer ses membres.

– *Hey man* », répond l'autre, benoîtement.

Et il poursuit :

« John Bynchon, St. Louis, Missouri.

– Mezz Mezzrow, Chicago. Sais-tu où l'on pourrait trouver de quoi se faire des petits *muggles*? »

A voir la tête que font, face à ces deux Américains qui se disent bonjour, les clients de la Maison du Jazz, on pourrait croire que Ferdinand Lop, génial humoriste du quartier Latin, vient de leur apprendre que les locomotives du métropolitain ont été repeintes en rose pendant la nuit, et que la direction du métro a fait dessiner des poils autour des tunnels.

Avant qu'il ne prenne le bateau pour l'Europe, en 1929, Milton « Mezz » Mezzrow se croyait indispensable à Chicago. Ses états de service en imposaient : séjour en pénitencier, connaissance pointilleuse, quoique quelque peu théâtrale, du jazz (« j'avais passé des semaines à étudier à la loupe le massacre du dictionnaire blanc par Bessie Smith, à analyser ses courbes, ses élisions, avant de trouver la clé de son inimitable façon de chanter le blues »), amitiés judicieuses, dont il parle d'un air modeste et sûr. Cette habitude des fanatiques de jazz de se prévaloir de leurs fréquentations, de placer au bon moment : « La chevrolet que conduit Rap est à moi ; je la lui ai prêtée à Noël, mais il est tellement plein de marijuana qu'il a oublié de me la rendre... » Ou alors : « Bix plane comme un avion, ces jours-ci... » Et encore : « Louis m'a tué hier. J' suis allé le voir dans sa loge, il m'a fait fumer des *muggles* à m'en faire péter le cerveau. Et il a joué, après... Putain ! »

Mais cela ne suffisait pas...

Si Mezz Mezzrow avait cette importance, c'est que, malgré ses airs de rêveur et son niveau musical plus que modeste, il fournissait aux musiciens qu'il tenait en son cœur la meilleure marijuana (d'où la tenait-il? Mystère) de Chicago.

Mis à part cette qualité, Mezz a tout pour insupporter les autres musiciens. En matière de musique, il professe des idées aussi tranchées qu'un fil de rasoir. A l'entendre, le jazz, tel qu'il a été créé à La Nouvelle-Orléans, ne doit ni ne peut changer. Toute évolution lui paraît condamnable. Mezz aime trop le jazz de son adolescence. Plus on s'éloigne de la source, plus l'eau est polluée, telle est sa devise. Que Mezz soit un traditionaliste, passe encore. Mais il y a plus grave : c'est un pédagogue.

Il faut le voir confectionner ses *muggles*, son « *pot* », son « thé », sa « *muta* », et ses boules de pâte d'opium, et vous expliquer que Louis Armstrong est le plus grand génie que la terre ait porté, et que seuls les Noirs sont capables de jouer correctement du jazz. Les musiciens blancs, dit-il, peuvent y consacrer tous leurs efforts, ils n'y arriveront jamais; c'est tout juste si Mezz leur laisse la possibilité de devenir les disciples des grands musiciens noirs. Cela a force de loi. Du moment que votre peau est blanche, Mezz ne voit en vous qu'un copieur, un insuffisant, un égaré, un profiteur, un défroqué, un mauvais ou un minus.

– Hey Mezz, lui lance un jour, excédé par tant d'intransigeance, John Searle, un musicien professionnel qui se partage entre de nombreux orchestres de danse de Chicago. Quand apprendras-tu à jouer de la clarinette? Travaille ton instrument, mon vieux.

John Searle, musicien, se lève à heures fixes, fait un peu de marqueterie, puis sacrifie à son heure de gammes quotidiennes. Installé dans la pièce de son appartement qu'il a aménagée en salle de musique, il s'attelle à jouer des morceaux difficiles, il peste quand il se voit buter sur un obstacle, et goûte une joie sereine quand il en vient à bout. John Searle a un visage ouvert et sympathique, et il est très occupé. Aucun rêve de gloire ne traverse jamais sa tête, il est à mille lieues de se considérer comme un artiste. Il se veut, simplement, musicien professionnel. Cela signifie qu'il cherche avant tout à bien faire ce qu'on lui demande. En ce temps-ci, c'est le *fox trot*. Et John Searle fait vivre sa famille avec le *fox trot*. Rentrant le soir d'un casino, d'un hôtel où il vient de jouer, il jette un petit coup d'œil à ses travaux de marqueterie, fume une petite cigarette de marijuana (pas du mezz, parce que Mezzrow abomine des gens comme lui), il recompte l'argent qu'on lui a versé, et va se coucher en grognant, l'âme en paix.

Dave Tough ne ressemble pas non plus à John Searle. C'est un fou de jazz. Milton Mezzrow l'a connu à Chicago, quand Dave a débarqué de son Illinois natal. Dave est excité comme un papillon de nuit, à l'idée qu'il va jouer du jazz et, surtout, qu'il va faire la connaissance de son idole : Baby Dodds. Dave Tough est épais comme un confetti et à peine plus grand, avec une touffe de cheveux bruns, des pommettes hautes et le nez en lame de rasoir. Dave pétille d'ardeur au point de ne jamais pouvoir rester en place. C'est une espèce de cacahuète trépidante, qui se déchaîne sur le tempo puissant et sûr qu'il a appris auprès de Baby Dodds, Zutty Singleton, et autres grands batteurs noirs.

Dave a commencé le métier en animant des soirées d'étudiants dans un orchestre appelé l'Austin High Gang. C'est un bon garçon, un batteur doué, dont le sourire enfantin se transforme en un rictus grave et crispé dès qu'il prend place derrière ses caisses. Alors, il devient sérieux comme un forgeron. Mais ce batteur (né en 1908, il a neuf ans de moins que Mezz) a la cervelle d'un moineau.

Mezz l'a pris sous sa coupe. Ce garçon, pense-t-il, joue avec conviction, il pourrait s'approcher des batteurs noirs mais il ne connaît rien au vrai jazz, et il se laisse épater par la technique instrumentale de certains musiciens blancs. Consternant, que ce jeune homme méconnaisse la vertigineuse distance qui sépare les musiciens noirs de leurs imitateurs blancs. Cet inconscient ne voit pas qu'entre le jazz authentique et la variété malodorante et sirupeuse *made in Broadway*, il y a autant de différence qu'entre le Temple de Jérusalem et un congrès de maquignons à Buffalo. Ce qui ravive les inquiétudes de Mezz,

parce que cela témoigne d'une incompréhension inquié-
tante à l'encontre de la plus éclatante musique que la terre
ait produite, c'est que Dave boit de l'alcool.

– T'es complètement à côté de la plaque, le prévient
Mezz.

Il a l'intention de redresser tout cela.

Si on lui explique le fond des choses, Dave peut devenir un vrai batteur de jazz. Non seulement un *cat* capable
de tambouriner sur la portière de sa voiture comme Son
Excellence Baby Dodds en personne, mais un garçon qui
délaisserait le camp des poivrots pour celui des *vipers* : les
dévots éclairés de la marijuana.

Mezz n'a pas oublié la soirée d'intronisation de Dave
Tough dans le monde du jazz. Ce retournement est l'un
de ses plus grands triomphes.

La soirée avait commencé dans la petite chambre de
Mezz. Tout allait pour le mieux, la *muta* de Mezz était
excellente.

– Les Noirs ont tout inventé, disait Mezz. Tu as tout à
apprendre d'eux.

Les mots qui sortaient de ses lèvres étaient flous et
paresseux, enveloppés dans un bâillement, se traînant
comme au ralenti.

Tesch entra. Pour convaincre Dave de la supériorité
des Noirs sur les Blancs, et de l'herbe sur les boissons fer-
mentées, Mezz n'avait pas lésiné sur les moyens. Frank
Teschemacher, les yeux barricadés derrière des verres
épais, était l'intellectuel de l'Austin High Gang. Il jouait
de la clarinette et du saxophone alto, et il est devenu l'un
des créateurs de ce que l'on appellera plus tard le style
Chicago. Les yeux embués par l'émotion, Tesch pouvait
disserter pendant des heures sur les beautés et les difficultés du jazz *hot*. La bonté qui se dégageait de son
regard, à ce moment-là...

– Il y a deux gazouillis, sur cette terre, commença
Tesch, dont il est impossible de se passer : la respiration
de ta petite amie, quand elle est heureuse et paisible, et le
ronflement de ta tête, quand la « *muta* » t'envoie en l'air,
et que tu entends Johnny Dodds jouer le blues.

Tesch avait failli tout faire capoter. S'il était un excellent homme et un vrai amateur de jazz, il pouvait toutefois, sous l'effet d'un pétard qui passait mal, se laisser aller à un étrange parler.

– La musique est une merde, asséna-t-il à ce pauvre Dave. Aurais-tu remarqué ne serait-ce qu'un seul visage humain, un visage ouvert, éclairé, souriant, parmi tous les loquedus que tu rencontres le soir dans les clubs?

– Trempe donc un quartier de pomme dans du miel, lui conseilla Mezz, sachant vers quels abîmes pouvait se laisser aller Tesch, sous l'emprise conjointe de la *muta* et de sa mélancolie.

– Nous autres, reprit Tesch, les musiciens de jazz, on joue pour des chiens ratatinés sur leur bave. Des bigots, des ratatinés, des rabat-joie.

Mezz se disait que si cela continuait dans cette voie, le petit Dave continuerait à siffler du whisky et à aimer des musiciens aussi loufoques que George Gershwin, Paul Whiteman ou Jean Goldkette. Ces gens qui s'inspirent du jazz et gagnent un argent fou sont la lie de l'humanité. Des charlatans, des sangsues, des pollueurs de source. Comment aimer ces bonimenteurs alors que, à portée de main, dans le South side, on peut entendre les vrais de vrais. Louis Armstrong, Johnny Dodds, Bessie Smith...

– On se lève, on arrête de parler, et on fonce au Paradise Garden, dit Mezz. Bessie Smith y chante ce soir, avec l'orchestre de Jimmy Noone. » Tout en jouant sur la portière de la voiture les *riffs* de Baby Dodds, Mezz continuait son prêche : « Tu es un garçon intelligent, Dave. Toute la musique que nous aimons vient du Noir et, si on veut la piger à fond, il faut comprendre les types qui l'ont créée. Or, on ne peut pas comprendre un peuple si on n'apprend pas sa langue, pas vrai? »

Dave Tough a laissé passer ce qu'on lui racontait. Puis il l'a entendu à l'autre bout de la rue. Tout d'abord, le *vibrato* de sa voix, la sonorité si éclatante, la résonance de ses notes, si claire et si riche... Il y avait un embouteillage devant le cabaret où Bessie chantait. Ce n'était pas une voix, c'était un lance-flamme qui léchait toute la salle...

La foule des amateurs et de leurs sauterelles bloquait le trottoir, hypnotisée par les complaintes déchirantes qui montaient comme une grande clameur de la gorge de Bessie Smith.

Woke up this mornin' when chickens was crowin' for day
Felt on the ride of my pillow, my man had go away
By his pillow he left a note
Readin' : I'm sorry Jane, you got my goat.

Si Mezz se trouve aujourd'hui à Paris, c'est qu'aux États-Unis l'effervescence liée au jazz semble définitivement tarie. Bix Beiderbecke est devenu le trompettiste de l'orchestre de Paul Whiteman. Il se laisse aller à sa mélancolie naturelle et, quand il se met au piano, ce n'est plus pour faire entendre du ragtime ou du piano *stride*, mais les harmonies désincarnées et angoissées de Stravinsky et de Ravel. Pauvre Bix, il est paumé, désemparé, et c'est complètement cinglé de partir ainsi à la recherche d'un idéal musical dans la musique à partition. Quant aux autres, Tesch, Red Mac Kenzie, Eddie Condon, la vie, semble-t-il, les a rattrapés.

Un soir de cauchemar, Tesch a retrouvé Mezz dans un club, et lui a avoué que le petit groupe des fanatiques du jazz dont Mezz se croit l'inspirateur part pour New York, sans lui, bien sûr. Ils foutent le camp, avec un autre clarinettiste, et ils espèrent gagner plein de blé, en jouant de la musique écrite sur des partitions. Dans cette histoire, saurait-il lire la musique, ce qu'il n'a jamais réussi à faire, il n'y a pas de place pour Mezz.

C'est une page qui se tourne. Les gosses de l'Austin High Gang sont dispersés aux quatre vents. Le style Chicago, la vie qu'ils ont menée, tout cela est fini. Ce ne sont pas les musiciens qui manquent, à Chicago, pas plus que ne manquent, autour de lui, de jeunes *cats*, qui s'extasient devant la qualité de ses *muggles*, et avec qui il peut faire des balades en bagnole, en discutant jusqu'au bout de la nuit sur les beautés du jazz *hot*.

Il n'y avait pas de quoi en pleurer, mais Milton Mezz

Mezzrow a bel et bien chialé. Oh, Bix, pourquoi Ravel? Il s'est consolé en se disant que Dave Tough était à Paris, loin de la mauvaise influence des autres, et que le souvenir des nuits passées à écouter la grande Bessie avait sans nul doute permis à Dave de garder un cœur pur et de rester dans la vraie ligne du jazz.

— Je cherche un batteur. Un Blanc. Il s'appelle Dave Tough, demande-t-il au pianiste.

— Le petit batteur qui ne tient jamais en place? répond l'autre. Il vient de retourner aux États-Unis. Pour jouer avec Benny Goodman.

Dave va jouer avec Benny Goodman. Le pire de tous.

Si même Dave s'y met... Il n'y a donc personne sur qui compter. Rappolo est dans son asile et les gamins de Chicago tournent les talons au jazz *hot*. On ne peut jamais faire confiance aux Blancs. Il repense à la piaule qu'il partageait avec Tesch, avec tous les disques de Satchmo et de Bessie. Il a envie, tout d'un coup, d'expliquer cela à Bynchon : que derrière la raideur, le sérieux et la geignardise des musiciens de race blanche, il n'y a que du vent, du malaise, de la fragilité, de l'autosuffisance, de la complaisance gratuite. Mais il sait que Bynchon n'a nulle envie de s'entendre expliquer quoi que ce soit.

— Tu as ton biniou? lui dit Bynchon. Tu devrais aller place Pigalle. A deux pas d'ici. C'est le rendez-vous des musiciens de Paris.

Pigalle

Si Pigalle n'est pas le quartier sud de Chicago, il s'y promène tout de même de drôles d'oiseaux. Les musiciens de
danse parisiens logent dans un périmètre délimité par la
rue Chaptal, la rue Victor-Massé et la place Pigalle. Ils s'y
sentent chez eux, et certains n'hésitent pas à venir en robe
de chambre prendre le traditionnel verre de cinzano de
six heures du café Pigalle. Ils marchent lentement, un étui
ou une housse d'instrument de musique à la main. Cela
suffirait à indiquer leur spécialité au chef d'orchestre ou
au propriétaire de boîte de nuit qui aurait, ce soir-là,
besoin de les engager.

Vers dix-sept heures trente, ils ont acheté leur petit gris
au Chaptal, pour ensuite s'en retourner dans leur meublé,
d'où ils ressortiront, vêtus en matelot, en Mexicain, en
Tzigane, ou en habit de soirée. Ceux qui ne seront pas
engagés passeront la soirée en famille, ou alors ils iront se
détendre au bordel.

— Le Perroquet, à Nice. Huit jours. Ça te va? Au fait,
tu joues quoi, à part trompette et le geazz (batterie)?
— Violon, bando, Fred.
— T'as quelque chose de prévu, pour l'été?
Les professionnels traitent leurs affaires au café Pigalle.
Les fauchés, les étrangers, les violents, les biberonneurs
excessifs, les tremblants du manche, les vieux, les rin-
gards de la polka piquée, les étudiants provinciaux du

Conservatoire, récemment arrivés de Toulouse ou d'Arras, avec leur accent d'immigré et peu d'argent en poche, se contentent du terre-plein de la place Pigalle, que les musiciens appellent « la Plage ». Parce que lorsqu'on est sans le sou, on est sur le sable.

A Paris, la musique de danse connaît alors son âge d'or. Les musiciens courent d'un dancing à l'autre. Ils ont joué pour un « thé » dans le salon d'un grand hôtel, pris rendez-vous, pour le lendemain midi, pour l'enregistrement d'une émission, au Poste parisien ou à Radio PTT. Vie agitée... Peu nombreux sont les Parisiens qui ont ce mode de vie. Les musiciens travaillent au coup par coup. Ils sont libres. A côté du boulot, il y a cette vie routinière, les parties de pétanque sur la place Pigalle, les petits verres entre copains, les visites à des établissements aussi joliment lotis en filles que le One Two Two ou le Daunou.

Si l'hiver se passe généralement au froid, à Paris, l'été, les courants migratoires conduisent les musiciens vers Le Touquet, les établissements de la Côte d'azur, de la Riviera, ou des grands casinos du Pays basque.

Café le Pigalle, 18 heures 30.

– Une invasion, dit l'un.

– Incontrôlable, soupire un deuxième.

– Je sens la faim me venir au ventre. Cet hiver ne me dit rien de bon, renchérit le premier musicien, un type sombre et lyrique, qui s'appelle Stéphane Mougin.

– Avec les amateurs qui nous bouffent le boulot, c'est le bouquet, dit le troisième.

Tout est cuit, et pire encore.

Le cinéma parlant vient d'arriver, et c'est la catastrophe. A l'incertitude s'ajoute la misère. Le cinéma sonorisé, cela veut dire que les musiciens qui jouaient dans les nombreux cinémas de Paris vont se retrouver à la rue. Sombres et râleuses, en cette année 1928, les discussions de zinc des musiciens français. Le cinzano en finit par ressembler à de l'eau de mélisse.

– Personne n'a besoin d'un violon?», lance la voix cristalline d'un jeune homme.

– Stéphane, j't'offre un verre », lui répond, goguenard, un consommateur.

Mais Stéphane est déjà parti. Ne tenant pas à compromettre par des dépenses inconsidérées une carrière d'avare qui s'annonce brillante, Stéphane Grappelli n'entre jamais dans un café, de peur de devoir offrir la tournée.

Le jazz? pas encore. Les premiers disques de variété américaine sont arrivés en France vers 1926. Des 78 tours enveloppés de papier kraft, que l'on peut écouter, pour quelques sous, chez Marchetti, un magasin de musique situé à l'angle des grands boulevards et de la rue de la Chaussée d'Antin. En majorité, ce sont des disques de grands ensembles commerciaux blancs, Paul Whiteman, les Pensylvanians, Jean Goldkette... dans lesquels on se rendra compte, deux ou trois ans plus tard, que se glissaient, comme des fleurs de pavot flottant au milieu d'un étang, les solos de Bix Beiderbecke et de Franck Trumbauer. Sur le rond, le nom de la vedette, deux titres de morceaux, avec mention du compositeur et du parolier. Aucune indication du nom des musiciens. Des disques innommables.

Le jazz? En cette année 1929, jouer du jazz se dit : aller au chorus. Ils sont peu nombreux à savoir le faire. Leurs noms tiendraient presque sur les doigts d'une seule main : Stéphane Mougin, Léo Vauchant, Philippe Brun, Stéphane Grappelli, André Ekyan, Roger Chaput.

Roger Chaput : « En 1928, je suis revenu de mon service militaire, et j'ai appris qu'il y avait un orchestre de jazz, à Pigalle. Ça commençait le soir à onze heures, et ça marchait toute la nuit. Tous les soirs, je prenais le métro, avec quatre ou cinq copains, on allait à l'Abbaye de Thélème. On était trois ou quatre à Paris, c'est tout, à aimer cette musique. Le jazz venait d'arriver en France... Ça devait être vers 1925. Quand on disait jazz, cela voulait dire que le patron d'un restaurant ou d'un cabaret faisait venir une batterie dans son établissement, qu'il accrochait des casseroles partout, et qu'il collait au-dehors des affiches où il y avait écrit : " Orchestre de Jazz ". Mais à l'Abbaye de Thélème, les musiciens jouaient du vrai jazz. C'étaient les premiers à faire cela. Au piano, il y avait Stéphane Mougin, un tromboniste qui s'appelait Léo Vauchant; c'était André Ekyan qui jouait du saxophone. C'était l'été. Avec les copains, on s'asseyait sous la fenêtre, et on écoutait l'orchestre. »

André Ekyan : « En 1926, je suis un étudiant peu convaincu qui sèche fréquemment ses cours de l'École dentaire pour aller écouter des disques américains sur les grands boulevards. Un jour, je décide d'apprendre à jouer d'un instrument... Un étudiant me propose un saxophone dont il ne jouait plus : j'emprunte six cents francs, je l'achète et je m'enferme chez moi. Depuis ce moment-là, je ne suis jamais retourné à l'École dentaire. »

Stéphane Grappelli : « En 1926, je joue de la mandoline dans un cours de danse... Là, je trouve au piano un jeune type de mon âge qui jouait enfin des morceaux américains comme *Tea for two*, avec leurs véritables harmonies. C'était une révélation. Quelle différence avec la musique napolitaine à laquelle j'étais habitué. Ce pianiste, c'est Stéphane Mougin. Un type prodigieux. Il joue merveilleusement du piano. »

Al Romans : « A la Schola Cantorum, en 1923, j'avais pour professeur Lazare Lévy, qui enseignait au Conservatoire. Monsieur Lévy me parlait souvent de l'un de ses élèves du Conservatoire, qui le mettait dans des rages folles. Il s'appelait Stéphane Mougin. " Lorsqu'il interprète une étude de Chopin, disait-il, il faut qu'il rythme du pied, comme ces nègres que j'ai entendus un soir dans un cabaret. Pauvre garçon, disait-il, je ne comprends pas pourquoi il s'ingénie à détruire sa vie. Qu'est-ce qu'il cherche? S'il continue comme cela, à faire n'importe quoi avec sa technique, il finira par jouer avec des Tziganes dans les dancings. " »

Stéphane Grappelli : « Je me souviens que pour son concours de sortie au conservatoire, Stéphane Mougin joua, ô scandale, du jazz. »

Les premiers des Mohicans. Ils ont découvert une nouvelle musique, qui ne ressemble en rien à ce qui existait jusqu'alors.

André Ekyan : « J'écoutais les disques de Franck Trumbauer et d'un nommé Teschemacher... Il y avait chez lui une telle musicalité, une si grande beauté dans ses interprétations qu'il s'imposa comme l'idéal à atteindre. »

Philippe Brun : « J'avais une bonne formation classique, mais je n'avais jamais joué de trompette. La découverte de Bix Beiderbecke devait me bouleverser. »

Stéphane Grappelli : « C'est en 1927 que nous avons entendu les premiers disques qui correspondaient véritablement à notre idéal musical. Avec *For no reasons*, je découvrais la trompette et le piano de Bix Beiderbecke. »

Au Pigalle, un musicien a commencé à parler fort. C'est Stéphane Mougin. Il dit que les musiciens français sont méprisés ; qu'ils jouent tout aussi bien, et même mieux que les Américains ; qu'il n'est pas opposé à la venue des musiciens noirs américains mais que, maintenant, la coupe est pleine, car ils sont trop nombreux et que beaucoup d'entre eux jouent vraiment mal. Il parle de racisme à rebours, il emploie des mots que les autres musiciens ne comprennent pas. Il s'en prend aux mandolinistes de restaurants et de brasseries ; aux artistes musiciens habillés à l'ancienne, avec un chapeau à larges bords qui leur descendent sur le front ; aux plumiers spécialistes de *Poètes et paysans* ; aux sosies de Verlaine ; aux professionnels du tournicotis ; aux aigris du bal-parquet...

Il leur dit qu'il veut créer un journal, dans lequel les musiciens de danse exposeraient leurs points de vue et défendraient leurs intérêts. « Nous sommes des professionnels », dit-il.

Stéphane Mougin est un musicien de jazz. Ancien élève du Conservatoire, musicien de haut niveau, il a progressivement laissé tomber ses études. Il n'arrête pas d'écouter Bix Beiderbecke.

Il se plaint que la musique qu'il aime n'est écoutée que par quelques poignées de millionnaires, toujours les mêmes, dont le temps se passe entre les coulisses de la Bourse, le bar Cintra et le Golf des Portiques et qui, le soir, vont exhiber quelque demi-mondaine et coudoyer, dans quelque cabaret interlope, métèques et malades en quête d'aventures. « Le jazz pur nègre – dans cette catégorie, nous avons d'abord et avant tout Armstrong, puis Duke Ellington et quelques *bands* nègres – compte une clientèle très réduite dont la moitié ne sait même pas l'apprécier. Professionnels, quelques rares dilletantes... et une bonne quantité de snobs qui crient bien haut leur admiration pour les " borborygmes " de jazz délirants. »

Il est vrai que le jazz n'a de place nulle part. « Les jazz bands exécutaient et exécutent encore plusieurs espèces de danses, tels le *one step*, le paso-doble, la valse, note Arthur Hoerée dans un article publié en 1927 dans *la Revue musicale*. Le jazz, c'est encore ce que l'on appelle le jazz exhibition. La pompe à vélo de Paul Whiteman, les petites comédies efféminées de Jack Hylton, les grimaces mélodramatiques de Ted Lewis, les codas avec l'accord parfait et le coup de cymbale traditionnel, les petites danses, les " wa wa " des cuivres, les lamentations d'un violon dans le noir, les décors, les éclairages, la mise en scène. »

Quelquefois Stéphane Mougin ou André Ekyan, dans un réduit à bouteilles qui leur sert de loge, jouent un morceau de Gershwin ou de Cole Porter et s'amusent à improviser dessus, à la manière nègre.

Al Romans : « Stéphane Mougin était très " avant-garde ", mais il buvait beaucoup. Il affichait des idées politiques très engagées. En dehors de la musique, il ne jurait que par Karl Marx, dont il connaissait les ouvrages par cœur. Au fond, c'était un non-conformiste, et je le soupçonne d'avoir été, même musicalement, un provocateur qui cherchait à faire scandale. »

Stéphane Mougin ne pense plus faire carrière dans le

monde de la musique classique. Les bals et les night clubs ne préparent pas à jouer la partie de piano d'un concerto. Quel est l'orchestre qui prendrait le risque de le lui demander? La Société des Concerts du Conservatoire? Pasdeloup?

Laisse tomber, Mougin. Te rends-tu compte de la dose d'inconscience qu'il faudrait à un orchestre symphonique pour jouer avec un pianiste qui gagne sa vie dans les dancings, un type dont la réputation d'alcoolique est notoire, et, qui plus est, traîne comme une casserole la malodorante étiquette de marxiste?

Ils ne sont, au commencement, que trois musiciens français à vraiment jouer du jazz à Paris. Stéphane Mougin, André Ekyan, jeune saxophoniste délicat et raffiné, qui, dans le fond de son cœur, regrette peut-être d'avoir un jour claqué la porte de l'École dentaire et qui terminera sa vie de musicien chez Maxim's dans les années cinquante, chef d'orchestre désillusionné et héroïnomane. Et l'aîné, l'initiateur : Léo Vauchant.

Le petit Léo est devenu violoncelliste, tromboniste, chef d'orchestre, compositeur, percussionniste, arrangeur. En 1931, il quittera définitivement la France pour faire carrière à Hollywood. Il deviendra directeur musical à la MGM.

Léo Vauchant : « Tout ce qui s'est passé de 1917 à 1924 représente dans ma mémoire un quart de siècle. Nous formions une drôle de clique. Des vauriens, célibataires, séparés. Nous vivions dans des hôtels de mauvaise réputation. J'habitais rue Victor-Massé où habitaient de nombreuses entraîneuses. Nous avions seulement deux costumes, mais nous avions tous une voiture et nous vivions en smoking. Nous vivions dans un monde à part, et uniquement pour cette musique, le jazz. Je passais mes journées à travailler mes instruments, je jouais un peu partout, dans des patinoires, des *tea parties*, des music-halls. J'allais jammer dans des boîtes comme le Capitol, rue Notre-Dame-de-Lorette, j'écoutais dans des boîtes de Montartre et de Pigalle tous les musiciens de jazz qui passaient à Paris [11]. »

Léo Vauchant a senti la bête, flairé le gisement, une dizaine d'années avant tout le monde.

Quand ça lui chante, il suit les cours de la Schola cantorum ; l'après-midi il joue du violoncelle au Châtelet, le soir il est avec son trombone au Moulin rouge. Il amasse du fric, s'achète des bagnoles, rêve des États-Unis, drague les filles en imitant les batteurs noirs avec des bâtons d'allumette. Léo émerge du lot parce qu'il entend la musique. Comme un sourcier.

Il en entend les richesses potentielles, au-delà de l'écoute immédiate, au-delà des premières impressions. C'est vrai qu'à quelques exceptions près, les Américains de Paris ne jouent pas très bien. Ce sont souvent des étudiants qui se paient leurs études, ou des aventuriers, à la Mezzrow. Les musiciens français les valent largement. Devant ces musiciens américains qui viennent prendre leur travail, ils ricanent, hurlent au snobisme, mais Léo, le fou d'Amérique, traîne la nuit dans les bars américains, les cabarets, museau par terre. « Beaucoup de musiciens américains venaient à Paris et ne savaient pas jouer. J'ai entendu des saxophonistes qui hurlaient dans leur instrument. C'était souvent ignoble, mais ils cherchaient à créer un style [11]. »

Léo s'est mis à jouer du jazz à l'Américaine, comme il le voit faire par les musiciens noirs, écoutés Chez Flo ou Au Grand Duc. Quand il joue du trombone, son attaque est franche, nette, et elle va ensuite *decrescendo*. Rien à voir avec la technique traditionnelle française des cuivres, où l'on attaque ses notes *piano* avant d'aller vers le *forte*.

Le premier des Mohicans, c'est lui. Il a appris à tous les autres comment jouer le jazz.

En 1926, André Ekyan ne connaît pas encore Coleman Hawkins, mais il s'applique à avoir la sonorité de Franck Teschemacher. Rebondi, naturaliste. Rien à voir avec les saxophonistes de tradition française qui jouent avec un *legato* quasi généralisé, qu'ils agrémentent d'un *vibrato* geignard et souffreteux. Et quand ils se mettent à jouer *staccato*, ils piquent leurs notes. Ekyan cultive le style *hot*, les manières américaines. Alix Combelle rentre dedans comme un sauvage, jouant dans l'esprit noir sans rien vouloir faire d'autre. Au piano, Stéphane Mougin apprend à jouer *stride*, et il acquiert vite ce tour de main que l'on commence à appeler le *swing*. Il adore les accords de septième. Ces brochettes de tierces empilées les unes sur les autres dans des positions vieilles de trois siècles dont les enchaînements, fussent-ils bâtis sur le très classique cycle des quintes, sonnent comme rien n'avait jamais sonné auparavant.

Ce dont ils sont le plus fiers, c'est d'être capables d'abandonner un thème mélodique pour inventer une broderie de leur cru. Ils « vont au chorus » disent-ils. Yeux fermés. Quelquefois, ils se disent que la musique qui sort de leurs instruments n'aurait jamais pu être écrite par un compositeur.

Il leur arrive aussi de se trouver bons, imaginatifs, libres. Ils pourraient se croire différents des autres. De vrais Américains, somme toute.

Après eux, arrivera Roger Chaput... Et Raoul Gola, Lucien Moraweck, Léo Poll, Yatove, George Tabet, Alain Romans, Michel Emer, pianistes; Bob Chrisler, Lud Gluskin, qui annoncent fièrement qu'ils sont des *drummers*; Georges Jacquemont, Roger Fisbach, Edmond Cohanier, Rumulino, Serge Glykson, Amédée Charles, Roger Jeanjean, Max Blanc, Alix Combelle, saxophonistes; Julien Porret, Vlasti Krikawa, Alex Renard, Gaston Lapeyronnie, Faustin Jeanjean, trompettistes; Émile Christian, Guy Paquinet, René Weiss, trombonistes; Michel Warlop, Billie Tuesdale, Michel Warlop, violonistes.

Les autres musiciens du Pigalle ne comprennent pas cet engouement pour le jazz. Boucan de Nègres, tout ça... C'est l'anglais qui commande. Snobisme... On s'ébahit devant des coups de cymbales, parce que ce sont des Nègres qui les donnent. Tu parles d'une affaire. J' te mettrai ça aux égouts, avec la boxe, le vélo, le Mussolini et la grève des cheminots... Bon vent. C'est comme la peinture. Barbouillage et compagnie, en musique, il faut que tu sois pigmenté, sinon, couic. En avant pour le règne du roi Zanzibar. Y'en a que pour le Négus et pour les boxeurs. Tu verras que bientôt, on distribuera des prix Nobel aux Nègres.

« Il s'est créé depuis quelques années un "art dans l'art " : l'art du jazz et du tango », écrit Stéphane Mougin, dans le premier numéro de *Jazz Tango Dancing* qui sort des presses le 15 octobre 1930. Sur la première de couverture, les musiciens de l'orchestre du jazz Pathé Nathan, en smoking, se détachent sur une découpe de décor mi-art déco, mi-cubiste. Accolés par le dessinateur, deux Noirs – joviaux – partagent la « une » avec une tour Eiffel perchée sur un seul pied, un Moulin-Rouge et un coq. Cette revue à parution variable sera diffusée dans certains dancings et music-halls, et à la Maison du Jazz. Un ancien musicien vient d'ouvrir ce magasin, rue Victor-Massé, près de Pigalle.

– Regarde, mon frère, le type là-bas, dans sa roulotte. Il joue « américain ».

Paris, porte de Choisy. Paris barrières, Paris la zone. Une étrange planète s'intercale entre la capitale et ses banlieues. Un labyrinthe inextricable de haies et de minuscules jardinets. Des fossés transformés en dépotoirs. Des villages de planches qui abritent la misère et la pègre la plus sordide.

Et les manouches. Pas d'école pour eux. La traîne dans les billards des cafés de l'avenue de Choisy. Quelques sous gagnés dans des rings improvisés à la va-vite dans des bistrots. Rien d'original.

En 1928, Django Reinhardt a dix-huit ans. Depuis six ans, il joue de la guitare. Le cadeau d'un voisin, un certain monsieur Raclot. La première fois qu'il écoute un disque de Louis Armstrong, Django se met à pleurer.

En 1935, Django enregistre son premier disque, avec Roger Chaput à la guitare.

Un certain Hugues Panassié

« Il faut voir la faune qui glisse sur les trottoirs mouillés, la bande de rastaquouères, de métèques, de faussaires en tous genres, de désargentés, de bavards, de huileux, de sournois, d'anguilles, d'enrichis, de gros, de députés, de panamistes, de comitards, de démocrates, de surréalistes... les sangsues, les Anglais, les apatrides, les chercheurs d'or, les Hindous, les égoutiers, les Argentins... »

Laisse là, mon cher Hugues, ton vocabulaire emprunté à Léon Bloy. Tu vaux mieux que ces flammèches verbales. D'accord, la gueule est chose importante, pour toi. Tu l'as à la fois fine et grande, en fils de famille méridional que tu es. Mais laisse là ton vocabulaire de liguard, tes imprécations de chrétien acculé et ta fascination trouble pour les temps faisandés de la décadence romaine. D'abord, tu as un bon cœur. Et, avoue-le, l'ambiance quelque peu rastaquouère qui colore les nuits de Paris, en cette fin d'année 1929, et qui donne à ce neuvième arrondissement des allures de cour du roi Mogol, ne te déplaît pas.

D'ici quelques petites heures, les laitiers, les livreurs de vin gascons, les éboueurs d'Auvergne, suivis des cousettes et des rétameurs, se lanceront à la reconquête de la capitale. Et Paris redeviendra ville besogneuse, sage, honnête.

Ce cabaret de la rue Caumartin, l'Ermitage moscovite, est l'un de ces endroits où le maître d'hôtel se prend pour

LE ROMAN DU JAZZ

un général tsariste, et où la moindre dame pipi vous parle, avec un sourire de pauvre, des premières diarrhées de Nicolas II.

L'orchestre de tango est parti, et c'est maintenant l'orchestre de jazz qui occupe la scène. Celui qu'il cherche est là. Ça ne peut être que lui, le frisé. Gueule de métèque, comme dirait *l'Action française*. Les autres aussi sont russes mais, lui, il a ce regard vif, perçant, très intense, avec cette ombre de tristesse et de dureté, qui lui vrille le fond des prunelles. Tu l'as reconnu, Hugues... C'est le seul musicien de l'orchestre qui joue du saxophone alto.

– *Please, play hot.*

Un serveur à la poitrine bardée de décorations, gagnées pendant la guerre russo-japonaise, a fait passer le message à Dan Polo, le chef d'orchestre. Qui le passe au saxophoniste, avec l'air résigné d'un peintre en bâtiment qui recevrait les recommandations d'un critique d'art.

Hugues Panassié a la figure rigolarde, cet air repu des fils de famille, quand ils s'adonnent à un hobby, à une cause politique ou religieuse. Tous les soirs, depuis le début de la semaine, il s'assoit à sa table, toujours la même, et il tape le sol de sa canne en criant dès que l'orchestre joue un *fox trot*. Ce jeune homme est assommant, avec ses airs de saint Paul contemplant les barbares. Un message divin vient d'être enregistré en Louisiane, et son rôle, dans tout cela, est de le révéler à une humanité ignorante. De toute urgence. Dans l'immédiat, il veut que les musiciens de l'Ermitage moscovite ne jouent que du jazz. Et pas n'importe lequel. Du jazz *hot*... Allez jouer cette musique avec un orchestre composé de quatre violonistes russes, un cymbalum tzigane et un contrebassiste arthritique.

L'orchestre en a terminé. Hugues se dirige vers le saxophoniste.

– Vous êtes bien M. Mezzrow? J'aime beaucoup le jazz, et je vous demanderai de me donner des leçons de saxophone.

Les leçons de musique commencent dès le lendemain, au domicile du jeune homme, qui loge chez ses parents,

pas très loin de l'Ermitage moscovite, dans un appartement bourgeois de la rue Auber.

Âgé de dix-sept ans, Hugues Panassié sort d'une polio-
myélite contractée deux ans auparavant, qui a accentué
un caractère brûlant, nourri d'enthousiasmes indéfec-
tibles et de vérités tranchées. On ne peut pas dire que
Hugues soit spécialement doué pour le saxophone. Il
souffle dans son tuyau, éructe... Il n'a pas l'air de s'en
rendre compte. Son premier professeur, un musicien de
danse nommé Christian Wagner, est arrivé chez son élève
un jour de 1927, avec des disques de Fletcher Henderson
et de Franck Trumbauer.

La vie d'Hugues Panassié a basculé.

Mezz Mezzrow : « L'enthousiasme de ce petit gars
m'était on ne peut plus sympathique. Il habitait un
immense appartement et sa pièce personnelle était garnie
jusqu'au plafond d'étagères bourrées de disques. Il avait
appris ma version de *My blue Heaven*, alors nous la
jouons tous les deux, moi tenant la deuxième partie de
saxo, ce qui le stimule un peu. Ensuite, je lui fais entendre
mes disques (j'avais apporté avec moi *In a Mist*, de Bix,
West End blues, de Louis Armstrong, *Empty Bed blues* de
Bessie Smith, *Dipper Mouth* de Joe Oliver, *Heebies-
Jeebies* de Louis, *Dinah* d'Ethel Waters), et le voilà qui
cavale comme un fou au salon et qui se met à crier à toute
sa famille de venir écouter. Il me pose des questions qui
me font honte d'être américain : " Comment se fait-il,
Milton, me demande-t-il, que je n'aie jamais entendu ces
formidables disques ? Je ne les ai jamais vus mentionnés
sur les catalogues américains. " C'est là que j'ai compris
qu'à cette époque les compagnies de disques privaient le
monde entier de ces merveilleux enregistrements. Ils
étaient notés sous une rubrique spéciale intitulée *race
records* : disques raciaux...

« Je finis par donner tous mes disques à Hugues, tellement il les aimait. Complètement mordu, il se mit à col-
lectionner tout ce qu'il put trouver comme disques
raciaux....

« Ce qui me renversait dans la carrière de ce gosse, c'est

que ses idées le poussaient dans la même direction que moi, il s'efforçait de remonter au vrai jazz. »

Le Moyen Âge! Serait-il concevable d'exposer une toile non signée, de projeter un film sans générique? C'est pourtant en cet état qu'arrivent en France les 78 tours de Fletcher Henderson, Clarence Williams, Paul Whiteman, dans lequel brille cette étoile nommée Bix Beiderbecke. Hugues Panassié, puis d'autres jeunes gens – Charles Delaunay, Pierre Nourry, Jacques Bureau et, un peu plus tard, Maurice Cullaz – soumettent chaque musicien américain de passage à un interrogatoire serré. Ils se font envoyer les disques de jazz *hot* des États-Unis, ils établissent les dates d'enregistrement, ils reconstituent le personnel des séances d'enregistrement.

Charles Delaunay : « Je rendis visite à Armstrong un jour avec une mallette de disques pour m'assurer que c'était bien lui qui jouait dans certains morceaux de Clarence Williams, ou avec des chanteuses de blues plus ou moins connues. »

Hugues Panassié écrit ses premiers articles dans *Jazz Tango Dancing*. Mais bientôt, la vocation étroitement corporatiste de l'organe des musiciens professionnels français le gêne aux entournures et, dans le livre qu'il écrit et dans la revue qu'il crée il va voler de ses propres ailes.

« Le 29 mars 1933, écrit Charles Delaunay, je me présentai au 133, boulevard Raspail. Après avoir acquitté les cinq francs d'entrée, je descendis les marches qui conduisaient au sanctuaire. Là, à travers un épais nuage de fumée, je distinguai, pressés comme des cornichons dans un bocal, les bienheureux élus de cette secte mystérieuse... Le présentateur officiant prit avec solennité la parole [...], nous proposa d'écouter un disque de Louis Armstrong, *I can't give you anything*. Il posa avec précaution le précieux objet sur le pick-up... »

Il n'existe pas de Dieu sans église...

L'amour du jazz *hot* n'est alors le fait que de certains

musiciens. Un ballon, gardé sous la mêlée. Avec un beau culot, le petit Pana, tel un demi de mêlée, plonge dans le tas, et en ressort, tenant à bout de bras le jazz authentique. Il multiplie conférences, émissions de radio, articles, livres, enregistre des musiciens, fait connaître à un large public les noms de Louis Armstrong, Duke Ellington et Fletcher Henderson. En 1934, paraît sa somme théologique : *le Jazz hot*. Un gros livre, un véritable manuel, une bible qui ne tarde pas à être traduite.

Mezz Mezzrow : « Plus Hugues entendait la musique authentique des hommes de couleur, plus elle s'imposait à lui ; ses yeux s'ouvraient sur la différence entre l'original et les dérivés, entre le tronc solide et ses ramifications débiles, tortueuses et rabougries. »

Le Jazz hot est le premier ouvrage disponible en anglais sur l'histoire du jazz. Un critique musical écrit : « Si cet ouvrage décide les Américains à étudier le jazz, alors un autre Français que La Fayette aura rendu un grand service à notre pays. »

L'amour du jazz est né. Grâce aux jeunes gens qui rejoignent Panassié, les musiciens de jazz ne sont plus seuls. Mal aimés dans leur pays, les musiciens américains vont trouver en France et en Europe une terre nourricière, affective et financière. Quand ils arrivent en Europe, ils ont toujours la surprise et le plaisir de trouver autour d'eux un cercle protecteur et amical d'initiés qui s'arrachent leurs confidences. Ces premiers amateurs, tels des chrétiens du temps des catacombes, organisent des concerts dans des caves (en février 1933, dans un sous-sol de Montparnasse, a lieu le premier concert de jazz du monde devant des spectateurs assis, avec Benny Carter, qui est l'un des deux grands saxophonistes alto du jazz d'avant guerre). Ils font venir des *jazzmen* américains, écrivent des articles, discutent des nuits entières, recrutent d'autres malades dans leur genre. Avant eux, les musiciens de jazz n'avaient suscité aucun intérêt, on les considérait comme des domestiques ou des plantes vertes. Sous l'impulsion de ces véritables fanatiques se construit peu à peu autour des musiciens une manière de mythologie tutoyante.

Le jazz en France vient de trouver ses prophètes, ses porte-voix, ses scribes, ses enlumineurs, ses pharisiens.

En 1934, les amateurs du Hot Club de France ont l'idée de sponsoriser un orchestre de jazz. Pour cette aventure, ils choisissent un guitariste manouche de vingt-quatre ans, un prodige appelé Django Reinhardt. Avec lui, un quintette à cordes : deux autres guitares, une contrebasse, un violon. Outre Stéphane Grappelli, il y a aussi Roger Chaput, Joseph Reinhardt, Louis Vola. Ils sont cinq, comme dans un roman de chevalerie. Le nom du Hot Club de France ne va pas tarder à être sur toutes les lèvres, et la musique de Django dans toutes les oreilles.

NEW YORK
DUKE ELLINGTON
1929

Venant de Washington, un Duke

L'enfant descend les escaliers, il se tient droit, un petit air canaille au coin des lèvres. La sœur de l'enfant – elle est un peu plus jeune que lui – laisse tomber sa poupée. Le voici en bas de l'escalier. Au fond de ses yeux, on peut entrevoir, non pas une morgue, le mot serait trop fort pour un petit garçon de huit ans, mais un sourire entendu, une évidence élective, la conviction d'être bâti d'une autre glaise que les autres humains.

« Le souffle de Dieu plane à la surface des eaux », pense sa mère.

Les lèvres de l'enfant se durcissent. Mais qu'elles sont cornichonnes, ces deux-là. Elles l'aiment trop fort. Que c'est désagréable, de devoir jouer avec elles. Elles ne savent pas commander, et elles ne savent pas obéir. Mère et sœur, courbées de naissance; dévotes, vouées à la petite personne d'un garnement de huit ans.

Il y a un père, dans la maison, James Edward Ellington, belle figure de nègre, une lueur de fierté dans le regard qui surprend, parce que tout en lui pourrait faire penser qu'il accuse mal les coups que la vie lui a portés. James Edward Ellington a un bon métier, il est dessinateur dans la Marine nationale, et depuis toujours il fait en sorte que sa famille vive dignement, sans à coups. C'est peu dire que la mère et la fille lui en sont peu reconnaissantes. Sourires entendus, ricanements comprimés, yeux qui se lèvent au ciel, quand le père, malgré tout, se hasarde à

émettre une opinion. James Edward Ellington traîne derrière lui, mitonnés par maman et sa fille, une ribambelle
de surnoms, tous plus affectueux et meurtriers les uns que
les autres.

Exaspérantes femmes...

L'ambiance que la mère et la fille font régner dans cette
maison est irrespirable. Il n'a pas posé la main sur un
objet que, déjà, elles en ont fait une relique. Drôle ? Il n'y
a aucun plaisir à régner sur des sujets qui rampent devant
vous comme des chenilles.

La voix de l'enfant se durcit :

– Je vous dis de ne pas bouger et de vous tenir à disposition.

Maman est à deux doigts de gifler Ruth. Misère de fille,
quand elle respire, elle fait autant de bruit qu'une
locomotive.

« Je ne vous ai pas permis de bouger », dit-il encore.

Quand vont-elles comprendre que c'est uniquement
pour leur faire plaisir qu'il consent encore à jouer avec
elles ?

L'enfant reprend : « Son Excellence, Edward Kennedy
Ellington. » Il baisse les yeux, et, décidé à en finir au plus
vite, il ordonne : « Et maintenant, applaudissez ! »

Ce n'est qu'après avoir franchi la porte de la maison
que Son Excellence Edward Ellington se met à courir pour
ne pas arriver en retard à l'école.

Edward Ellington, Arthur Westhol et Toby Hardwick
quittent la capitale fédérale pour aller plonger dans les
eaux tourbillonnantes de New York. Ils ont déjà, deux
ans auparavant, tenté la grande aventure mais, cette
fois-ci, ils se promettent que quoi qu'il arrive, ils ne
reviendront pas en arrière. Revenir à Washington ?
Pouah, la brûlure que cela serait.

Washington : terminé. Arrière, le Potomac. Imagine-
t-on ce que cela signifie que de vivre à Washington ? Avec
ses 50 000 fonctionnaires pour près de 300 000 habitants,
Washington est une anomalie urbaine, une incongruité.

Sa spécialité : l'ennui. La capitale fédérale étouffe. Jardins, parcs, rues bordées de petits hôtels particuliers, on se croirait dans un quartier résidentiel d'une ville allemande. Aucune animation dans les rues, aucune bousculade, aucune fièvre. Washington est une ville de luxe, avec des rues larges et venteuses, émaillées de commerces discrets. Pas d'industrie, peu de lieux de distraction. Les Noirs ? Quand ils ne travaillent pas dans quelque poste subalterne de l'administration, ils sont serveurs dans les hôtels, cuisiniers, garçons de café. Ou alors, ils foutent le camp. Surtout quand ils ont dix-huit ans.

Mrs. Ellington mère étreint son fils, elle lui tend un dernier cadeau : un portrait de Jésus qu'elle a peint pour lui ; cette toile le protégera, là-bas à New York. Elle embrasse aussi Toby et Art.

– Vous êtes mes fils, tous les trois. Jésus vous accompagne, dit-elle.

Il y a beaucoup de monde, autour d'eux. La plupart des musiciens noirs de Washington sont sur le quai de la gare. Coutume de musicien de province : on accompagne au train ceux qui partent tenter leur chance à New York. « Tu penses à moi, Buddy. Tu m'envoies un télégramme et j'arrive. Dès que tu as un *gig*... ». L'ambiance est joyeuse, débridée, un peu forcée. Sur le quai, certains musiciens esquissent des pas de danse. On fête les partants, on leur promet la réussite, tout en espérant les voir revenir au plus tôt, brisés et contrits. Ceux qui restent à Washington ont de bonnes raisons de le faire, qui se résument à ceci : cette nuit qui tombe avec une joie mauvaise sur la gare de Washington est merveilleusement familière... Mais à Washington D.C., les possibilités de travail qui s'offrent à un musicien professionnel avoisinent le néant.

Encore un baiser de maman Ellington. Plus une étreinte d'angoisse qu'un baiser. Elle est minuscule sur ce quai de gare ; elle essaie de faire entendre sa voix, mais les musiciens, autour d'elle, sont des singes hurlants. Les yeux de maman Ellington s'accrochent à un jeune homme, qui salue la foule du marchepied du train.

Autour d'elle, tout est écrasant. Elle a l'impression qu'elle va bientôt passer sous une meule, tant est intolérable la vision de la chambre de son fils, silencieuse et vide.

Ruth se tient à côté d'elle, c'est une jeune fille d'une beauté fragile, avec de grands yeux en amande et des attitudes un peu théâtrales, qui jurent avec ses gestes maladroits d'adolescente. Un vague fond de sang indien, venu du côté paternel, donne à Ruth Ellington cet air de sensualité douce et retorse. Étrangeté des rencontres génétiques : Duke et Ruth sont grands et racés, on dirait qu'ils sont le produit d'un croisement entre l'Afrique et les grandes plaines indiennes. Regard émerveillé et rieur de Ruth sur son frère. Mon Dieu, qu'il est drôle, ce frère, et tellement mignon. Il a toujours l'air de se moquer du monde. Un sourire de félin qui perce à nu, embobine, captive, détruit. Edward et Ruth Ellington sont faits pour être aimés. Et le peu qu'ils donnent d'eux-mêmes suffit à imaginer qu'il serait bouleversant de pouvoir être aimé par ces deux-là.

Le train a commencé à s'éloigner, Edward Kennedy Ellington a jeté un dernier regard vers sa mère. On aurait dit, petite mère, le pistil parfumé d'une fleur. Il lève ses deux mains jointes au ciel, son front se plisse, ses yeux se voilent d'une brume exaltante. Toby Hardwick, Toby, son vieux copain Toby, lui lance un coup de poing affectueux dans les côtes. « Duke Honey, lui dit-il, qu'est-ce qu'on peut demander de plus à la vie ? »

Sur le quai de la gare, sont restés les doux, les satisfaits, les heureux, les sans-voix. Et celui que l'on appelle déjà Duke Ellington se plaît à dire que partir, ce n'est pas tant quitter quelque chose qu'aller quelque part.

Le train file dans la nuit, entre Meadle et Wilmington. Dans le wagon *parlor*, Toby, Art et Duke sont plongés dans une partie de cartes. Ils ne disent rien. C'est la deuxième fois qu'ils tentent le grand départ vers New York. Il y a deux ans, New York les rejetait, dans un grand hoquet de mépris. Ils avaient passé une dizaine de jours à errer dans les rues, à entrer avec un air d'abord décidé, puis pitoyable, dans tous les bars qui se trouvaient sur leur chemin. Partout, des musiciens : violonistes, pianistes, batteurs. A écouter ce qui se jouait à Harlem, il leur semblait que tous les virtuoses de la musique s'étaient donné rendez-vous dans ce quartier. Ils avaient fini par s'en retourner à Washington, où Sonny Greer, le batteur, qui assurait dans l'orchestre les fonctions de ministre du Rire et de la Guerre, dut mettre son poing dans la figure d'un certain nombre de musiciens de Washington, pour qu'ils arrêtent de poser les mêmes questions stupides.

Duke Ellington, Otto « Toby » Hardwick et Art Westhol ont rejoint le wagon le plus luxueux, dans la partie du train réservée aux Nègres. Pas un regard en direction des autres voyageurs, calmes potiches nègres assises dans des compartiments surpeuplés. Des marchands itinérants, des prédicateurs débrouillards, des ouvriers, pauvres gens, pauvres Nègres, semblables à d'autres Nègres, en tant d'endroits rencontrés, gens dominés, déplacés, bousculés. Wilmington, à quelques milles de New York... Et puis New York, bientôt. Où les attendent simplement Sonny Greer et Elmer Snowden, batteur et banjoïste de l'orchestre, partis à New York deux jours avant eux...

Un contrat de trois semaines, et après, il leur faudra refaire ce qu'ils ne connaissent que trop bien : frapper aux portes, les bousiller au besoin. N'allez pas croire que ces futurs princes mondiaux de la musique de jazz rêvent de tournées qui les mèneraient, de salles de concert en salles de concert, à travers la planète. Ils veulent simplement gagner de l'argent – le plus d'argent possible – en faisant de la musique. N'importe quelle musique : ragtime, jazz, chansons, *fox trot*. Ils veulent bosser. Ils veulent du pognon.

Ce deuxième engagement à New York leur a été procuré par Fats Waller. Que Fats Waller vînt jouer au *Gaity Theatre* de Washington, à l'occasion d'un spectacle de vaudeville, avait donné aux musiciens de Washington des picotements au creux des reins. Des mots bizarres sortaient de sa bouche. Il suait, riait aux éclats, empestait l'alcool.

– Hey toi. Ça te dirait, un petit *gig* à New York? Un
t'it *gig* tout simplet. *Toubi wha...* Vous êtes les bons qu'il
faut pour ça. Payé bien? Comme un lord. Tu joues quoi,
garçon?

Trenton (on se rapproche de New York). Art Whestol
et Toby Hardwick ont commencé une partie de cartes.
Duke ne joue pas avec eux, les chefs d'orchestre ont des
soucis que ne partagent pas les musiciens, il regarde au-
dehors et sifflote *Soda Fountain Rag*, le premier morceau
qu'il ait écrit, un pastiche d'une musique de James
P. Johnson. Arrivé à New York, il ira le voir. Et aussi
Willie « the Lion » Smith. Qu'est-ce qui fonde cette certitude en lui, qui lui dit qu'il est un grand compositeur? A
Washington D.C., Duke pourrait citer cinq pianistes
meilleurs que lui. Plus érudits, plus inspirés, plus professionnels.
Babillage incessant et futile des musiciens.
– Tu nous fatigues, Toby. Et je t'en prie, ma douceur.
Arrête de parler comme un Nègre. Mets des verbes dans
tes phrases, putain...
Art Whestol vient de faire taire, une fois encore, ce
pauvre Toby. C'est son boulot. Si Art Whestol fut le premier trompettiste jamais engagé par Duke Ellington, ce
n'est pas grâce à sa sonorité de trompette, pourtant merveilleusement douce et pure, très éloignée de la sonorité
vulgaire des trompettistes de La Nouvelle-Orléans. Mais
parce qu'il connaît le nom de tous les collèges noirs des
États-Unis, et qu'il s'exprime dans un américain impeccable. Arthur Westhol ressemble à un ministre du culte
des Adventistes du Septième Jour et, quand il parle, on se
tait. Duke Ellington a nommé Art Whestol ministre du
langage et des bonnes manières.

New York, la gare. New York. Répète ce mot, frère,
laisse-le aller dans ta bouche, déguste-le, ce mot est doux
et angoissant. Ils n'avaient pas trois ans que ce mot –
New York – entrait dans leur conscience, avant même
chewing-gum, Sitting Bull ou *base-ball*.

Duke Ellington, pianiste; Art Westhol, trompettiste; Otto « Toby » Hardwick, saxophoniste arrivent à l'automne 1923. Rien ne les distingue de centaines d'autres musiciens si ce n'est, peut-être, que leur comportement est réglé comme celui d'une armée en campagne : impensable que l'un des cinq musiciens de ce qui ne s'appelle pas encore l'orchestre de Duke Ellington se laisse aller à une faute de goût dans l'accord d'un chapeau avec une chemise, ou qu'il se montre désinvolte avec la syntaxe. Mais ils ne sont pas meilleurs musiciens que d'autres. Ils jouent de la musique de variété. De la musique pour soirées mondaines. De la musique au rabais. Les musiciens de Washington appellent ça « *underconversation music* ».

— Eh les gars. Arrêtez... Interdiction de se battre... Vous n'allez pas...

Le taxi ne s'est pas encore arrêté devant le bar de Harlem, que Sonny Greer passe ses bras à travers la vitre, bloque la portière, colle sa bouche à deux centimètres de celle de Duke, et il se met à hurler, haleine contre haleine :

— Qu'est-ce qu'on est venu faire ici, nom de Dieu. Ça fait deux jours que je vous attends, et il n'y a rien ici. Pas de boulot.

Sonny Greer n'a rien mangé depuis deux jours, et un autre orchestre joue à leur place.

Toby Hardwick sort du taxi, il continue de japper, on dirait un chien, tellement il inspire de la pitié, celui-là. Toby a un grand trou à la place du cœur.

— Z'êtes fous... Non. Pas se battre. Pas vous.

— Art, intima Duke. Demandez à cette assemblée de Nègres de se taire.

— Hein? dit Art Westhol.

— Que Dieu bénisse les musiciens de New York, reprend Duke, un mince sourire aux lèvres.

— Allons voir Willie Smith, a dit encore Duke.

Les Washingtonians commencent à avoir envie de

découper en tranches et de jeter aux orties le sieur Edward Kennedy, dit Duke Ellington. Ils ont trop faim pour supporter ses manières bostoniennes, ses exigences, sa discipline, son allure de majordome de l'armée des Indes.

Willie « The Lion » Smith habite une sombre bâtisse harlémite. Duke Ellington lui explique qu'il est compositeur de musique, et qu'il est accompagné de quatre merveilleux musiciens de Washington. Sonny Greer retrouve un semblant de sourire, quand Willie Smith lui adresse la parole, à travers un bâillement repu et satisfait :

– Tu m'as l'air d'un bon petit gars, dit-il. Mais tu aurais besoin d'une bonne coupe chez un bon coiffeur. Voici cinquante cents, *kiddy*. Et vous autres, soyez gentils, débarrassez-moi le plancher. The Lion a besoin de dormir.

– N'ayez pas peur, dit Duke.
– J'ai faim, gronda Sonny Greer.
– Dieu n'abandonne jamais personne, reprit Duke Ellington.
– Governor, stop, coupa Elmer Snowden. Qu'est-ce qu'on fait maintenant?

Voix glaciale d'Elmer Snowden. Sa voix est blanche et nette, il ne participe jamais, si ce n'est avec un rire distancié, aux agapes du groupe. C'est le ministre du fric. Il y a toujours un ministre du fric chez les musiciens. Celui qui veille sur l'argent, qui le hume avant qu'il ne disparaisse dans la poche des autres, le protège, le palpe, le range en petites liasses, le touche d'un doigt humide, le compte, le recompte. Celui qui note les dettes, justifie les sorties, expose les comptes, prend les mesures d'économie, de prudence, de rétorsion...

C'est Duke qui, le premier, voit le billet de dix dollars qui traînait par terre. De quoi nourrir les musiciens une journée encore. Et de décider qu'avant de revenir à Washington il ira rendre visite à Ada Smith.

En 1927, Ada Smith, ou Ada Beatrice Queen Victoria Louisa Virginia Smith Dulonge, ou encore Brick Top, en l'honneur d'une chevelure rousse, splendide et incongrue pour cette Négresse de Géorgie, quittera New York pour Paris. Où elle animera les soirées de Chez Florence, un cabaret noir de Montmartre. Louis Aragon la remarquera et la lancera. Elle ouvrira un cabaret et deviendra la coqueluche de Paris : elle apprendra le charleston au duc de Windsor et le *black bottom* à l'Aga khan.

C'est Brick Top, alors à New York, qui procure à Duke Ellington son premier engagment new-yorkais. Un bar. Le Barron's Wilkins, 134e rue.

Harlem I

La première chose qui frappe Duke Ellington, quand il sort du métro et qu'il débouche au coin de Lenox avenue et de la 135ᵉ rue, c'est que tout est normal. De grandes avenues bordées d'arbres, sur lesquelles des architectes à la mode ont construit des immeubles spacieux et paisibles. Derrière les petits escaliers qui conduisent à des maisons élégantes, aux vitres tachetées de rideaux de cretonne, Duke se plaît à imaginer des existences aux emplois du temps intangibles : bridge le lundi, réunion de la fraternité des anciens du collège le mardi, association de bienveillance le mercredi, conseil de paroisse le jeudi. Et ainsi de suite...

Un vagabond aux pieds nus, qui mendie sur les trottoirs en annonçant la fin du monde, donne lui aussi l'impression de vaquer à ses affaires.

On pourrait se croire sur une scène de théâtre. Comme un léger parfum d'opérette... Duke Ellington sent son cœur qui s'emplit d'un amour débordant... Les larmes lui viennent aux yeux. De bonnes, de chaudes larmes. Des larmes de fierté. Tous ces gens sont ses frères, ses sœurs. Duke Ellington se souviendra de cette arrivée à Harlem. Il dira avoir eu envie de serrer la main de tous les gens qu'il croisait.

Harlem fut, en ses origines, un projet immobilier de grande envergure. En 1900, New York s'aggrandit, s'étire, loin de Manhattan. La réussite de Harlem ou, plutôt, le pari que font alors ses promoteurs, repose sur les trois lignes de chemin de fer aérien qui, depuis 1881, relient Manhattan à la 129ᵉ rue. *You must take the « A » train. To go Sugar Hill' way up in Harlem.* Grâce à elles, ce quartier auparavant excentré et vide d'habitants se rapproche du cœur de la ville. Harlem est à présent à New York.

Il ne reste plus qu'à construire, et à convaincre les New-Yorkais de la *middle class* de s'y installer. Les instigateurs du projet, qui comptent parmi les promoteurs les plus solides de New York, font aussitôt bâtir des immeubles de standing, quelques églises, et deux grands théâtres, le Lafayette et le Lincoln, afin que les *citizens* de Harlem n'aient pas besoin de se déplacer jusqu'à Broadway. L'affaire va nécessiter d'énormes investissements. Immeubles de luxe, éloignés des désagréments de Manhattan, entre la 139ᵉ rue et la 7ᵉ avenue, proclame la publicité. Mais les New-Yorkais hésitent. Si les maisons et les appartements proposés sont superbes, ils ne sont pas, malgré le métro, si proches que cela de Manhattan.

La rumeur s'installe, amplifiée par une campagne de presse. Il semble bien que l'opération immobilière menée à Harlem va vers sa perte. Et, effectivement, le marché foncier de Harlem s'écroule dans les années 1904-1905.

Un jeune entrepreneur noir, Ernest Philipp Payton, persuade alors les promoteurs de louer ces appartements vides à des familles noires aisées. Les Noirs de New York, qui comptent parmi ses premiers habitants, habitent à cette époque, pour la plupart d'entre eux, un quartier de Greenwich Village appelé San Juan Hill. L'arrivée massive d'immigrants irlandais, italiens et juifs précipite ce quartier dans la délinquance. Afin que leurs enfants n'aient plus à côtoyer des petits voyous blancs, les familles noires vont s'installer à Harlem, plaide Ernest Philipp Payton.

Il n'a pas tort. Quoique largement prohibitif, le prix des appartements ne dissuade pas les Noirs. Les quelques Blancs qui ont acheté revendent aussitôt. En ces années, les premières du siècle, on voit se créer à Harlem des agences immobilières, des entreprises de pompes funèbres, des établissements de soins de beauté, des blanchisseries, dirigées ou financées par des Noirs. Des avocats, des médecins, des artistes noirs, des sportifs s'installent à Harlem. La presse noire relate par le menu cette montée vers la terre promise. On voit arriver à Harlem Jack Johnson, champion du monde poids lourd de boxe, Fritz Pollard, trois quarts de l'équipe des All American, des compositeurs, tels que A. Creamer ou P. Layton, auteurs de la chanson à succès *After you've gone*, des musiciens, des chanteuses comme Ethel Waters ou Florence Mills, de jeunes écrivains, comme Claude Mc Kay, Langston Hugues.

La presse salue l'événement. Pour la première fois de leur histoire, un grand nombre de Noirs américains habite un quartier qui n'a rien d'un ghetto. Situé dans une zone industrielle et de standing, dans la ville la plus importante des États-Unis, Harlem devient un quartier d'avenir, qu'habiteront les meilleurs éléments de la communauté noire. Un quartier que le maire de New York aura plaisir à montrer à ses invités, et qui fait la fierté de ses habitants.

Harlem est l'un des lieux en Amérique où, pendant une dizaine d'années, de 1900 à 1910, les Noirs peuvent entrer en contact avec les Blancs, sans peur et sans complexes.

En 1919, des Noirs roides de dignité défilent encore en lignes parfaites, chapeau sur la tête, canne à la main, pour riposter aux émeutes raciales. Sur les pancartes des manifestants, on lit : « Nous tenons pour vraie et évidente cette chose-là, que tous les hommes ont été créés égaux par leur créateur, et qu'ils jouissent de droits inaliénables, parmi lesquels la vie, la liberté et la recherche du bonheur... »

En ce Harlem, deux théâtres, le Lafayette et le Lincoln, sont subventionnés par un système de dotation de la bourgeoisie noire aisée. Dans les promenoirs de ces théâtres, on peut se croire dans les clubs « *wasp* » les plus fermés de New York : chevaliers de Pytias, Chevaliers de Columbus, Ligue Royale, Nobles of the Mystic Shrine...

Comme un léger parfum d'opérette. Une vitrine. Harlem... Des champs de coton à l'émancipation. Récit d'un écrivain, et cela se passe en 1910 : « Un soir, il y a bal public au vieux Palace Casino, deux Blancs sont entrés et se sont mis à danser avec des femmes de couleur. Cela a provoqué immédiatement un début d'émeute. Des femmes et des hommes ont envahi le bureau du directeur et l'ont sérieusement menacé, lui enjoignant d'expulser les deux intrus. Le directeur a ordonné aux deux hommes de regagner Manhattan pour danser avec des Blanches et de cesser de lui ruiner son commerce. » Récit hallucinant, presque invraisemblable.

Chute des cours du coton... Échec de la petite propriété noire... Hostilité des Blancs pauvres des zones rurales... Chômage... Mirage des grandes villes du Nord. Les Noirs du Sud s'installent dans les villes du Nord. Le mouvement s'accélère dans les années qui précèdent l'entrée en guerre des États-Unis. En 1917, attirés par les salaires élevés qu'offrent les industries d'armement, des dizaines de milliers de Noirs pauvres, sans qualification, déracinés, arrivent à New York. On les dirige à Harlem.

1919 – l'été rouge, comme l'a qualifié l'écrivain noir James Weldon Johnson. De juin à la fin de l'année on dénombre quelque vingt-cinq émeutes raciales. La guerre des races.

Juillet 1919, Longview, Texas. Coups de feu tirés contre des Blancs qui recherchent un instituteur noir accusé d'avoir informé le *Chicago Defender* d'un lynchage survenu le mois précédent. Le quartier noir est envahi, de nombreuses maisons sont incendiées, le directeur d'une école est fouetté en public, et plusieurs notables sont chassés de la ville.

Août 1919. Washington DC. Femmes blanches agressées par des Noirs, disent les journaux. La rumeur est infondée ? Elle s'insinue, prend corps, se nourrit d'elle-même et, bientôt, des bandes de marins, de soldats s'arment et envahissent le quartier noir. Pendant trois jours, avant que l'autodéfense ne s'organise, les hordes de voyous blancs tuent, comme à la parade, près d'une dizaine de Noirs et en blessent des dizaines d'autres.

Septembre 1919. Chicago. Un jeune Noir se baigne sur une plage du lac Michigan, il nage tranquillement dans la partie du lac réservée aux Noirs, mais des courants l'entraînent, il dérive vers la zone réservée aux Blancs, et ceux-ci, à coups de pierre et de horions, lui ordonnent de décamper. A bout de forces, le jeune homme retourne de là où il vient, mais finit par se noyer.

Là encore, la rumeur. Des groupes se forment sur les trottoirs. Des Blancs précipitent les Noirs hors des tramways, aux cris de « Lynchez-le! Tuez-le! » Ils fouettent ceux à qui ils trouvent un air insolent, et ils tuent ceux qui résistent. De petits groupes d'émeutiers des deux races blessent, tuent, fouettent, humilient toute personne qui n'est pas de la même couleur qu'eux. Dans le South Side, des jeunes Noirs poignardent un colporteur italien. L'émeute grandit. La milice, appelée le quatrième jour, n'arrive pas à ramener le calme. Lorsque les autorités dénombrent les victimes, le bilan est celui d'une petite guerre. Trente-huit morts, dont quinze Blancs et vingt-trois Noirs. Et 537 blessés. Plus de mille familles, noires pour la plupart, étaient sans abri du fait des incendies et du saccage général.

Entre 1910 et 1920, l'ambiance générale de Harlem a changé du tout au tout. Harlem la bourgeoise disparaît.

Bientôt, à Harlem, apparaissent des centaines de petites églises, *sanctified tabernacles,* sectes baptistes. Et tout le reste : bandes de jeunes désœuvrés, ruraux déracinés et analphabètes, cabarets étincelants, proxénètes de toutes couleurs, paroissiennes dures et expiantes, prédicateurs fous, prostituées inspirées et grisantes, à la beauté languide sous la lumière des réverbères, fumeries d'opium, messies frileux, pianistes sages, et *rent parties,* où l'on vous conduit vers des baignoires dégueulasses qui dégoulinent d'alcool...

Un état de grâce. A Harlem, dans des appartements enfumés, des écrivains, des musiciens et des poètes noirs venus des quatre coins du pays se rencontrent pour partager le rêve et l'expérience d'être un Noir en Amérique. En 1922, James Weldon Johnson publie une anthologie des poètes noirs américains. Des romans paraissent, écrits par des écrivains de Harlem. Les principaux : W.E.B. Du Bois, écrivain social et militant, Langston Hugues, James W. Weldon, Jean Toomer... Titres de ces romans : *The quest of the silver fleece, The autobiography of an Excolored man, Cane...* Des journaux paraissent, de gauche : *The Messenger, The Voice, The Crusader, The Emancipator, The Negro World.*

Tout cela porte le nom abusif de Renaissance de Harlem. Cette ébullition n'est que la dernière bouffée d'air respirée par un agonisant. En cette année 1925, Duke Ellington se dirige vers cet endroit très chic qu'est le Barron's Wilkins.

Au Barron's Wilkins, Sonny Greer a installé sa batterie près de la porte. Point de vue, imprenable, sur l'entrée du bar. Sonny est en alerte. Prêt à bondir. Activité principale : le pourboire. Dès que la porte du Barron's Wilkins s'entrouvre sur un client plein aux as, Sonny Greer se précipite sur l'homme au pognon, le prend par le bras et l'emmène d'une poigne ferme vers le bar.

– C'est mon pote, soigne-le, ordonne-t-il au barman.

Il peut arriver qu'un musicien ressente, dans un orchestre, de ces irritations que l'on croit réservées à la vie conjugale. Sonny ne peut plus voir Toby Hardwick en peinture. Ni Art Westhol, dans une moindre mesure. Toby est gentil, il rentre se coucher sitôt après avoir joué. Il a l'air emprunté, déplacé, mal dans sa peau. Qu'il joue du saxophone alto, du grotesque saxophone en *ut*, ou du saxophone baryton, avec lequel il double la partie de contrebasse à cordes, Toby Hardwick a une sonorité insupportable. Belle, ronde et classique. Il se flatte de ne jouer que les notes de la partition, pose des questions idiotes sur la manière d'interpréter la musique et improvise comme une vieille fille. Alors qu'ici, se dit Sonny, il n'y a qu'une chose à faire : hurler. Art Westhol joue lui aussi de trop délicate manière, excessivement attentif à sa sonorité de trompette, qu'il veut douce, égale, bien timbrée.

Et Sonny peste. Car il n'aime pas les pusillanimes. Plus tard, quand il écoutera des enregistrements de cette époque, Sonny Greer sera surpris par la finesse des improvisations de Toby et de Art. Mais pour le moment, il exècre, pour la douceur qui s'en dégage, cette manière de jouer. Les filles sont trop libres, à New York, et rien de pire ne saurait arriver à une musique que d'être douce. Sonny veut que ça crache. Il veut que l'orchestre le transporte en un lieu ou il n'y aurait plus de peau, plus de bois, plus de bronze, plus de cuivre. Seulement du swing.

Alors, Sonny fulmine, ahanne, gronde, se fâche, il ne laisse plus les solistes en paix, il les harcèle, les précède. Chez Duke Ellington, il y a maintenant un jeu de batterie musclé, nerveux, motivé, haletant.

– Il faut changer de musique, Stinky Duke, crache-t-il à son patron, pendant les pauses.

Duke commence à écrire des chansons. Il fait la tournée des éditeurs, et il séduit Fred Fisher, éditeur et compositeur de l'un des morceaux vedettes de l'heure : *Chicago.* Fred Fisher éditerait volontiers l'une de ses chansons, à la condition que ce jeune musicien n'écrive pas uniquement une ligne mélodique, mais un arrangement entier pour orchestre :

– Donnez-moi quinze dollars d'avance, lui a demandé Duke.

« Je n'avais jamais écrit d'arrangement auparavant, pas plus que je n'avais jamais écrit de musique, se souvient Duke. Il était quatre heures de l'après-midi, et les banques fermaient à cinq heures. Je m'assois et je lui écris son arrangement. Fred Fisher est content. Et moi donc... J'avais cassé la glace et écrit de la musique. »

Lorsqu'il arrive à New York, en 1923, c'est avec beaucoup de difficulté que Duke Ellington a pu écrire sur un cahier de musique la mélodie et l'accompagnement de piano de *Soda Fountain Rag*, seul morceau qu'il ait alors composé. Duke Ellington paie d'avoir trop longtemps hésité entre la musique, la peinture, le golf, les automobiles, les vêtements, les femmes et le base-ball.

Il racontera que lorsqu'il se mit à écouter – de manière sérieuse – des pianistes, son oreille droite en devint plus basse que la gauche. Il écrivit *Soda Fountain Rag* après qu'un batteur de Washington surnommé « Brushes » lui eut fait entendre *Carolina Shout*, joué par James P. Johnson.

Mais pour l'heure son atout c'est d'être entouré de bons musiciens. De leur demander le meilleur d'eux-mêmes ; d'écouter ce qu'ils ont à dire ; de développer ce qu'ils lui donnent. Et d'être sympathique. De ce prince qu'il finira par devenir, Duke ne possède encore que des attributs rudimentaires : une collection prometteuse de robes de chambre, un sourire éblouissant, et, aussi, une façon unique de traverser la vie en ne s'étonnant jamais que les obstacles, miraculeusement, se lèvent et s'effacent devant lui. (« Tu es béni, mon fils ; tu es bon, rien de mal ne pourra t'arriver, parce que tu es bon » lui répétait maman Ellington.)

Souris, Duke *honey*. Ce sourire accroche, hypnotise, captive, désarme ceux qui t'approchent. Encore un mot sur ton physique. Jeune, tu ressemblais à un chat siamois ; à la maturité, lorsque ton visage s'alourdira et que tes traits ravinés te donneront l'air d'un viveur serein, tu auras tout du tigre royal.

New York l'a dégrossi. En un an, cette ville a fait de lui un merveilleux musicien. En 1924, on lui propose d'écrire une comédie musicale.

– Pour quand ?
– Pour demain matin, Duke *honey*.
– Payé combien ?
– Cinq cents dollars d'avance.
– OK, pour demain.

« Je suis devenu sourd, et je me suis assis, sans rien y connaître, et j'ai écrit ce *show*. Je sais que des compositeurs ont besoin d'aller dans les montagnes, et de communier avec les muses pendant six mois pour écrire un *show*. Moi, j'écris quand on me passe commande [17]. »

Sonny Greer arrive d'ordinaire au Wilkins dans les premières heures de l'après-midi, dans le but, affirme-t-il, de travailler sa batterie. En fait, il traîne, boit quelques verres au bar. Il repart ensuite pour New York acheter des clochettes, des cymbales, des sifflets. Sonny Greer n'a de cesse d'améliorer son outil de travail, il est devenu démonstrateur et concepteur d'instruments de percussion pour un fabricant de batterie, la Leedy Manufactory Company. Toby Hardwick l'énerve de plus en plus.

– Toby, j'aimerais que tu fermes un peu ta gueule, lui lance-t-il. Entre tes yeux de chien d'aveugle, ta bouche de singe et la musique de gonzesse que tu sors de ton saxophone, je m'étonne que le bon Dieu ait pu trouver de la place pour nicher une cervelle de Nègre, si petite soit-elle.

– *Nigger*? répond Toby, très étonné tout d'un coup, et il regarde Duke droit dans les yeux. On n'a pas le droit de prononcer ce mot, Sonny.

Au Wilkins, le sujet principal des conversations entre musiciens est, une fois pour toutes, Brick Top. Oui, toi. Et ne fais pas l'étonnée. On raconte tes histoires de cœur, à peine ébauchées et déjà sinistrées, on rit de tes insatiables besoins d'amour. Il est vrai que tu as une drôle de tête, lorsque fondent sur toi ces chaleurs, qui te rendent vulnérable au moindre type un peu coriace qui se déplace avec un saxophone. Impossible de t'en prémunir.

Ces chaleurs, tu les réprouves, elles te prennent en traître, par l'intérieur, et voici que tu vacilles. Ceux qui te connaissent ne s'y trompent pas. Le désir qui s'affiche sur ton visage est comique. Caractéristiques : la lèvre inférieure qui penche dangereusement sur ton menton, ta bouche qui dessine un *o* implorant et navré, et ton regard qui devient aussi ferme que celui d'un noyé. Tu t'es vue? M'en fous. Tout de même. Tu es courbée, hagarde, tremblante, impudique. Odieux, ce regard en dessous. Ne te

rends-tu pas compte qu'il te défigure? Tu empestes
l'amour. Arrête de regarder les musiciens. Ils ne sont pas
aussi indispensables que cela, ces petits. A ton âge, tu
devrais savoir où te mène ce genre de faiblesses. Tu n'en
attends plus rien. De quoi as-tu envie? Mystère.

Eux, en tout cas, te cherchent... Ton corps tout entier
fait envie, un corps de louve noire. Les musiciens te
tournent autour, ils ont entendu parler de toi. Leurs yeux
sont sans équivoque. Il faut faire peu d'efforts pour te
séduire. Une plaisanterie, un sourire un peu appuyé. Les
difficultés viendront après. Quand tu surprendras le mouvement de recul de ton amant, au détour d'un coup d'œil
jeté et regretté, sur cette peau qui se plisse, tout autour de
tes mains. Des vieilleries, s'il faut appeler les choses par
leur nom. Il y a des parties de ton corps que tu montres,
d'autres que tu gardes pour toi-même. Jamais tu ne t'avi-
serais de te présenter devant ces jeunots, mains et avant-
bras découverts. Pour rien au monde, tu ne fais l'amour à
mains nues. Seulement gantée.

Il n'y a pas que tes bras... Tes yeux, aussi, Brick Top,
sont griffés. La nuit, l'alcool, les mecs qui se barrent,
contents d'en avoir fini.

Tous les musiciens de l'orchestre de Duke Ellington y
sont passés. Ou presque. Le nouveau tromboniste, au surnom évocateur de « Tricky Sam », ce fut derrière le bar,
Sonny Greer sur la banquette du fond, et ce trompettiste
hargneux de Caroline du Sud, qui répondait au nom de
Bubber Miley, sur le piano. Même Toby, le doux Toby
Hardwick, auquel les femmes ne confiaient, en général,
rien d'autre que des secrets et des courses à faire, a eu le
droit à l'amour de Brick Top, entre la caisse enregistreuse
et la machine à café.

S'ils étaient un peu moins arrogants ils te remercie-
raient pour les moments de plaisir et d'oubli d'eux-
mêmes que tu leur as prodigués. Dans ces moments, te
sens-tu ouvertement humiliée? Pas même. Tu es prête à
tout pour un peu de chaleur, et cette quête, à laquelle tu te
consacres, a fini par te rendre criante de vie et d'amour.
D'ici quelques années, les musiciens auront oublié ton

visage, mais ils se rappelleront le sourire que tu avais quand tu apostrophais les clients du Wilkins :

– *Hey folks*, leur disais-tu, ces petits choux de musiciens sont en train de mourir de faim. *Money, motherfuckers*. On sort son portefeuille, et on met de l'argent dans la soucoupe, en l'honneur de...

– Washington D.C., répondaient-ils.

Les musiciens parlent de toi avec tendresse, Brick Top. Ton sexe de madone est béant, on dirait un cœur de sainte.

Du nouveau chez Ellington

Sonny Greer a de quoi être satisfait. Alors que l'orchestre vient d'être engagé dans un des clubs les plus chics de Harlem, le Kentucky Count's Down, Duke a fait appel à des musiciens selon son cœur. Des durs qui possèdent ceci en commun, de venir du Sud des États-Unis. Ils s'appellent Bubber Miley, Joe « Tricky Sam » Nanton et Sidney Bechet.

Plus tard, au moment du Cotton Club, arriveront Johnny Hodges, Barney Bigard et Harry Carney. Ce dernier joue du saxophone baryton et renvoie Toby Hardwick au saxophone alto. Grâce à Harry Carney, les saxophones, les trompettes, les trombones jouent *avec* la batterie. Et plus derrière elle, comme dans un orchestre de variétés. Harry Carney fera toute sa carrière dans le pupitre des saxophones de Duke Ellington. Il sera l'un des grands saxophonistes de l'histoire du jazz.

Bubber Miley est arrivé chez Duke Ellington, en 1925. Lui aussi pourrait se prévaloir d'avoir posé des charges de dynamite dans les roues de cet orchestre.

Quoique sa famille soit installée à New York depuis près de quinze ans, Bubber Miley a l'air d'un paysan de Caroline du Sud. Il a commencé sa carrière de musicien dans le circuit des chanteuses de blues et des tournées de *minstrels*. Bubber Miley n'ouvrait la bouche que pour demander ce qu'il voulait, pour réclamer ce dont il avait besoin. Ses blessures et ses peurs, il les gardait pour lui. Quand Duke Ellington a entendu la palette de sons que Bubber sortait de sa trompette, il s'est rendu compte qu'il avait devant lui un homme providentiel.

Bubber Miley joue de la trompette en obstruant le pavillon de l'instrument avec des chapeaux, des foulards en soie, des battes de base-ball, des cendriers. Un de ses trucs favoris, c'est le débouche-lavabo en caoutchouc. Bubber s'en sert comme d'une sourdine. Sa main gauche recouvre le pavillon de la trompette avec le débouche-lavabo, et elle se retire, laissant un espace entre sourdine et cuivre. Il en sort des bruits incroyables. Sous ses doigts, l'instrument miaule, se tord, pète.

Un autre musicien s'emploie à désembourber l'orchestre. Un tromboniste. Joseph Irish « Tricky Sam » Nanton imite les facéties de Bubber Miley. Grâce à une sourdine en caoutchouc, il tire du trombone des sons proches de la voix humaine, pleurs et gémissements en tempo lent, cris gouailleurs en tempo rapide. Celui qui restera dans les mémoires des amateurs de jazz sous le nom de Tricky Sam Nanton est l'amuseur en chef de l'orchestre de Duke Ellington. Des inflexions africaines, miaulantes, un délire de cuivre. Bubber Miley et Joe Tricky Sam Nanton inventent le style jungle, caractéristique de la première période de l'orchestre de Duke Ellington.

Sonny Greer est ravi. Mais pour que l'orchestre de Duke Ellington accède à la dimension historique qui sera la sienne, il faut attendre Sidney Bechet.

Il se joint à l'orchestre durant l'été 1925. Des histoires curieuses circulent à son propos, qu'il entretient avec soin parce qu'il n'aime pas que les autres musiciens fourrent leur nez dans ses affaires.

Né à La Nouvelle-Orléans, à une date fluctuante – entre 1891 et 1897 – Sidney Bechet est un musicien confirmé et reconnu. Adolescent, il a joué avec George Baquet, Big Eye Louis Nelson, Lorenzo Tio; plus tard, avec Freddie Keppard, Clarence Williams, King Oliver; ensuite, avec Will Marion Cook, en Europe. En 1923, de retour aux États-Unis il enregistre des disques avec des chanteuses de blues, Margareta Johnson, Mamie Smith. Il a aussi été le partenaire de Louis Armstrong dans les sessions des Clarence Williams *blue five.*

Les musiciens l'interrogent sur l'Europe. Les femmes, la vie tranquille, l'absence de préjugés raciaux. Le paradis. Mais Sidney leur parle de son séjour en prison. Une histoire embrouillée. Impossible de savoir si c'est pour une histoire de viol (elle était consentante au début, je ne sais pas ce qui s'est passé, il y avait un copain dans la chambre qui lui a fait peur...), ou parce qu'il a tiré deux coups de revolver sur un musicien, dans une rue de Paris.

Sidney raconte aussi qu'à Londres il a joué devant la famille royale d'Angleterre. Et le roi? « Il y avait une drôle de chose à laquelle je pensais, entre les différents morceaux, en regardant le roi. C'était la première fois qu'il m'arrivait de reconnaître quelqu'un pour avoir vu son portrait sur mon argent. Par la suite, à chaque fois que je m'offrais un gin, je regardais l'argent avant de payer. »

Sidney Bechet parle à regret, il se livre peu. Il ne va pas s'éterniser dans cet orchestre de presque débutants, mais ce passage sera décisif. Sidney apprend aux musiciens de l'orchestre comment improviser.

« Quand je prends ma clarinette, je joue pour Goola, mon chien. Je lui raconte une histoire de berger allemand qui a perdu son maître et qui cherche une femelle, partout sur les routes. Raconte-toi une histoire, mec. N'oublie jamais ça. Si tu n'as pas d'histoires à te raconter, ne joue pas [18]. »

Johnny Hodges, saxophoniste alto du Massachusetts, qui entre dans l'orchestre en même temps que Sidney, recueille le message. Johnny Hodges, baptisé Rabbit... Le lapin, bon camarade, réservé, jamais vindicatif, membre fidèle de la formation durant une grande partie de sa vie, répétera la leçon à ses camarades après le départ de Sidney.

Johnny Hodges deviendra, avant Charlie Parker, le plus grand saxophoniste alto de l'histoire du jazz.

Bientôt, au grand bonheur de Sonny Greer, Joe Nanton se dit qu'il retourne en Afrique, et Barney Bigard se met à jouer comme s'il était entouré de jeunes filles qui en voulaient à son sexe.

Bubber Miley se prend pour un type qui cherche la bagarre dans les bars. Il a détesté Sidney d'emblée, sans doute parce qu'il lui ressemble beaucoup; il est contrarié d'entendre tous les musiciens de l'orchestre répéter que Bechet possède le plus beau son de clarinette qui soit au monde... Avant qu'il n'aille prendre son chorus au-devant de l'orchestre, Bubber ferme les yeux, et il se persuade qu'il va avoir la peau de Sidney Bechet. Dans une soirée, les deux hommes prennent jusqu'à six chorus chacun à la file, et Sidney finit toujours par avoir le dessus. Il est musicalement plus inventif et ne lui accorde aucun cadeau. Quand, après avoir joué, il regagne sa place sous les applaudissements, il passe devant lui et le regarde d'un air inimitable de mépris, qui semble dire : « Écoute bien ça, car le vieil homme ne sera pas toujours là pour t'apprendre comment jouer. »

Grâce à Bubber Miley, Joe Nanton, Sidney Bechet, Harry Carney, la musique de l'orchestre de Duke Ellington, par ailleurs de plus en plus maîtrisée et apaisée, va acquérir, entre 1926 et 1928, des traits d'audace, une énergie et une précision absolument uniques, dont on ne saurait trouver l'équivalent dans des orchestres de cabaret et de revue.

La première fois qu'il entend jouer Sidney Bechet, Otto Hardwick regarde son saxophone en *ut* comme s'il ne le reconnaissait plus. Cet instrument lui a donné quelquefois l'illusion d'être un musicien inspiré mais, après avoir entendu Sidney, il sait qu'il ne pourra plus se dérober devant cette vérité : il y a des gens destinés à la musique, et d'autres qui ne le sont pas. C'est ainsi, il n'y a rien à faire contre cela.

Bechet joue... Tout lui est donné. Un son épais, son *vibrato*, son lyrisme irrésistible, la manière de conduire un chorus. Dût-il travailler comme un acharné, il ne lui arrivera jamais à la cheville. Toby Hardwick s'est toujours dit qu'un jour il retournerait à Washington, mais cette fois-ci, alors qu'il écoute Sidney Bechet, il change ses plans. Ce n'est plus à Washington qu'il va aller, mais dans le Maryland, où il achètera une ferme.

– T'embêtes pas que je m'en aille? demande-t-il à Duke.

– Tu apportes quelque chose à l'orchestre, lui répond Duke.

– Je vais partir, Duke.

Duke est en train de se raser :

– Tu fais partie de ces gens qui ne quittent jamais leur route, mon Toby. Où penses-tu aller?

– Maryland, Stinky Duke.

– Tout le monde te regrettera. Aucun autre musicien ne te ressemble. Personne, comme toi, n'est capable d'éprouver si peu de haine pour les autres. Je ne t'ai jamais vu t'énerver. Ni te plaindre. Peut-être est-ce parce que tu n'en as pas la force. Ou alors, tu es un vrai *big man*, Toby.

– Dis-moi Duke, par qui vas-tu me remplacer, pour le boulot?

– Personne, mon vieux Toby. Tu ne m'as pas dit pourquoi tu partais?

– J'ai peur, Duke. Peur de mal jouer. Tous les gens qui viennent te voir le font pour voir un orchestre de tigres. J'ai plus la force de bien jouer. Il te faut des tigres, Duke.

– J'ai connu un type qui te ressemble, Toby. Un milliardaire. Un jour, il a perdu tout son fric. Il est devenu responsable des chiottes dans un grand hôtel. Sans rien dire, sans jamais se plaindre. Tu es comme lui, Toby. Ne te plains pas.

Harlem II

« Les Blancs remplissent les petits cabarets et les bars de Harlem, où autrefois seuls les Noirs chantaient et riaient. On leur donne les tables les mieux placées, d'où ils peuvent observer à leur aise la clientèle noire, comme s'il s'agissait d'animaux amusants dans un zoo. Les Blancs manifestent un intérêt morbide pour la vie nocturne de Harlem » (*The New York Age*, un journal de Harlem, en 1925).

Rudolph Fisher sera, dans les années trente, l'une des grandes personnalités noires de New York. Il deviendra un médecin renommé, doublé d'un écrivain à succès. Pour l'heure, après avoir passé quelques années loin de New York, Rudolph Fisher revient à Harlem, en ce début d'année 1927. Il s'enquiert des spectacles à voir. On lui parle d'Ellington, mais ce nom ne lui dit rien. Cet orchestre a pourtant déjà enregistré des disques, sous le nom de son leader, ou sous celui des Washingtonians. « Un des grands orchestres noirs qu'on peut entendre aujourd'hui », lui a-t-on dit.
En revanche, Rudolph Fisher est un familier du Hollywood Countown's Club. Ce cabaret de Harlem était son quartier général, le lieu où il donnait ses rendez-vous, l'endroit où il allait retrouver ses amis, avant qu'il n'aille faire sa médecine, dans une université noire, à Chicago.
Cela fait quatre ans que Rudolph Fisher n'a pas mis les

pieds à New York. Il ne reconnaît pas le Hollywood Countown's Club. Jusqu'au nom qui a changé. Le club s'appelle maintenant le Kentucky. Ce bar n'a plus rien à voir avec la taverne qu'il fréquentait. Tout y est neuf, clinquant, du dernier chic. Il entre. Il ne fait pas attention à un groupe de Blancs installés dans un coin. Il écoute Duke Ellington avec beaucoup de plaisir, mais quelque chose l'oppresse. Quelque chose qu'il serait bien en peine de nommer. Impossible de savoir et de comprendre de quoi il s'agit. Au bout d'un moment, il comprend d'où vient cette impression d'étrangeté.

« Je me souviens d'un endroit où mes copains avaient l'habitude de se réunir, et dans l'espoir d'en retrouver quelques-uns, je m'y rendis vers minuit. Quand je vis la quantité de Blancs qui se trouvait là, je pensai en moi-même : " Quelle bande de visages pâles. " Puis je me sentis décontenancé et me mis à regarder autour de moi avec plus d'attention. Je ne pus franchement pas en croire mes yeux. Pendant un instant, je crus que je m'étais trompé d'endroit et me demandai si j'étais vraiment à Harlem. C'est alors que je me rendis compte qu'à l'exception des garçons et des musiciens de l'orchestre, j'étais le seul client noir. »

Rudolph Fisher sort du Kentucky, non sans s'être arrêté, juste avant la porte, pour écouter l'orchestre. Le batteur trône au milieu de toutes sortes d'instruments : des carillons, des timbales, un vibraphone... Le trompettiste et le tromboniste sont remarquables. Rudolph ne se demande pas s'il s'agit de clowns ou de musiciens... Les sons qu'ils tirent de leurs instruments sont étranges, fantasques...

Les clients du Kentucky semblent les vrais maîtres du lieu. Il y a là un paysan du Texas, le genre à avoir trouvé du pétrole sous son étable. Il s'agrippe à Duke Ellington, et il glisse des billets froissés sous le col de sa chemise, au milieu des hurlements de stupeur et d'hilarité du batteur de l'orchestre. Les Noirs seront toujours des esclaves, pense Rudolph Fisher. Et il baisse la tête, tristement. Il n'en peut plus de ces rires, autour de lui, qu'ils émanent des serveurs, des musiciens ou des clients. Il reste sur place, pourtant, et se laisse bercer par des *pop songs*, des *jazz songs*, des chansons obscènes...

Il quitte le Kentucky quelques minutes seulement après que le trompettiste et le batteur ont commencé à chanter *My Buddy* en yiddish, assis l'un et l'autre sur les genoux du patron du Kentucky, Leo Bernstein. Rudolph Fisher va se promener dans les rues, entrer dans d'autres bars. La nuit de Harlem, comme toutes les nuits du monde, loge les malchanceux, les mythomanes, les solitaires, tous ceux qui haïssent le silence, tous ceux qui trouvent trop crue la lumière du jour. La nuit est bienveillante aux vraies détresses. Elle écrase les destins, ramène les drames à de l'anecdote. La nuit allège. Elle enlève aux hommes le poids de leur âge et de leur histoire.

La nuit d'Harlem brille de mille feux. Une nuit vibrante, bien plus brillante que celle qu'il a connue auparavant, dans le Harlem de son enfance. Des vamps à la peau brune et bien d'autres silhouettes, habillées de couleurs vives, s'ébattent sous les réverbères. Des femmes blanches trottinent, se pavanent aux bras d'hommes noirs. Une fille de couleur aux sourcils broussailleux se colle à lui. Elle approche sa bouche de la sienne, elle pue l'alcool. La prohibition? Personne ne semble ici en avoir entendu parler. Rudolph Fisher se dit que cette fête n'est pas la sienne. Les Noirs rient aux éclats, mais ce sont les Blancs qui s'amusent. Harlem est devenu blanc. Rudolph Fisher n'a pas assez de ses deux mains pour compter les établissements de nuit tenus et fréquentés par des Blancs, en plein cœur de Harlem, en ce début d'année 1927.

Le temps est terminé où les Noirs étaient chez eux, à Harlem. En 1925, un journaliste de la presse noire relève que personne à Harlem ne pourrait donner aujourd'hui à des Blancs l'ordre de quitter un lieu nocturne. « Les Blancs y viennent en masse, ils ont acquis des intérêts financiers dans la vie sociale de Harlem, surtout dans sa vie nocturne. Les Noirs n'ont rien à dire contre cela. Si l'un d'entre nous s'avisait de protester contre la présence des Blancs, il serait jeté dehors sans ménagement par le directeur. »

Harlem est devenu un lieu branché de New York, trois ou quatre ans après la guerre. Entre 1914 et 1918, ils n'étaient que quelques jeunes Blancs aventureux, qui se hasardaient à pousser leurs pas entre la quarantième rue et la sixième avenue. Parmi ces assidus, qui entraient sur la pointe des pieds dans les *« rathskellers »*, à l'origine des tavernes allemandes rachetées par des Noirs, pour y danser et y boire de la bière, on remarquait un journaliste blanc, Carl Van Vechten. Un type débraillé et bambochard, un de ces gars comme on en rencontre dans le monde de la presse, toujours prêt à se passionner pour les phénomènes les plus incongrus. Pour le moment, sa lubie s'appelait Harlem. Mais cela aurait pu tout à fait être les hassidim de Bretslav ou les Indiens de la forêt colombienne.

Carl Van Vechten est fou de musique. C'est aussi un garçon cultivé. De *dick* à *hammer*, il connaît au moins dix manières de dire bite, dans le *jive*, l'argot des Noirs. Il est capable d'avoir le dernier mot dans une *dozens*, ce jeu rituel, prisé chez les adolescents noirs, où il s'agit d'insulter l'adversaire, jusqu'à ce qu'il pleure ou se batte.

Carl Van Vechten révèle des écrivains, fait connaître des musiciens, indique les lieux où il fait bon prendre un verre, il évoque avec gourmandise les endroits dangereux, dresse des tableaux de mœurs avec un grand sens de l'image. La matière de Harlem est inépuisable. Carl passe au roman. Il en écrit plusieurs, toujours sur Harlem. Après avoir dévoré ses articles puis ses livres, ses lecteurs auront envie d'aller y voir par eux-mêmes. En 1917, les bourgeois blancs déferlent à Harlem, précédés de peu par les gangsters.

La guerre est finie, et, lors des dîners en ville à Manhattan, on ne se raconte plus les faits d'arme des troupes américaines sur l'Argonne. A la place, une manière de cynisme, de désenchantement. Alors que les usines tournent à plein rendement, que la prospérité semble assurée pour mille ans, les intellectuels new-yorkais, brillants causeurs mais sombres prophètes, pérorent sur les méfaits de l'industrialisation. Ils en ont comme un dégoût, de ces usines où ils ne mettront jamais les pieds de leur vie, et qui sont cause de phénomènes que les intellectuels réprouvent : le machinisme, l'ère des masses, l'uniformisation de la vie.

Les valeurs puritaines – retenue, décence, sérieux, pessimisme fondamental – sont encore un vernis sur lequel la bonne société ne transige pas. Dans les livres, les mots scabreux sont rayés, obtenir un ouvrage pornographique est un exploit, une femme qui s'abandonne sur l'épaule de son partenaire en dansant un tango est considérée comme une traînée. Mais derrière cette autocensure qui pèse sur les rapports humains, ça craque, de toutes parts. Le comble : en 1925, la dernière chanson à la mode aux États-Unis a pour titre : *Souviens-toi du jour où tu portais une tulipe et moi et une grosse fleur rouge...*

Un certain nombre de jeunes Blancs ne se retrouvent plus dans les valeurs de leurs parents. Cette saleté de puritanisme prend la vie à contre-pied. Il étouffe l'innocence. Il contrarie la vie, la vraie vie. Dehors, il y a Harlem. L'inconnu.

Cotton Club

Contraint par un début d'asthme à vivre dans une semi-réclusion, Owney Madden a fui les affaires qui auraient risqué de l'entraîner vers les eaux basses de la prostitution, ou dans la criminalité de bas-étage. Il détestait la vulgarité, le bruit, l'esbrouffe, parle d'une voix douce, sans gestes inutiles, écoute ce qu'on lui dit, se met rarement en colère et s'efforce de maintenir une distance courtoise entre le monde et lui. Rien à voir avec l'horripilante excitation d'un Himmie Weiss, ou la frénésie brouillonne d'un Al Capone.

Qu'il ne ressemble pas à un voyou, et surtout pas à l'idée que s'en font les scénaristes hollywoodiens, n'empêche pas qu'Owney Madden est l'une des figures les plus redoutées du milieu new-yorkais. Un garçon astucieux, méfiant, dont l'ambition n'est rien moins que prendre la direction, ou pour le moins le contrôle de tous les gangs de New York.

Owney Madden n'a en fait perdu son calme qu'une fois dans sa vie. Cela se passait quelques années auparavant, en 1918, alors qu'il séjournait dans un grand hôpital de New York, où, à la suite d'une agression que la police n'élucida pas, les chirurgiens lui avaient extrait six balles de revolver du corps. Owney continuait néanmoins de diriger ses affaires de son lit d'hôpital, jusqu'au moment où l'un de ses hommes de confiance, Georgie De Manche, dit Big Frenchy, lui rapporta qu'un concurrent déloyal, appelé Patsy Doyle, faisait courir dans tout New York la rumeur selon laquelle il ne se relèverait pas de ses blessures, et resterait infirme pour le restant de ses jours. Owney Madden se fit conduire au domicile de Patsy Doyle, il demanda un entretien avec lui et le tua de sa propre main. Cela lui valut une condamnation à vingt ans de réclusion, dans le pénitencier de Sing Sing. Il avait vingt-trois ans.

Le siège social de ses affaires (attaques à main armée, cambriolage nocturne d'entrepôts, distillation clandestine, corruption d'hommes politiques) se trouve maintenant depuis deux ans à Sing Sing. Et Owney Madden se décide à réaliser son grand œuvre : l'acquisition d'une salle de cabaret à New York, un endroit où la *mink society*, la haute société aurait plaisir à dîner, et d'où il assurerait la promotion de la *madden number one*, la bière qu'il fait brasser clandestinement par des Chinois de San Francisco.

C'est le moment. Les manifestations de rue organisées par les Ligues pour la Tempérance rassemblent de plus en plus de monde, et il ne se passe plus une semaine sans qu'un député ou un sénateur s'engage à ajouter son mandat ou lobby parlementaire qui a décidé de faire de l'Amérique un pays sec. Contrairement à ses collègues, qui se font un sang d'encre, Owney Madden attend le vote de la loi sur la prohibition, de pied ferme et le cœur serein. Tout cela lui rapporterait de l'argent. Il ne doute pas que les années à venir vont être placées sous le signe du sexe, des Nègres et de l'alcool. Tout ce que, dans son for intérieur, il abhorre.

Big Frenchy vient de dénicher la perle rare. Un ancien casino, le Douglas, situé dans l'une des rues les plus résidentielles de Harlem, le coin nord-est de la 142e rue.

Les conseillers d'Owney ont fait ce qu'ils pouvaient pour le dissuader d'acheter. Construit en 1918, le Douglas n'a cessé de porter la guigne à ses propriétaires successifs. Quelle que soit la formule adoptée, casino, restaurant, salle de jeu, cela ne marche pas. La bourgeoisie noire n'est pas assez nombreuse pour remplir cette salle, et l'endroit a coûté trop cher pour que l'on envisage de l'ouvrir à un public populaire. Butant contre ce paradoxe, les propriétaires et les gérants successifs ont passé la main, jusqu'au moment où, en 1920, Jack Johnson, l'ancien champion du monde de boxe, l'a pris en gérance et en a fait un restaurant chic et confortable. Le rez-de-chaussée du Douglas peut faire office de cinéma et accueillir des numéros de music-hall. A l'étage, il y a une immense salle de bal.

– Personne ne viendra à Harlem, dit-on à Owney.

– Pauvres imbéciles, pense-t-il.

Quand Owney Madden a acquis la majorité des parts du Douglas, il s'est arrangé pour que Jack Johnson, qui jouit d'un immense prestige auprès des Noirs de New York, reste le sous-directeur de l'établissement. Toujours discret, Owney Madden a pris soin de ne pas apparaître à la direction de l'affaire. Il a confié la présidence du conseil d'administration à l'un de ses collaborateurs, un pickpocket quasiment inconnu des services de police.

George De Manche, dit « Big Frenchy », dirigera l'affaire. Owney ébauche un sourire en imaginant Big Frenchy, un Français retors et salace, qui adore s'habiller comme les gangsters qu'il voit au cinéma, se promenant dans la salle, le chapeau à la Al Capone, très bas sur son front, les épaulettes renforcées, ses cols relevés, les mains enfouies au fond des poches de son pardessus. La *mink society* ne se fera pas prier pour venir dans un lieu peuplé de types dans son genre.

La salle est agrandie. Capacité : sept cents places. Les architectes (en accord avec Owney qui s'est fait apporter les plans dans sa cellule de Sing Sing, et qui veille personnellement à son aménagement et sa décoration), ont imaginé une forme de fer à cheval, comme dans tous les cabarets américains. Le plancher est sur deux niveaux. Les premières tables sont installées tout autour de la petite avant-scène, les autres, à l'arrière, sur une partie plus élevée.

Décoration nouvelle. Des palmiers artificiels aux tentures, du mobilier au linge de table, tout y est riche, clinquant. Tonalité générale du décor : la jungle. Les spectacles que Madden présentera dans son établissement évoqueront, sur un mode malicieusement érotique, les intensités africaines : tigres mangeurs d'hommes, femmes poursuivies par des cannibales, diverses danses de guerre, etc.

La gastronomie n'est pas oubliée. Au menu : les steaks classiques de la cuisine américaine, des langoustes, des plats chinois ou mexicains, mais aussi – il n'y a pas de raison de négliger les spécialités locales – les plats typiques de Harlem comme le poulet frit et les côtes de bœuf grillées. Pour ce qui est des spectacles qu'il présentera sur la scène de son club, Owney Madden souhaite avoir chez lui des revues d'une qualité au moins égale à celles de Ziegfeld. Avec une rotation tous les six mois. Lew Leslie, qui deviendra célèbre à Broadway avec ses revues « Blackbird », est engagé comme producteur. Chaque spectacle coûtera en moyenne 4 000 dollars.

Les responsables de la production, des mises en scène, de la chorégraphie, de la conception et de la fabrication des costumes sont blancs. Les artistes et le personnel sont noirs. Les clients seront blancs.

Rebaptisé Cotton Club, le Douglas est inauguré à l'automne 1923. Tout y est étudié jusqu'au moindre détail. Service soigné, à l'européenne. Contrairement à ce qui se passe dans d'autres salles de spectacle de Harlem, les serveurs n'y dansent pas le charleston, au moindre pas exécuté par les danseuses. Les filles de la revue sont grandes – au moins cinq pieds et six pouces (1,70 m) – et elles n'ont pas plus de vingt et un ans.

Les chansons des revues sont écrites par Jimmy Mc Hugh et Dorothy Fields. Pour la seule année 1928, ce duo, installé a demeure, écrira des chansons, jouées et mille fois reprises par quantité de musiciens : *I can't give you anything but love, On the sunny side of the street, I'm in the mood for love, Don't blame me.*

Tout New York est convié à l'inauguration.

Un incident a failli gâcher la fête. Alors qu'il bénéficie d'une remise de peine, Owney Madden, d'habitude plus prudent, est cueilli par la police à bord d'un camion contenant 25 000 dollars d'alcool. Lorsqu'il passe en jugement, il affirme devant la cour qu'il se trouvait dans ce camion parce qu'il faisait du stop et qu'il ignorait tout du contenu de la cargaison qu'il transportait. Son avocat a payé la caution, et Owney peut inaugurer sa salle, devant un New York réjoui.

Owney Madden veut qu'il y ait du jazz au Cotton Club. Du jazz joué par un orchestre originaire de Chicago. Il est persuadé que les vrais joueurs de jazz nègres ne peuvent venir que de Chicago. On lui a parlé d'un nommé King Oliver.

– Il est né à La Nouvelle-Orléans, lui dit Lew Leslie.

– Il me le faut, répond Owney.

– Non, tranche King Oliver, quand Lew Leslie réussit enfin à lui mettre la main dessus. Ce n'est pas assez payé. Je veux plus de fric.

– Je t'ai proposé le cachet le plus élevé de New York. Va te faire foutre, répond Lew Leslie, avant de raccrocher le téléphone.

En 1925, King Oliver se produit encore dans les cabarets de Chicago avec des orchestres où ne brillent plus, loin s'en faut, les étoiles de naguère. Il a tenté sa chance à New York, sans succès. Ses disques lui valent encore une certaine faveur auprès du public, mais ses meilleures années sont derrière lui.

Les musiciens ont désespérément besoin d'amour, et ils ne se sentent jamais assez aimés. Chez King Oliver, le phénomène prend d'alarmantes proportions. D'autant qu'il se rend compte qu'il joue de plus en plus mal, et qu'il n'y peut rien. Ses dents tombent une à une; elles sont si faibles que, la moitié du temps, elles ont tendance à se replier contre son palais. Le King fait tout pour cacher aux autres et à lui-même que sa dentition ne résiste plus au métal de l'embouchure. Pour conjurer sa déchéance, il demande des cachets exorbitants. Ses problèmes de santé ne diminuent en rien sa superbe. Joe Oliver vit dans un monde où ce qui a été dit et fait ne peut être défait. Il a été sacré roi, et il restera King Oliver, jusqu'au dernier des jours...

Cette offre d'engagement au Cotton Club est la dernière chance de sa vie. Il est secrètement soulagé que cet enculé de Blanc n'accepte pas sa proposition. King Oliver a la lucidité des agonisants. Mieux vaut un contrat refusé que se risquer à se faire entendre dans des circonstances dévalorisantes.

En 1931, RCA Victor, sa maison de disques, ne lui renouvelle pas son contrat.

– King Oliver, ça dit keke chose à quelqu'un ? hurle à la cantonade un directeur artistique qui vient d'arriver.

– Il encombre le catalogue depuis je n' sais combien de temps. C'est un trompettiste, ou quelque chose comme ça. C'était pas mal. Je ne suis pas sûr qu'il joue encore, répond une voix, perdue sous les dossiers.

King Oliver fait alors des tournées minables dans le Sud. La valse lente de la déchéance s'accélère. Les musiciens de son orchestre le tournent en dérision, il est escroqué par des patrons de dancings. Le car de tournée tombe en panne. La défection de la machine lui fait plus mal que le mépris des musiciens, qu'il ne remarque même plus. Le soir même, dans un dancing minable de Savanah, King Oliver joue de divine manière. Les musiciens, autour de lui, font silence. Ils ont l'habitude d'entendre, sortant comme par accident du cornet de Joe Oliver, quelques notes gémissantes et décrépites.

Joe Oliver ne veut pas s'arrêter de jouer. On lui propose un contrat dans un bel hôtel, à La Nouvelle-Orléans.

– Ça ne m'intéresse pas, dit-il à son imprésario.

« King Oliver ne voulait pas que je programme son orchestre dans des endroits trop proches de La Nouvelle-Orléans, se souvient son imprésario : il ne voulait pas que

les types de sa ville natale voient dans quel état il se trouvait. Et il me faisait également éviter les grandes villes,
parce que dans la plupart d'entre elles, il était connu, et il
voulait sauvegarder sa réputation. »

Dernières années de la vie de King Oliver.

« Il était maintenant au bout du rouleau. Finalement,
à Savanah, en Géorgie, abandonné par ses musiciens
qu'il ne pouvait plus payer, il renonça. Il se mit à faire
des tas de petits métiers minables (balayeur, par
exemple) ; il était devenu un vieillard malade qui souf-
frait d'hypertension. Mais il avait toujours la foi, bien
décidé qu'il était à revenir un jour au sommet. Dans
une série de lettres à fendre l'âme, écrites à sa sœur qui
habitait New York, il explique qu'il a l'intention de
revenir dans le Nord afin de reprendre sa carrière, mais
qu'il ne pourra pas revenir avant le printemps, car il n'a
pas de quoi s'acheter un manteau. " J'ai commencé à
mettre de l'argent de côté, à la banque. J'ai maintenant
1,60 dollar et je ne veux pas y toucher. Je vais essayer
de mettre de côté le prix du billet de train pour New
York. "

« Un dollar et soixante cents : c'était là Joe Oliver, le
King... Inutile de dire qu'il ne put jamais s'acheter ce
fameux billet. Le 8 avril 1938, Joe King Oliver est mort
d'une hémorragie cérébrale [7]. »

L'orchestre de Duke Ellington honore alors un engagement au Gibson's Standard Theatre à Philadelphie. Duke
Ellington revient d'urgence à New York.

« Pour obtenir ce travail du Cotton Club, racontera
Duke Ellington, il fallait un orchestre d'au moins onze
musiciens. Or au Kentucky, nous n'en avions que six.
L'audition était prévue pour midi, mais le temps que je
déniche onze musiciens, il était déjà deux ou trois heures
de l'après-midi. Finalement, nous avons pu jouer et nous
avons eu le contrat : le patron est lui-même arrivé en
retard et n'a pu entendre les autres concurrents. Ce qui
prouve qu'il faut être là au bon moment et jouer ce qu'il
faut devant les personnes qu'il faut. »

Il est exceptionnel qu'Owney Madden, qui ne quitte ses appartements que pour plonger dans sa Duesenberg, une voiture dont il a lui-même dessiné le blindage, vienne au Cotton Club. Cet orchestre, ce n'est pas ce qu'il veut. Il se demande s'il ne va pas s'en débarrasser.

Il se présente à leur chef :

– Comment t'appelles-tu ?

– Duke Ellington, Sir.

– Toi et tes gars vous appellerez dorénavant : l'orchestre de la Jungle de Duke Ellington.

Owney Madden attend de Duke Ellington un accompagnement musical pour des chorégraphies osées. Duke Ellington n'est pas là pour faire des concerts, mais pour composer, arranger et diriger une musique conforme à la mode du temps et au style de l'établissement : une musique qui évoque la jungle, la sensualité débridée, l'Afrique.

East St Louis Toodle oo; Jubilee Stomp; Black Beauty; Black and tan Fantasy; The Mooch, toutes ces pièces unanimement considérées aujourd'hui comme des chefs-d'œuvre du jazz, et qui comptent parmi les authentiques chefs-d'œuvre de la musique universelle, furent des morceaux de circonstance écrits pour accompagner des pas de danseuses, dans des scènes suggestives de revues, sur la scène d'un cabaret tenu par un gangster.

Entre 1924 et 1928, Duke Ellington a fait rien moins qu'inventer le jazz pour grande formation. Il le doit sans aucun doute à la présence de Bubber Miley, de Sidney Bechet et de Joe Tricky Sam Nanton. Ceux-là sont arrivés dans l'orchestre avec la fougue des musiciens noirs du Sud. A travers leur jeu, Duke Ellington a eu l'intuition qu'il existait une musique noire américaine. Une musique non formalisée, disparate. Cette musique avait ses génies et ses prophètes, mais il lui manquait un général en chef. Un grand architecte, capable d'organiser, de synthétiser, de mettre en ordre. Ce sera lui.

Il joue au Cotton Club depuis un an quand Duke Ellington fait la connaissance d'un type qui s'appliquera à le faire devenir une grande vedette de la scène américaine. Irving Mills est imprésario. Comme beaucoup de ses collègues, il édite de la musique. Dès qu'un musicien compose quelque chose, il achète le morceau pour dix ou quinze dollars et il s'empresse de le signer. Il finira par devenir le « compositeur » d'un nombre impressionnant de chansons. Cootie Williams, trompettiste vedette de l'orchestre, entendra un jour un blues à la radio. Il le reconnaît, c'est lui qui l'a écrit. Il se précipite chez Irving Mills, il veut savoir quand il va toucher ses droits d'auteur.

– Tes droits d'auteur? demande Mills.

– C'est mon morceau, Irving. Fais pas l'andouille.

– Un peu d'humilité, jeune homme, lui répond Irving. Je suis le propriétaire de tous les blues.

Irving Mills ne fait pas que cosigner des musiques de Duke Ellington. Il trouve les premières maisons de disques où l'orchestre peut enregistrer; il obtient les premiers contrats dans les *major companies*; il organise le premier concert de l'orchestre d'Ellington avec Maurice Chevalier; il met Duke Ellington en contact avec le monde du cinéma; il organise les premières tournées de l'orchestre dans le Sud et le Texas. Il met au point la première tournée européenne de l'orchestre, en 1933. C'est lui, enfin, qui vend le principe d'une émission, retransmise en direct du Cotton Club, à une station locale de radio, la WHW. Avec en vedette, M. Duke Ellington et son orchestre de la jungle.

L'émission est hebdomadaire. Imaginons. Des fermiers du Minnesota... Un poste de TSF les relie au monde. Tous les mardis, à l'heure des actions de grâce, ils écoutent, à travers les crépitements indignés et réprobateurs de leurs haut-parleurs, de la musique? Voyez-vous ça. De la sauvagerie enregistrée. En direct de Harlem, New York. Un dégoût, ils ressentent!

Ce qu'ils entendent à la radio n'est pas fait pour les

rassurer. Écoute, Joe. Euh ? Oui, écoute. Les Nègres ont pris le pouvoir. Les Juifs les aident, putain... T'entends Joe ? Non, répond le deuxième. Je vais te le dire, ce qu'il y a à entendre, reprend le premier : une cacophonie épileptique et arrogante où se heurtent les meuglements des trompes d'automobile et les hurlements de moricauds en délire.

Duke Ellington se sent en état d'apesanteur. Il est béni. En 1929, son orchestre se produit au Cotton Club, dans un spectacle de Ziegfeld, *Show girl*, dont la musique est signée George Gershwin. On se presse, on vient les écouter. C'est devenu habituel, de reconnaître des visages de politiciens connus, de répondre aux sourires d'artistes célèbres...

Jim Haskins, historiographe du Cotton Club, écrit : « On y voyait souvent le financier Otto Kahn, tout comme le maire Jimmy Walker (le club avait été officiellement inscrit sur la liste des endroits accrédités pour les réceptions du maire et était devenu célèbre pour tous les visiteurs étrangers qu'il accueillait) ainsi que quantité de célébrités du *show business*, des banquiers, des rois texans de l'élevage, et de jeunes des nouvelles et des anciennes familles fortunées. Tout ce monde apportait de l'élégance au Cotton Club. Les soirées inaugurales du Club étaient aussi excitantes et courues des célébrités que n'importe quelle première de Broadway. Tous les chroniqueurs importants comme Walter Winchell, Louis Sobol et Ed Sullivan, ne manquaient pas d'y venir, tandis que de nombreux américains, dans tout le pays, écoutaient, l'oreille collée à leur poste, les commentaires de l'animateur radio Ted Husing sur l'événement. »

Au Cotton Club, Big Frenchy De Manche ne quitte plus Duke Ellington. « Un roi, un roi nègre », clame-t-il à qui veut l'entendre. « Tu peux obtenir de moi ce que tu veux », répète-t-il à Duke. Duke Ellington obtiendra de Big Frenchy, au cours de l'une de ces rituelles parties de carte – whist, binocle et rummy – commencée après le spectacle, vers deux heures du matin, et terminée à l'aube, que la direction de l'établissement assouplisse la politique raciale du Cotton Club. Quelques Noirs, à la condition qu'ils soient riches ou célèbres, compteront parmi les clients du Cotton Club.

Parmi les plus assidus des soirées du Cotton Club, il y a des musiciens connus, que Big Frenchy accompagne à leur table avec une mine plus gangster que jamais : M. Paul Whiteman, M. Gershwin, M. Irving Berlin, M. Fred Grofé, claironne-t-il... Fred Grofé est le pianiste et le directeur musical de l'orchestre de Paul Whiteman. Il ne se déplace jamais sans son papier à musique. Il est habillé comme l'as de pique, il a un air de savant fou, et à voir son air ahuri, ses yeux de taupe qui clignotent à la recherche de la lumière, on a l'impression que les musiques qu'il écoute à longueur de journée ne peuvent que se fondre dans son crâne avec un grand bruit de compote de pomme. Mais le crâne de Fred Grofé abrite une véritable usine. Une musique n'entre dans les oreilles de Fred Grofé que pour être aussitôt traitée, disséquée, décomposée. Et elle vient se ranger, avec sa place, son nom et son affectation à l'intérieur du fameux crâne, prête à resservir pour une nouvelle composition ou pour un arrangement.

Fred Grofé est un vampire musical, acheté à prix d'or par Paul Whiteman. Un vampire consciencieux qui suce tout ce qui passe à sa portée. Il est capable de faire l'analyse harmonique du bruit du moteur d'une oldsmobile. Et tout ce qu'il note, rythme, sonorité, mélodie, se retrouvera, on peut en être sûr, dans les arabesques raffinées qu'il écrit pour son patron, Sa Majesté Paul Whiteman, ci-devant Roi du jazz.

En cette année 1929, Paul Whiteman est le musicien de variétés le plus célèbre des États-Unis. Son nom restera dans l'histoire de la musique, associé à la création de *Rhapsody in Blue*. Paul Whiteman et son orchestre (qui sera entre les deux guerres le modèle de tous les orchestres d'hôtel et de music-hall du monde entier) a créé une formule musicale qui a fait sa gloire et qu'il a appelée le jazz symphonique, une habile synthèse entre le rythme du jazz et la douceur feutrée des ensembles de cordes. Une musique consensuelle, que Mezz Mezzrow et les puristes du jazz ont en abomination.

« Paul Whiteman, Ben Pollack, Gene Goldkette nous faisaient l'effet d'orchestres symphoniques car, pour nous, un orchestre de jazz n'avait jamais compté plus de cinq ou six musiciens et le mot jazz ne signifiait qu'une chose : La Nouvelle-Orléans. Ces orchestres n'avaient rien à voir avec notre genre de musique et nous faisaient simplement rigoler. Ils faisaient de l'argent, pas de la musique. »

Ce soir-là, en écoutant l'orchestre de Duke Ellington qui jouait, derrière les filles « *tall and terrific* » du Cotton Club, Paul Whiteman tombe de sa chaise. Il se dit qu'il va virer les cordes de son orchestre, il se dit aussi que ces cornichons d'Américains qui se pâment en écoutant la musique de merde de M. Whiteman ont l'oreille la moins musicale du monde, il se dit encore que la meilleure chose qu'il ait faite dans sa vie, le seul acte dont il pourrait un jour se féliciter, a été d'offrir un pont d'or à Bix Beiderbecke pour qu'il rejoigne son orchestre, et qu'il fera tout ce qui était possible pour que Bix, malgré son histoire d'alcool, reste dans son orchestre; il se dit pour finir que le jazz, le vrai jazz, le jazz des nègres est décidément la plus épatante des musiques.

– Note comment jouent ces gaillards, Ferdie. Cela fait des années que je cherche à faire en sorte que mon orchestre sonne de cette manière.

– Je n'y arriverai jamais, Paul. Comment veux-tu que je note un merdier pareil. Je n'y comprends rien. De toute manière, tu changes tout le temps d'avis. Et puis, laisse-moi tranquille. J'écoute.

« C'est vers 1930 que se produisirent les premières bagarres vraiment sérieuses entre les gangsters, écrit Jim

Haskins. Bagarres qui devaient amener la fin de la période faste de Harlem. Alors que Madden contrôlait tout le trafic de l'alcool clandestin à Manhattan, celui du Bronx était entre les mains d'Arthur Flegenhaimer, plus connu sous le nom de Dutch Schultz. L'un des lieutenants de Schultz était un jeune homme qui s'appelait Coll. On raconte qu'un jour, à la suite d'une querelle entre Schultz et Coll, ce dernier fut abattu par les hommes de main de Schultz. Le jeune frère de Coll, Vincent, surnommé " The Mick ", décida de venger la mort de son frère. Il descendit deux des hommes de Schultz et proclama courageusement qu'il avait décidé de se tailler la meilleure part du gâteau. La manière d'agir de Vincent Coll était un véritable défi aux règles du milieu. En peu de temps, il fut connu sous le nom de *" Mad Dog "* (le chien enragé)... En tirant en pleine rue à Harlem sur les hommes de Schultz, il tua un petit garçon de cinq ans et blessa plusieurs de ses camarades... L'argent lui faisait défaut... Il commit alors l'un des coups les plus audacieux de l'histoire de la pègre new-yorkaise en kidnappant George De Manche et un autre patron de club, et en demandant une rançon en échange de leur libération. »

Vers la fin de 1930, la vie au Cotton Club commence à perdre de son charme pour Duke. Il lui doit d'avoir préservé son ensemble de la déroute occasionnée par la crise boursière. Son orchestre est lancé. Duke rêve de l'Europe. Quand il quitte le Cotton Club, c'est Cab Colloway qui le remplacera, personnage tellement agité que personne ne pouvait savoir si, quand il se déplaçait, il irait piquer du nez sur le micro ou sur le trompettiste soliste de l'orchestre.

Paris, 1930.

Michel Leiris assure la rubrique discographique d'un magazine. Il commente un disque de Duke Ellington : « A tous ces airs, l'érotisme déchaîné, le burlesque aucunement " comique ", mais intervenant seulement comme une sinistre dérision, les pulsations tout à fait animales – brochées d'affreux hoquets bien plus semblables à des convulsions d'infusoires qu'à des soubresauts d'ivrogne – confèrent un caractère d'horreur grandiose, inquiétant comme les larves qui grouillent obscurément en nous, sans que parviennent à les neutraliser ni cette ironie d'essence romantique, ni l'arc-en-ciel sonore opposé à la férocité d'un rythme de cérémonie rituelle ou d'incantation magique. »

Né en Amérique, le jazz allait être consacré en Europe.

Notes

1. MARQUIS, Donald M., *In search of Buddy Bolden*, Louisiana State University Press, 1978.
2. In SHAPIRO, Nat et HENTOFF, Nat, *Écoutez-moi ça*, Correa Buchet-Chastel, Paris, 1956.
3. BLASSINGAME, John W., *Black New Orleans*, University of Chicago Press, 1973.
4. *Literary digest*, 26/4/1919. Cité par SOUTHERN, Eileen, *Histoire de la musique noire américaine*, Buchet-Chastel, 1976.
5. Chapitre inspiré de l'étude de AVERTY, Jean-Christophe, « Contribution à l'histoire de l'Original Dixieland Jass Band », *Cahiers du jazz*, n°s 3 et 4.
6. MEZZROW, Mezz, *La Rage de vivre*, Buchet-Chastel, rééd. 1963.
7. COLLIER, James Lincoln, *Louis Armstrong*, Denoël, 1983.
8. *Ibidem.*
9. *Ibidem.*
10. Cité par FABRE, Michel, *La Rive noire*, Lieu commun, 1985.
11. MIALY, Louis Victor, « Le légendaire Léo Vauchant vous parle », *Jazz hot*, mars-avril 1969.
12. GOFFIN, Robert, *Aux frontières du jazz*, Paris, 1932.
13. « La France découvre le jazz », n° 325 (spécial) de *Jazz Magazine*.
14. COCTEAU, Jean, *Le Coq et l'Arlequin*, Stock, s.d.
15. ANSERMET, Ernest, *Écrits sur la musique*, A la Baconnière, Neuchâtel, 1971.
16. Milhaud, Darius, *Notes sans musiques*, Julliard, 1949.
17. ELLINGTON, Duke, *Music is my mistress*, Da capo Press Incorporated, 1973.
18. BECHET, Sidney, *La musique c'est ma vie*, La Table ronde, 1960.

Table des matières

PARIS

NEW YORK, DUKE ELLINGTON, 1929